W9-AKU-992

GIANNA MILANI

Commissario Tasso auf dünnem Eis

GIANNA
MILANI
Commissario
Tasso auf
dünnem Eis
KRIMINALROMAN

LÜBBE

Dieser Titel ist auch als E-Book erschienen

Originalausgabe

Dieses Werk wurde vermittelt durch die
Michael Meller Literary Agency GmbH, München

Copyright © 2021 by Gianna Milani
Copyright © 2021 by Bastei Lübbe AG, Köln

Textredaktion: Dr. Frank Weinreich, Bochum
Umschlaggestaltung: U1berlin/Patrizia Di Stefano
Umschlagmotiv: © www.pleesz.com
Satz: hanseatenSatz-bremen, Bremen
Gesetzt aus der Adobe Garamond Pro
Druck und Einband: GGP Media GmbH, Pößneck

Printed in Germany
ISBN 978-3-7857-2750-8

5 4 3 2 1

Sie finden uns im Internet unter luebbe.de
Bitte beachten Sie auch: lesejury.de

Il sapore – der Geschmack

Das wahre Geheimnis eines Knödels
ist, neben guten Zutaten,
vor allem ganz viel Liebe.

Einige Personen, denen Sie vielleicht begegnen

Bei der Polizia di Stato
Aurelio Tasso, Commissario in Bozen
Mara Oberhöller, seine Praktikantin, Tochter des Bürgermeisters von Meran, Jakob Oberhöller
Johann Vierweger, sein ehemaliger Ispettore, im Ruhestand
Dottore Bruno Visconti, Questore in Bozen
Alessia Rosso, Assistentin des Questore

Gustavo Lombardi, Phantombildzeichner
Dottore Simone Agnelli, Rechtsmediziner

Paolo Dacosta, Ispettore in Meran
Nino Scandiffio, Ispettore in Belluno
Renato Dalmaso, Commissario in Brixen
Elisabeth Unterbachner, Vice Sovrintendente in Brixen

In der Gastwirtschaft Bunte Kuh
Rosa Marthaler, Gastwirtin in Meran
Stefan Marthaler, ihr Sohn
Elsa Gassner, ihre Küchenhilfe
Peter Holzhauer, ein »wohlmeinender« Nachbar
Benno Wolkensteiner, ein Stammgast

Im Hotel Bellevue, Meran
Andrea Colletti, Concierge
Konrad von Kotzian, Kriminalrat a. D. aus Hamburg, Gast
Erna von Kotzian, seine Ehefrau, Gast
Helga Dussmann, seine Tochter, Gast
Petra Dussmann, seine Enkelin, Gast

Im Hotel Misurina, Misurina
Marta Alfonso, Empfangsdame
Ernesto Ferrara, Concierge
Marcello Villabona, Nachtportier
Filipe Donatelli, Direttore

Aurelio Tassos Familie
Corrado Tasso, Vater
Emma Tasso, geborene Vernatscher, Mutter
Aurora Tasso, jüngere Schwester
Hedwig Vernatscher, Tante mütterlicherseits,
wohnhaft in Bozen

Mara Oberhöllers Familie
Jakob Oberhöller, Vater, Bürgermeister von Meran
Marianne Oberhöller, geborene Lechner, Mutter
Anna-Sophia Lechner, Großmutter mütterlicherseits
Friedrich Oberhöller, älterer Bruder
Robert Oberhöller, jüngerer Bruder

Prolog, in dem Wirtin Rosa Marthaler es wenige Tage zuvor mit ungebetenen Gästen zu tun bekommt

Heißer Dampf machte das Atmen schwer. Rosa Marthaler kniff die rot geäderten Augen zusammen. Sie war zu Tode erschöpft. Mit der gesamten Konzentration, die sie aufbringen konnte, starrte sie auf die schaumig trübe Wasseroberfläche. Alles war ruhig. Noch. Rosas Stirn juckte. Eine Haarsträhne hatte sich unter dem Kopftuch hervorgewagt und klebte feucht auf der Haut. Mit spitzen Fingern schob Rosa die blonde Locke zurück. Das Wasser begann zu brodeln. Sie musste sofort handeln, sonst …

»Schaust du die Knödel gar, oder was ist los, Mädel?«

Elsa Gassners harsche Altfrauenstimme riss Rosa aus ihrer Versunkenheit. Hastig trat sie einen Schritt vom Herd weg, regelte mit der linken Hand das Gas unter dem riesigen Kochtopf und griff mit der anderen gleichzeitig nach dem Schaumlöffel. Hinter ihr ließ Elsa benutztes Geschirr und Besteck lautstark in die Spüle fallen.

»Mama, da sind nochmal einige Männer gekommen. Viermal Knödel mit Gulasch«, rief Stefan von der Schwingtür zur Schankstube.

Rosa verdrehte resigniert die Augen. Natürlich, das passte. Normalerweise war mittwochs nichts mehr los, sobald der Männerchor von Sankt Nikolaus seinen obligatorischen Absacker nach der Probe getrunken hatte und nach Hause gegangen war. Auch Elsa wäre um diese Uhrzeit eigentlich schon gar nicht mehr hier. Ausgerechnet heute, wo Rosa sich nichts sehnlicher wünschte, als die *Bunte Kuh* zu schließen und zu Hause ins Bett zu fallen, strömten die Gäste. Was war nur los?

Sie schöpfte die Knödel aus dem siedenden Wasser in eine Schüssel. Es reichte gerade für die vier Gäste, zwei würden übrig bleiben.

»Elsa? Möchtest du Knödel mitnehmen?« Sie kratzte die letzten Reste des Gulaschs aus dem Topf und verteilte es auf die Teller.

»Gern, dann habe ich morgen was zum Mittagessen.« Die resolute kleine Frau stemmte die Hände in die Seiten und nickte mit dem Kinn Richtung Gastraum. »Geh schon raus, ich kümmere mich um die Küche.«

»Aber ich …«

»Geh, sag ich!« Drohend hob Elsa einen Kochlöffel und schwang ihn, wobei ihr gewaltiger Busen wogte. Rosa lud sich die vier Teller auf und sah zu, dass sie fortkam. Mit ihrer Küchenperle legte sie sich ungern an.

Die Schankstube war düster und verraucht. Stefan stand hinter der Theke und zapfte Bier. Wie er gesagt hatte, saßen vier Männer zwischen dreißig und vierzig Jahren an einem Tisch in der Ecke und hatten die Köpfe zusammengesteckt. Sie trugen einheitlich graue Anzüge, schwarze Krawatten und weiße Hemden mit Manschetten. Zwei rauchten Zigaretten, ein dritter einen stinkenden Zigarillo. Rosa verzog die Nase. Rasch trat sie an den Tisch und setzte vor jedem Mann einen Teller ab.

»Viermal Tagesgericht, wohl bekomm's.«

»Bah?«, brummte einer und reckte die Nase, als würde er wittern. Er hatte nicht einmal seinen Hut abgesetzt.

»Menu del giorno, stronzo!«, pampte sein Nachbar zur

Rechten ihn an und zog einen Teller heran. Er lächelte Rosa an, und ein Goldzahn blitzte auf. »Danke schön. *Grazie, Signora.*«

»*Buon appetito, Signori*«, erwiderte Rosa. Das waren bestimmt Geschäftsleute aus dem Süden. Hoffentlich verschwanden die nach dem Essen und hatten nicht noch etwas zu feiern. Dann würde es nämlich eine lange Nacht.

Sie ging zur Theke und nahm das Tablett mit den Biergläsern von ihrem Sohn entgegen. Eigentlich sollte sie sich freuen. Der Herbst war verregnet gewesen und das Geschäft mit den Touristen, die neuerdings zur Weinlese nach Südtirol kamen, weitgehend ausgeblieben. Da war jede Einnahme willkommen. Dennoch, nicht heute. Sie war müde.

Beinahe wäre sie über etwas gestolpert und konnte sich im letzten Moment fangen, ohne das Bier komplett zu verschütten. Sie servierte die Gläser und schielte auf dem Rückweg nach dem schwarzen Koffer, der da mitten im Weg herumstand. Ein Bakelitkoffer, in dem technisches Gerät transportiert wurde, wenn sie sich nicht irrte. Aber das ging sie natürlich nichts an. Solange die Männer nicht ausfallend wurden und damit andere Gäste belästigten – was unwahrscheinlich war, denn sonst war niemand mehr da – oder die Zeche prellten, durften sie tun und lassen, was sie wollten.

Elsa erschien mit einem Teller und einem Geschirrtuch im Durchgang zur Küche und beobachtete die vier Männer mit finsterer Miene. »Pack ist das, das sehe ich von hier aus.«

»Elsa, bitte!«

»Schau sie dir doch an, das sind Verbrechervisagen.«

Rosa hatte kein Bedürfnis, eine der üblichen Tiraden über sich ergehen zu lassen, und schwieg. Sie wusste, dass die alte Frau dazu neigte, immer und überall Verbrecher zu wittern, besonders, wenn es sich um »echte« Italiener handelte, wie sie diejenigen nannte, die einen südländisch dunklen Teint und die entsprechende Haarfarbe aufwiesen. Ein Stück weit konnte sie die Haltung der Frau sogar nachvollziehen. Elsa hatte zwei Weltkriege miterlebt, und beide Zeiten waren mit bitteren Erinnerungen verbunden. Sie war Ende des vorangegangenen Jahrhunderts geboren, als Südtirol noch aus Wien vom »anständigen Kaiser Franz, Gott hab ihn selig« regiert wurde und Teil der glorreichen Habsburger Monarchie gewesen war. Rosa, die in Meran zur Welt gekommen war, als die Faschisten gerade mobil machten, hatte bei allem Verständnis eher den Verdacht, dass diese Monarchie gemeinhin glorifiziert wurde. Und sie war überzeugt davon, dass es einer Person nicht anzusehen war, falls sie ein Verbrechen plante. Das wäre ja noch schöner. Nein, es gab überall solche und solche.

Leise vor sich hin schimpfend verschwand Elsa wieder durch die Schwingtür in die Küche. Stefan begann, das gespülte Geschirr in die Regale hinter dem Tresen einzuräumen. Manchmal klirrten leise Gläser gegeneinander. Ansonsten war nur die gedämpfte Unterhaltung der vier Männer zu hören, die beim Reden mit ihrem Besteck herumfuchtelten.

Rosa lehnte sich rücklings gegen die Theke und kniff die Augen zusammen, die vom abgestandenen Zigarettenqualm tränten. Diese Männer verhielten sich wirklich merkwürdig, da hatte Elsa dieses Mal recht. Sie wirkten erregt, einer war sogar richtiggehend wütend. Er schien nicht mit den Meinungen der anderen einverstanden zu sein. Das Zusammensein der vier sah jedenfalls nicht nach einem erfolgreichen Geschäftsabschluss aus, und für Touristen an einem normalen Mittwochabend war ihre Kleidung viel zu elegant. Kurgäste waren das auch nicht. Ärzte?

Rosa wandte sich um. »Stefan?«

Der Sechzehnjährige sah sie fragend an.

»Schnapp dir mal einen Lappen und wisch über die Tische neben den Männern. Vielleicht kannst du von ihrem Gespräch etwas aufschnappen.«

»Mach ich.«

»Du verstehst besser Italienisch als ich«, fügte sie hinzu.

Er würde es niemals wagen, nachzufragen, warum er etwas tun oder lassen sollte, doch die Frage hatte ihm ins Gesicht geschrieben gestanden. Während er lustlos mit einem Spüllappen zu den Tischen schlenderte, räumte Rosa die letzten Gläser ein und schaute sich um. Es gab nichts mehr zu erledigen. Ihr Sohn hatte ganze Arbeit geleistet. Es wurde längst Zeit, dass er ins Bett kam. Er musste morgen ausgeschlafen für die Schule sein.

Sie schreckte auf, weil er mit weit aufgerissenen Augen auf die Theke zukam. Er setzte gerade an, etwas zu sagen, da rief einer der Männer nach der Rechnung. Rosa nickte Stefan zu und ging abkassieren.

Kaum hatten die letzten Gäste ihre Mäntel und den geheimnisvollen Koffer eingesammelt und waren durch den Haupteingang verschwunden, platzte Stefan heraus: »Die planen einen Anschlag, Mama! Wir müssen die Polizei verständigen!«

1. Kapitel, in dem Commissario Tasso am Montagmorgen um der alten Freundschaft willen eine Aufgabe übernimmt, die ihm nicht behagt

»*Buongiorno*, Signor Commissario!«

»*Buongiorno!*«

»*Buongiorno*, Aurelio.«

»Grüß Gott, Herr Kommissar.«

»Guten Morgen!«

»*Buongiorno, buongiorno.*«

Commissario Aurelio Tasso durchquerte die Büroetage mit langen Schritten, nickte dabei freundlich in alle Richtungen und erwiderte die Grüße jeweils auf Italienisch oder Deutsch. Wenn die Anzahl der Menschen, die ihn an diesem sonnigen Wintermorgen grüßten, ein Indikator dafür war, wie beliebt er war, dann mussten seine Kollegen ihn wirklich sehr mögen. Er hatte allerdings den starken Verdacht, dass die ihm entgegenbrachte Aufmerksamkeit vielmehr mit seiner Suche nach einem neuen Mitarbeiter zu tun hatte. Sein langjähriger treuer Begleiter Ispettore Johann Vierweger hatte sich im Oktober in den wohlverdienten Ruhestand verabschiedet. Seither hatte Tasso sich immer noch nicht für einen Nachfolger entscheiden können.

An seinem Schreibtisch angelangt, zog er sich gemächlich Mantel und Hut aus und versuchte, mit beiden Händen die dunklen Locken zu glätten – wie immer vergeblich. Kaum hatte er das Pistolenholster über die Stuhllehne gehängt und sich gesetzt, als das Telefon klingelte.

»*Buongiorno*, Signor Commissario. Der Questore wünscht Sie augenblicklich zu sprechen.«

»Ich komme sofort. Danke, Signorina Rosso.«

Seufzend stemmte er sich wieder aus dem viel zu bequemen Drehstuhl und nahm die hintere Treppe, die vom zweiten Stock hoch ins dritte Geschoss führte. Dort erwartete ihn ein langer grauer Gang, den Neonröhren in ein fahlgelbes Licht tauchten. Das Brummen der Lampen war das einzige Geräusch, Tassos Schritte wurden vom nagelneuen federnden Linoleumboden gänzlich verschluckt.

Er passierte einige Türen und klopfte an einer mit der Aufschrift:

Dottore Bruno Visconti, Questore

Vorzimmer Alessia Rosso, Segretaria

Er betrat den Raum, ohne auf eine Antwort zu warten, schließlich war er einbestellt.

Signorina Rosso saß hinter ihrem Schreibtisch, tippte in atemberaubender Geschwindigkeit auf einer schwarzen Schreibmaschine und schaute nur mit einem kurzen Lächeln auf. »Gehen Sie durch, Signor Commissario.«

Er richtete seinen Hemdkragen und den Krawattenknoten, bevor er sich zu einer weiteren Tür rechts wandte, klopfte und abermals sofort eintrat. Strahlender Sonnenschein empfing ihn, der durch ein großes Fenster zu seiner Linken fiel. Questore Bruno Visconti war ein Mann in den Fünfzigern mit vollem grauen Haar und einem gewaltigen Schnurrbart. Er saß hinter einem mächtigen Schreibtisch aus Mahagoniholz, blätterte eine Unterschriftenmappe durch und zeichnete in einem Tempo, das dem seiner Sekretärin in nichts nachstand, Dokumente ab.

»*Buongiorno*, Bruno. Du wolltest mich sprechen.« Tasso trat heran und streckte seinem Gegenüber die Hand entgegen.

Bruno Visconti klappte die Mappe zu, schloss seinen Füller und legte ihn auf eine lederne Ablage. Dann schüttelten sie einander herzlich die Hände.

»So ist es. Setz dich, Aurelio.« Er beugte sich vor und legte die Handflächen aneinander.

Tasso ließ sich Zeit damit, den chromfarbenen Schwingstuhl heranzuziehen und sich niederzulassen. Beiläufig glitt sein Blick über die italienische Flagge links neben dem Questore. Oberhalb seines Kopfs prangte goldgerahmt die Doktorurkunde. Rechts stand eine Garderobe mit Mantel, Hut und Krücken. Dem aufmerksamen Betrachter fielen außerdem zwei Ledermanschetten für die Hände ins Auge, die an einem Kleiderhaken baumelten.

Da Bruno immer noch nichts sagte, wusste Tasso, dass es unangenehm werden würde. Besser, sie brachten es hinter sich. »Um was geht es, wenn ich fragen darf?«

»Dein Assistent Vierweger ist seit Oktober im Ruhestand, wenn ich mich nicht irre?«

»Das ist korrekt.«

»Hast du dich schon für einen neuen Kollegen entschieden? Wir haben einige tüchtige Anwärter da unten sitzen.« Mit *unten* meinte er die Büroetage ein Stockwerk unter ihnen.

»Das stimmt. Nein, noch nicht. Diese Wahl fällt mir nicht leicht.« So etwas wollte sorgsam abgewogen werden. Schließlich würde er es mit dem Mann, für den er sich entschied, einige Jahre aushalten müssen. Oder der mit ihm. Das war eine Frage des Standpunkts. Tasso machte sich da nichts vor. Bis er mit Vierweger klargekommen war, hatte es beinahe ein Jahr gebraucht, was allerdings auch dem Umstand geschuldet war, dass der Ispettore ein breitschultriger Riese war und bei manchen Gelegenheiten für den Ranghöheren gehalten wurde. Tasso war keineswegs schmächtig, aber wie viele Süditaliener etwas kleiner als die Menschen im Norden des Landes. In Begleitung von Vierweger nahm er sich jedenfalls wie David neben Goliath aus. Mit der Zeit hatte er gelernt, fehlende Körpergröße durch forsches und resolutes Auftreten wettzumachen. Das entsprach nicht ganz seinem Naturell, war aber häufig sinnvoll, um bei seinen Gegenübern und gerade in Verhören den nötigen Respekt zu erzeugen. Und es funktionierte.

Bruno lächelte, als könne er Gedanken lesen. »Die Position ist begehrt, weil du einer der erfolgreichsten Ermittler bist. Und das, obwohl du nicht gerade den Ruf hast, umgänglich zu sein.«

Tasso brummte argwöhnisch. So ließ sich seine Wirkung auf andere auch umschreiben.

»Nun, ich werde dir – zumindest vorläufig – die Entscheidung abnehmen. Der Bürgermeister von Meran hat mich gebeten, seinen Nachwuchs unter die Fittiche zu nehmen. Für ein Praktikum, wie er es nennt. Es geht darum, Erfahrungen zu sammeln und einen Einblick in die tägliche Polizeiarbeit zu bekommen. Und da dachte ich an dich. Die Weihnachtszeit und der Januar sind in der Regel eher beschaulich, da kann nicht viel passieren.«

»Ich soll also ein … ein Kind mit zum Dienst nehmen?«

»Es ist ja nur für sechs Wochen.«

Tasso lehnte sich zurück und verschränkte abwehrend die Arme. »Das ist nicht dein Ernst!«

Bruno warf ungehalten die Hände in die Höhe. »Wenn du es nicht freiwillig machst, werde ich es anordnen. Eigentlich haben wir in dieser Sache keine Wahl, weißt du?«

»Du meinst, ich habe keine Wahl. Du musst ja nicht mit dem Balg herumlaufen.« Tasso verstummte erschrocken und senkte reumütig den Kopf.

Dennoch hatte er gesehen, dass sich die Miene seines alten Weggefährten für einen Sekundenbruchteil verzogen hatte. Bruno Visconti war gekränkt. Sehnsucht wallte soeben in ihm auf, das wusste Tasso. Er hätte das nicht so sagen dürfen, denn der Questore würde nichts lieber tun als das: *herumzulaufen*, wenn es sein musste, sogar mit einem vorlauten Bürgermeisterspross an den Hacken. Leicht gesagt, denn mit nur einem Bein lief es sich auf Dauer nicht so gut. Das machte ihn zu einem ausgezeichneten Innendienstmitarbeiter, vermutlich einem der besten, den die Polizia di Stato seit dem Krieg vorzuweisen hatte. Nur dass es eben nicht Brunos freiwillige Entscheidung gewesen war, sondern den Umständen geschuldet.

»*Scusi, caro amico*. Ich hab's nicht so gemeint. Ich mach das natürlich. Wann und wo soll ich den Bengel einsammeln?«

Versöhnt strahlte Bruno über das ganze Gesicht. »Ich habe gewusst, dass du Ja sagst. Mara Oberhöller sollte inzwischen bei Alessia im Vorzimmer warten. Du kannst sie sofort mitnehmen und ihr deine heutigen Aufgaben erklären.«

Tasso riss die Augen auf. »Mara? Das ist ein Mädchen!«

»Sie ist zweiundzwanzig, also großjährig. Aber ja, eine fesche Signorina.« Er zwinkerte. »Die wird deine grantige Erscheinung gehörig aufwerten.«

Tasso war zu entsetzt, um darauf etwas zu erwidern. Er hatte bisher keine guten Erfahrungen mit Anwärtern gemacht. Die waren so unselbständig, andauernd musste er ihnen sagen, was sie tun sollten. Und jetzt auch noch so eine verwöhnte junge Frau aus gehobenem Haus? Dazu ein halbes Kind? Großjährig mochte sie sein, aber nur knapp. Er räusperte sich mehrfach, brachte aber kein Wort hervor.

Bruno erlöste ihn. »Bevor du gehst, verrat mir noch, wie der Einsatz in Lana gelaufen ist. Ihr habt gestern Abend eine Razzia auf einem Bauernhof durchgeführt, richtig? Ich warte noch auf den offiziellen Bericht.«

Der in diesem Fall nicht von dem abweichen würde, was Tasso zu sagen hatte: »Wir waren erfolgreich. Nach der Anzeige einer Gastwirtin aus Meran haben wir gestern insgesamt sechs junge Männer verhaftet, die sich auf dem Hof konspirativ versammelt hatten. Sie werden aufrührerischer Straftaten verdächtigt. Wir hatten nach der Aussage der Wirtin vermutet, dass ein Anschlag mit Farbe geplant war, und es sieht ganz danach aus, dass wir damit richtig lagen. Die Gruppe wollte vermutlich Heldendenkmäler beschmieren und verunglimpfen, um damit das Gedenken Italiens in den Schmutz zu ziehen. Sie werden zurzeit vernommen.«

Was Tasso dabei verschwieg, war sein Bauchgefühl, und das würde auch in keinem Bericht auftauchen. Irgendetwas stimmte bei dieser Angelegenheit nicht, es fiel ihm nur schwer, den Finger darauf zu legen. Diese Männer hätten, so die Wirtin, beim Essen mehrfach von Farbe gesprochen und dass sie etwas Verbotenes planten, von dem die Polizei nichts wissen durfte. Und da wäre es schon ein außerordentlicher Zufall, wenn zum gleichen Zeitpunkt bei einer Gruppe, die die Behörden bereits im Visier hatten, eimerweise Farbe auftauchte. Angeblich, um eine Scheune zu streichen. Natürlich glaubten sie den Männern kein Wort, und sie wurden in Gewahrsam genommen. Wobei Tasso allerdings fand, dass das betreffende Gebäude durchaus einen Anstrich nötig hätte.

»Ein Anschlag mit Farbe? Auf Denkmäler?«

»Denkmäler, Gedenktafeln, vielleicht sogar auf das Siegesdenkmal, wer weiß? Genug Farbe wäre es gewesen.« Tasso zuckte mit den Schultern.

Das hätte er, wenn er tief im Inneren ehrlich war, nicht einmal so schlimm gefunden. Dieses Siegesdenkmal, einem altrömischen Triumphbogen nachempfunden, war selbst gemäßigten Südtirolerinnen und Südtirolern ein Dorn im Auge, denn es war ein weithin sichtbares Symbol der gewaltsamen Italianisierung der Region durch das faschistische Regime Mussolinis zwischen den beiden Weltkriegen. Und genau wegen dieser Verbindung zum Faschismus war Tasso dieses Scheusal aus Beton ebenfalls peinlich. Er empfand sich zwar, Sohn eines Römers und im Süden aufgewachsen, ziemlich italienisch, hatte aber mit der menschenverachtenden Ideologie, unter der er groß geworden war, nie etwas anfangen können. Was ihn im Krieg als jungen Burschen in die Lombardei verschlagen hatte, wo er sich der *resistenza* angeschlossen und Bruno Visconti kennengelernt hatte.

»Wird dem Monstrum wenig anhaben können«, murmelte der Questore bei sich. Und fügte ein kaum hörbares »Leider« hinzu. Sie waren sich da einig.

»Wenigstens keine Sprengsätze«, meinte Tasso.

»Das stimmt. So etwas wie die letzten beiden Jahre möchte ich nicht noch einmal erleben.« In der sogenannten *Feuernacht* vom 11. auf den 12. Juni 1961 hatten Südtiroler Separatisten Dutzende Strommasten in die Luft gejagt, um gegen die Politik Roms zu demonstrieren. Und erst im Sommer dieses Jahres hatte es einen Bombenanschlag auf den Bozener Bahnhof gegeben, im Herbst auf die Bahnhöfe in Trient und Verona. Das waren Wendepunkte, wo bei ihnen beiden als Polizisten das heimliche Verständnis für den Widerstand in Südtirol aufhörte. Denn die große Politik hatte längst verstanden, dass es nach dem Ersten Weltkrieg, als die Region an Italien gefallen war, völkerrechtlich nicht ganz sauber abgelaufen war – gelinde gesagt. Vielen Menschen in Südtirol ging es um die Wahrung der Sprache, der Traditionen und der Kultur, das war nachvollziehbar. Aber sie befanden sich nicht mehr im Krieg gegen eine faschistische Diktatur. Die UNO beschäftigte sich bereits mit der Südtirol-Frage. Gewaltsame Aktionen stachelten nur den Hass an und kosteten Unschuldige das Leben. Dazu bestand die Gefahr, dass Anschläge die Bemühungen auf dem politischen Parkett zunichtemachten.

Bruno streckte sich. »Vielleicht sollte ich an den Vernehmungen teilnehmen. Mal sehen, was die Burschen erzählen.«

Er stemmte sich mit beiden Armen in die Höhe und wandte sich zur Garderobe. Wie der Blitz war Tasso aufgesprungen und hielt dem Questore eine der Krücken entgegen, was ihm einen bösen Blick einbrachte.

»Ich komme gut ohne deine Hilfe klar, Aurelio.« Sein Tonfall war tadelnd, die Krücke nahm er trotzdem mit einem dankbaren Nicken entgegen.

»Du wirst nicht jünger, Comandante.«

»Leider allzu wahr.« Bruno richtete die Krücken aus und Tasso ging zur Tür. Im gleichen Moment, da er sie öffnen wollte, wurde sie von außen aufgestoßen. Er schaffte es gerade noch, einen Sprung rückwärts zu machen, bevor ihm das Türblatt ins Gesicht gekracht wäre.

Alessia Rosso wich ebenfalls mit einem erschrockenen Satz zurück und stieß dabei mit einer jungen blonden Frau zusammen. Die sprang ihrerseits zur Seite und prallte gegen den Schreibtisch.

»Das wollte ich nicht!«

»Ich bitte um Verzeihung!«

»Tut mir leid, es war nur …«

Gleichzeitig brachen alle ab und schauten sich verlegen an. Tasso winkte ab.

»Was gibt es, Alessia?« Bruno Visconti war der Einzige, der nicht beteiligt war. Mit Schwung machte er auf seinen Krücken einen Satz nach vorn.

Signorina Rosso zupfte sich die Manschette ihrer weißen Bluse zurecht. »Gerade kam ein Anruf von der Wache in Meran. Sie haben einen toten Mann im Hotel Bellevue entdeckt.«

»Hotel Bellevue?«, fragte Tasso. »Das ist doch eins dieser noblen Etablissements.«

Die junge Frau hinter der Sekretärin hatte sich ebenfalls wieder gefangen. Mit beiden Händen strich sie ihren dunkelblauen Bleistiftrock glatt und schien etwas sagen zu wollen, hielt jedoch inne.

Tasso sah nicht ein, warum er sie zum Reden auffordern sollte, und schwieg.

Doch er hatte die Rechnung ohne Bruno gemacht, der inzwischen direkt hinter ihm stand. Aus den Augenwinkeln bemerkte Tasso ein herzliches Lächeln.

»Signorina Oberhöller, willkommen bei uns. Da haben Sie sich ja für den Anfang genau den richtigen Morgen ausgesucht. Vor Ihnen steht Commissario Tasso, der die Ermittlung einleiten wird. Sie werden ihn nach Meran begleiten.«

Tasso fuhr herum. »Sie wird was? Das geht doch nicht.«

»Wieso nicht?«

»Hast du nicht gehört? Ein Mord. Das bedeutet, dass in diesem Hotel eine Leiche herumliegt.« Er schielte entschuldigend zu seiner zukünftigen Praktikantin, die kerzengerade vor dem Schreibtisch stand, als wolle sie einen Rapport abliefern. Tasso holte Luft. »Das können wir ihr nicht zumuten.«

»Genau deswegen ist sie doch hier. Nicht wahr, Signorina Oberhöller?«

Die junge Frau deutete einen Knicks an. »Ganz recht. *Piacere*, freut mich, Sie kennenzulernen, Signor Commissario Tasso.«

»Tasso reicht vollkommen«, knurrte er. »Ich mag keine Speichelleckerei, *ragazzina*.«

»Und ich mag keine unnötigen Unhöflichkeiten«, zischte Bruno Visconti ihm ins Ohr.

»Schon gut.« Tasso sah die Sekretärin auffordernd an.

Die neigte den Kopf und rührte sich nicht von der Stelle.

Tasso seufzte. »Signorina Rosso, Sie stehen noch immer in der Tür. Würden Sie mich bitte durchlassen, damit Signorina Oberhöller und ich uns nach Meran begeben könnten? Ach, und ich brauche die Adresse des Hotels. Ja, Signorina Oberhöller?«

Sie fuhr sich nervös mit dem Finger unter das bunt gemusterte Halstuch. »Ich weiß, wo das Hotel ist, Sig… Tasso. Wir können sofort aufbrechen.«

»Gut, dann so. Ziehen Sie sich warm an. Das meine ich nicht nur wörtlich, weil es nach dem Neuschnee heute Nacht wieder so biestig kalt geworden ist, sondern auch im übertragenen Sinn. Wehe, Sie beschweren sich hinterher, weil Sie einen Tropfen Blut auf Ihrem schicken Kostüm abbekommen, oder fallen am Ende sogar in Ohnmacht. Ich kann mich dann nicht auch noch um Sie kümmern.«

»Aurelio!«

Tasso bekam einen leichten Schlag mit der Krücke gegen seine Kniekehle.

»Na, ist doch wahr.« Er hatte schon einmal erlebt, dass

sich ein Anwärter mitten auf einen Tatort übergeben hatte. Auf solche Sauereien hatte er wirklich keine Lust.

»Ich werde mich ganz unauffällig im Hintergrund halten und Ihren Anweisungen Folge leisten.« Mara Oberhöller reckte entschlossen das Kinn. Sie schien sich nicht so leicht einschüchtern zu lassen, das musste Tasso ihr widerwillig zugestehen.

»Ich gehe meinen Mantel holen. Wir treffen uns unten.« Ohne ein weiteres Wort verließ er das Vorzimmer.

Als er wenige Minuten später durch den Haupteingang nach draußen trat, wartete dort schon eine Limousine mit laufendem Motor, ein Alfa Romeo 1900 in repräsentativem Schwarz. Er setzte sich zu Mara Oberhöller auf den Rücksitz. Die junge Frau trug einen dunklen Pelz und hatte ihre modische Kurzhaarfrisur unter einer dazu passenden Mütze verborgen. Tasso tippte auf Nerz. Da sie die Tochter des Bürgermeisters war, war der vermutlich echt.

Der Fahrer war ein junger uniformierter Agente, den Tasso vom Sehen kannte. »Machen Sie es sich bequem!«, rief er fröhlich nach hinten, als er losfuhr. »Wir werden ungefähr eine Stunde benötigen, je nachdem, wie gut die Straße schon geräumt ist.«

»Danke sehr.«

Schneematsch spritzte zu beiden Seiten auf, als der Mann den Wagen beschleunigte. Gedankenverloren starrte Tasso aus dem Fenster. Kaum hatten sie die Stadtgrenze Bozens hinter sich gelassen, breitete sich zu beiden Seiten ein winterliches Märchenland aus. Die weißen Flächen der schneebedeckten Hügel gleißten blendend in der Sonne, dahinter die Berge, deren Flanken sich in verschiedenen Blauschattierungen vom Horizont abhoben. Immer wieder kam neben der Straße die graue Etsch in Sicht, die ungerührt von all den menschlichen Belangen nach Süden floss. Die Apfelbäume und Weinstöcke waren mit dichten weißen Hauben gekrönt, genau wie die Häuser. Die meisten davon waren Hotels und Pensionen, dazu wenige übriggebliebene Bauernhöfe. Es gab kaum einen Betrieb, der nicht mindestens ein paar Fremdenzimmer anbot oder eine Schankwirtschaft führte, um die Einnahmen aus der Landwirtschaft aufzubessern. Das dunkelbraune Gebälk, die Fenster, Holzverblendungen und Balkone der alten Gemäuer stachen malerisch aus all dem Weiß hervor. Dazu waren unzählige kleine dunkle Punkte in die Schneelandschaft getupft. Paare oder Familien, die spazieren gingen oder auf Langlaufskiern und auf Pferden unterwegs waren. Tasso entdeckte in der Ferne sogar eine Schlittenkutsche, die von zwei Haflingern gezogen wurde. Reisende aus aller Welt, die genau dafür herkamen: um den Schnee und die Berge zu genießen.

»Wunderschön, oder?«, meinte Signorina Oberhöller auf Deutsch.

Tasso, die Worte seines Vorgesetzten in Bezug auf Höflichkeit noch im Ohr, schwieg vorsichtshalber.

Sie drehte den Kopf und blickte ihm ohne Scheu geradewegs ins Gesicht. »Finden Sie nicht?«

Er schaute aus dem Seitenfenster. »Nein. *No.*«

»Wirklich nicht?«

»Ich hasse Schnee.«

Unerwartet lachte sie auf. »Sie hassen Schnee? Im Winter entfalten die Berge doch erst ihren ganzen Zauber!«

»Ich mag auch die Berge nicht sonderlich.« Vielmehr waren sie ihm gleichgültig, solange ihn niemand zwang, auf einen hinaufzumarschieren. Er bevorzugte Wasser, und oft genug vermisste er das Mittelmeer.

»Oh.« Verblüfft schwieg Mara einen Moment lang. »Wo

kommen Sie her?«, wagte sie dann zu fragen. Dabei hatte sie ins Italienische gewechselt. Warum, war Tasso schleierhaft.

»Lange Geschichte.«

»Wir haben Zeit.«

»Mit Verlaub, Signorina Oberhöller, aber das geht Sie nichts an.«

Sie presste die Lippen aufeinander und lehnte sich zurück. »Natürlich nicht, da haben Sie recht. Entschuldigen Sie.«

Sie schwieg, was Tasso in diesem Fall ziemlich unangenehm fand. Normalerweise hielt er Schweigen gut aus.

Er öffnete seinen Mantel, denn die Heizung des Wagens hatte inzwischen ihre volle Betriebstemperatur erreicht. Die Scheiben beschlugen, und die Luft wurde stickig. Immer wieder beugte sich der Fahrer nach vorn und wischte mit einem Schwamm über die Frontscheibe.

Tasso räusperte sich. »Sie sprechen ein ausgezeichnetes Italienisch.«

Mara Oberhöller lachte geschmeichelt. »Ich bin Italienerin.«

»Wirklich? Das sagen hier in der Gegend nicht viele von sich.«

Ein merkwürdiger Ausdruck huschte über ihr Gesicht, den Tasso nicht zu deuten wusste. Da lag Verachtung, aber auch Spott in ihrem Blick. Richtete sich das gegen ihn? Wenn nicht, an wen dachte sie gerade? Es dauerte auch nur einen Sekundenbruchteil, und er war sich im Nachhinein gar nicht mehr sicher, ob er da nicht etwas hineininterpretierte.

»Ich möchte Jura studieren«, erklärte sie schließlich. »Ich spreche fließend Deutsch, Italienisch und Englisch. Außerdem habe ich Latein und ein wenig Altgriechisch gelernt. Da ich mich noch nicht entschieden habe, in welcher Stadt ich studieren möchte, brauche ich ohnehin beide Sprachen.«

»Welche Stadt schwebt Ihnen denn vor?«

Jetzt war ihr Blick eindeutig verwundert, als fragte sie sich, ob ihn das wirklich interessiere oder er sich nur die Zeit vertreiben wolle.

»Bologna oder Florenz wären schön. Oder Rom, natürlich. Ah!«

»Was?«

»Sie haben kurz gelächelt, als ich Rom erwähnte. Sie kommen von dort.«

Verärgert wandte er sich ab und rieb mit dem Ellbogen das beschlagene Seitenfenster klar, um hinauszublicken. Dann öffnete er es einen Spaltbreit. Eiskalter Fahrtwind strömte ins Innere. Er atmete verstohlen tief durch. Das fehlte noch, dass er dieser *ragazzina* von seiner Sehnsucht nach der Ewigen Stadt, der Stadt seiner Kindheit, erzählte.

»Ich möchte mich jedenfalls später in meinem Beruf für die Rechte der Frauen einsetzen«, plapperte Mara Oberhöller weiter.

Tasso verdrehte die Augen. So eine war das, auch das noch. Zugegeben, dass Frauen nicht immer dieselben Rechte wie Männer hatten, fiel gelegentlich sogar ihm auf, aber da ging es doch in der Regel um Kleinigkeiten. Eine Frau konnte heutzutage tun und lassen, was sie wollte. Signorina Bürgermeistertochter war doch das beste Beispiel, sonst säße sie kaum hier neben ihm.

»Wieso machen Sie denn ein Praktikum bei der Polizei, wenn es Sie zur Judikative zieht?«, fragte er rasch, um sich weitere Erklärungen über Frauen und deren angebliche Benachteiligung zu ersparen.

»Es ist nicht ausgeschlossen, sich mit einem Jurastudium um einen Posten bei der Polizei oder im Innenministerium zu bewerben«, erklärte sie fröhlich.

Tasso unterdrückte ein abermaliges Augenrollen. Das Innenministerium? Warum nicht direkt ins Parlament? Mara Oberhöller war entweder extrem ambitioniert oder sehr naiv. Wobei sie insgesamt keinen dummen Eindruck machte. Und zugegeben, ihre Eltern schienen zwar Geld zu haben, und als Bürgermeister verfügte ihr Vater sicher über einen gewissen Einfluss. Aber das hieß nicht, dass die Welt auf Mara Oberhöller gewartet hatte.

»Außerdem«, fuhr sie fort, »war das Brunos Idee. Er hat gemeint, es würde mir nicht schaden, etwas Praxiserfahrung zu sammeln. Ich soll lernen, was die Polizei tun muss, um die Menschen zu verhaften, die ich später zu verurteilen habe. Oder zu verteidigen, je nachdem.«

»Bruno also?«

»Ja, wieso?«

»Sie sind per Du?«

»Verzeihung, ich meine natürlich Dottore Visconti, den Questore.«

»Natürlich.« Tasso konnte sich ein Schmunzeln nicht verkneifen. Der alte Comandante verstand es immer noch, die Leute nach seiner Pfeife tanzen zu lassen. Er besaß die Begabung, anderen Menschen wertvolle Anregungen mit auf ihren Lebensweg zu geben. Dazu waren seine Ratschläge so subtil, dass die meisten hinterher der festen Überzeugung waren, es wäre ihre eigene Idee gewesen. »Wissen Sie, Signorina Oberhöller, jetzt …«

»Bitte nennen Sie mich Mara.«

»Meinetwegen. Jetzt haben Sie unverhofft eine Antwort darauf gefunden, warum ich hier in *Alto Adige* hocke und nicht im sonnigen Latio. Das ist nämlich auch Brunos Schuld.«

»*Capito.*« Sie schien von seinem plötzlichen Stimmungswandel überfordert. Tasso hätte selbst nicht erklären können, warum er ihr das verraten hatte.

Sie fächelte sich mit der Hand etwas Luft zu. »Sie sprechen jedenfalls ein recht gutes Deutsch. Für einen *echten* Italiener.«

Tasso grinste. »Das ist nun wirklich eine andere Geschichte. Sehen Sie, da ist schon die Brücke über die Passer.«

2. Kapitel, in dem Tasso zum ersten Mal ein Nobelhotel betritt und prompt über einen Teppich stolpert

Aurelio Tasso war kein Freund von Pomp und glitzernden Auftritten, doch im Stillen dankte er der weisen Voraussicht des Questore, dass er ihnen diesen großen Wagen statt eines der schlammgrünen Polizeifahrzeuge überlassen hatte. Das Hotel Bellevue strahlte, wie so viele Häuser auf der Freiheitsstraße – oder dem Corso della Libertà –, den Prunk des ausgehenden 19. Jahrhunderts aus, dem zwei Weltkriege nichts hatten anhaben können.

Der Fahrer hielt direkt am Eingang, vor dem ein Mann in einem schwarzen Mantel und mit Pelzmütze auf Gäste wartete. Tasso stieg rasch aus und wollte das Auto umrunden, um Mara die Tür aufzuhalten. Als er sie erreichte, war sie längst ausgestiegen. Sie drückte ihre – überraschend große – Handtasche von Louis Vuitton gegen ihre Brust und murmelte beim Anblick all der Schnörkel und Bögen aus Stuck begeistert vor sich hin.

Tasso knöpfte sich den Mantel zu, der ihm für dieses Ambiente ein wenig zu schäbig vorkam; aber er hatte nur diesen einen.

Rechts und links stand vor zwei den Eingang flankierenden Säulen je ein reich geschmückter Nadelbaum. Gläserne Tannenzapfen und Engel, rote und goldene Kugeln, farblich auf den roten Teppich vor der Tür abgestimmt, glänzten um die Wette.

Der Portier war lautlos an sie herangetreten und wandte sich an Tasso. »Es tut mir leid, für heute bleibt unser Haus geschlossen.«

Tasso zog seinen Dienstausweis hervor und hielt ihn dem Mann unter die Nase. »Ich kann mir auch schon denken, warum. Würden Sie dem Herrn Direktor bitte Commissario Tasso von der Polizia di Stato aus Bozen ankündigen?«

Verunsichert schaute der junge Mann zu Mara Oberhöller, die sich selbstbewusst neben Tasso gestellt hatte.

»Der Herr Direktor ist heute außer Hause. Folgen Sie mir bitte erst einmal zum Empfang.« Er hielt ihnen die Eingangstür auf.

Sie stiegen einige Stufen hinauf und traten zwischen roten Marmorsäulen hindurch in eine weihnachtlich geschmückte Empfangshalle mit einem langgestreckten Tresen. Kristallleuchter hingen von der Decke und verströmten ein weiches Licht. Überall standen Bodenvasen mit Kiefernzweigen und Ilex oder Amaryllis und Flamingoblumen. Goldgirlanden wanden sich am Rand des Tresens und über den Durchgängen. Von der Decke baumelten fußballgroße Posaunenengel, die aufblitzten, sobald sie sich bei einer Luftbewegung drehten. Auf einer Empore war ein Stall aufgebaut, den halbmetergroße Hirten und Vieh aus Holz bevölkerten. Die Heilige Familie fehlte noch, die Krippe war leer.

Tasso unterdrückte ein Schaudern. Diese ganzen Reize in Gold, Rot und Grün überforderten seine Augen. Hätte ihn ein Raumschiff auf dem Mond abgesetzt, könnte er sich nicht fremder fühlen.

»Vorsicht!« Ein kräftiger Griff packte seinen linken Oberarm, als für einen Moment die Halle vor seinen Augen verschwamm. Schmerz fuhr ihm durch den Knöchel. Doch zwei Hände um seinen Arm bewahrten ihn davor, der Länge nach hinzuschlagen. Er taumelte und fing sich wieder. Sein Blick klärte sich. Stattdessen stieg ihm eine zarte Parfumnote in die Nase.

»Geht es Ihnen gut?«, vernahm er Maras Stimme an seinem Ohr.

Er rieb sich kurz über die Augen, bis er Lichtblitze sah, dann befreite er sich mit einem Ruck aus ihrem Griff. »Ich bin nur über eine Teppichfalte gestolpert, nichts weiter.«

»Na gut.« Sie senkte den Kopf und ließ ihren Blick den Teppich entlangwandern.

Tasso ignorierte das. Da war keine Falte. Natürlich nicht.

Der Portier hatte vor einem Durchgang am Ende des Tresens angehalten und wandte sich ihnen zu. »Wenn Sie bitte einen Augenblick warten würden.«

Was aber gar nicht nötig war, denn bei seinen letzten Worten erschien ein ungefähr dreißigjähriger Mann in Uniform. Mit einem Schaudern registrierte Tasso eine Unmenge von Goldapplikationen. Immerhin war die Kleidung blau, andernfalls hätte der Mann sich als Teil der Dekoration mitten in den Raum stellen können und wäre nicht einmal aufgefallen.

Er stellte sich als Concierge Andrea Colletti vor. Der Schock, den ihm die Nachricht über einen Toten am Morgen nach seinem Dienstantritt beschert hatte, stand ihm noch deutlich ins Gesicht geschrieben.

Tasso zeigte abermals seinen Dienstausweis vor und fragte nach dem Direktor.

Andrea Colletti hob bedauernd die Schultern. »Er ist in einer geschäftlichen Angelegenheit unterwegs. Selbstverständlich wurde er über die Vorkommnisse informiert und befindet sich auf dem Rückweg. Er wird Ihnen aber frühestens heute Abend zur Verfügung stehen.«

Etwas ratlos schaute Tasso sich um. Er gewöhnte sich allmählich an den Eindruck der dekorativ völlig überladenen Empfangshalle. Insgeheim war er froh, den Direktor nicht sprechen zu müssen. Wenn er nicht anwesend gewesen war, während das Unglück geschah, konnte er ihm ohnehin nicht weiterhelfen. Abgesehen von den Beteuerungen, wie schrecklich das alles sei, wäre ein Gespräch somit überflüssig. Das war es meistens. Es diente lediglich dazu, die Unterstützung der Führungsetage sicherzustellen und den hohen Herrn das Gefühl zu geben, wichtig und Teil des Geschehens zu sein. Er würde lieber umgehend die Leiche und den Fundort begutachten.

»Möchten Sie den Toten ansehen?«, fragte Andrea Colletti, als habe er Tassos Gedanken erraten. Sein Adamsapfel hüpfte nervös auf und ab. »Ein Wagen von der Gerichtsmedizin soll bereits unterwegs sein und müsste jeden Augenblick eintreffen, um ihn abzuholen.«

»Sehr gut, ja.« Tasso nahm seinen Hut ab, zog ein Stofftaschentuch hervor und tupfte sich über die Stirn.

»Kommen Sie, ich zeige Ihnen den Weg.«

Sie wurden zu einem Treppenhaus und in den ersten Stock geführt. Ein weiterer junger Mann in roter Livree stand dort vor einer Tür Wache. Andrea Colletti bedeutete ihm mit einem Wink, den Weg freizugeben, sodass sie einen weitläufigen Raum betreten konnten.

Es handelte sich um eine gemütliche Bibliothek. An einer Seite gab es drei bodentiefe Fenster, davor standen Nierentische mit Sesseln. Die übrigen Wände wurden von Bücherregalen aus schwerem dunklem Holz eingenommen, die bis zur Decke reichten. Weitere Regale ragten in den Raum hinein und teilten ihn in kleinere Abschnitte. Von je einer weißen Christrose auf den Tischen abgesehen war keinerlei

Weihnachtsdekoration zu sehen, wie Tasso erleichtert feststellte.

»Habe ich nicht gesagt, dass Sie niemanden hereinlassen sollen?«, schnauzte eine Stimme hinter einem Bücherregal auf der rechten Seite. Schon kam ein hochgewachsener Mann mit silberfarbenem Lockenschopf und in einem Kittel auf sie zugeschossen und hielt abrupt vor Tasso an. Seine wütende Miene wechselte zu einem erfreuten Lächeln. »Commissario Tasso! Ihr Anblick ist das erste Erfreuliche an diesem Morgen.«

»Schön, dass ich mehr hermache als die Leiche, Dottore.« Er wandte sich um. »Mara, das ist Dottore Simone Agnelli. Er wird den Toten untersuchen, um festzustellen, auf welche Weise er ums Leben kam. Dottore, das ist Mara Oberhöller, meine derzeitige Assistentin.«

Dottore Agnelli nahm seine Hornbrille ab und runzelte die Stirn. »Oberhöller? Wie der Bürgermeister?«

Sie deutete einen verlegenen Knicks an. »Das ist mein Vater.«

»Wie ...?«

»Bruno Viscontis Idee. Sie kennen ihn doch.« Tasso schob sich ungeduldig an dem Arzt vorbei. »Was können Sie mir denn schon über den Toten verraten?«

Dottore Agnelli folgte ihm und streifte dabei Gummihandschuhe über. »Sehen Sie selbst. Ein Mann um die dreißig, vermutlich bereits seit einigen Stunden tot. Wie mir die Direktion des Hotels verraten konnte, steht dieses Lesezimmer rund um die Uhr offen und wird von der Belegschaft nachts auch nicht großartig kontrolliert. Ich nehme an, dass es ungefähr um Mitternacht passiert ist. Ob er sofort tot war oder im Laufe der folgenden Stunden verblutet ist, kann ich Ihnen erst im Labor sagen.«

Vor Tasso lag bäuchlings und in merkwürdig verkrümmter Haltung ein Mann in einem modisch hell gestreiften Anzug. Über den oberen Teil des Torsos hatte Dottore Agnelli ein schwarzes Tuch ausgebreitet.

»Und wie kommen Sie zu diesen Schlüssen, Dottore?«

»Aufgrund der Körpertemperatur. Und des Blutes; die Spritzer waren bereits getrocknet. Sehen Sie, dort zum Beispiel.« Er deutete auf eine Stelle neben dem Toten. Mit viel Fantasie erkannte Tasso einige dunkelbraune Sprenkel, die genauso gut Teil der Maserung des Holzparketts hätten sein können. Aber wenn Dottore Agnelli das für Blutspritzer hielt, dann waren es welche, daran zweifelte Tasso nicht.

»Heben Sie mal das Tuch an, bitte.«

»Wirklich? Das ist kein schöner Anblick.«

Tasso wandte sich Mara zu, die zögerlich näher getreten war. »Sie wollten sich ein vollumfängliches Bild meiner Arbeit machen, oder? Was meinen Sie?« Er verkniff sich jegliche Gehässigkeit. Immerhin hatte sie vorhin in der Halle seine Behauptung, über den Teppich gestolpert zu sein, weder kommentiert, noch hatte sie eine Szene daraus gemacht. Das rechnete er ihr hoch an. Sie zu schonen fand er zugleich auch nicht richtig.

Sie streckte tapfer den Rücken durch, hob ihre Handtasche und griff hinein. »Wäre es erlaubt zu fotografieren?«

»Wie bitte?« Beide Männer starrten sie verwundert an.

Sie zog eine schwarze Hülle aus Kunstleder aus der Tasche und öffnete den Druckknopf. Eine Leica M2 kam zum Vorschein.

Dottore Agnelli stieß einen anerkennenden Pfiff aus. »Da haben Sie sich aber etwas Feines zugelegt, Signorina Mara.«

Tasso war sprachlos.

Sie neigte den Kopf und lächelte. »Darf ich?«

Der Arzt winkte sie heran. »Ich habe nichts dagegen. Selbstverständlich habe ich bereits selbst Fotos geschossen. Ich wäre sogar neugierig, wie groß der Unterschied zwischen meiner Profiausrüstung und Ihrem Gerät ist. Wenn Sie die Abzüge entwickelt haben, würde ich das sehr gern einmal vergleichen. Ich nehme ja an, dass Sie unseren Commissario nicht nur heute begleiten.«

»Nein. Ich darf bis Ende Januar mitkommen. Und ich stehe für diesen Vergleich sehr gern zur Verfügung.«

Darüber würde noch zu reden sein. Tasso war fassungslos, wie schnell seine Praktikantin den Dottore um den Finger gewickelt hatte. »Jetzt lupfen Sie schon das Tuch!«, verlangte er nachdrücklicher als unbedingt nötig. »Wo sind eigentlich meine Kollegen von der Wache aus Meran?«

»Die habe ich rausgeschickt, damit ich in Ruhe arbeiten kann.« Er hob das Tuch schwungvoll mit beiden Händen an.

»Oddio!« Tasso bekreuzigte sich. Hinter ihm atmete Mara hörbar tief ein.

»Die Männer warten in der Bar des Hotels und haben hoffentlich noch nicht so viel getrunken, dass sie mir nicht gleich noch einmal behilflich sein können, meine Ausrüstung zurück zum Lieferwagen zu bringen. Ist Ihnen nicht gut? Sie sind ganz blass um die Nase.«

Tasso schluckte mehrmals. »Sie haben nicht übertrieben, was diesen Anblick betrifft. Was genau ist dem jungen Mann passiert?«

»Er hat einen kräftigen Schlag auf den Hinterkopf bekommen.«

»Äußerst kräftig, schon klar. Bitte erzählen Sie mir, was ich nicht sehe.« Beiläufig nahm er das Klicken von Maras Kamera wahr.

»Nun, ich habe den Gegenstand, mit dem zugeschlagen

wurde, bisher nicht gefunden. Ich nehme an, dass es sich um einen stumpfen Knüppel oder etwas Ähnliches handelt und dass der Täter ihn mitgenommen hat. In der Wunde waren auf den ersten Blick keine Rückstände zu erkennen, daher vielleicht etwas aus Metall. Das prüfe ich im Labor, dann kann ich Genaueres sagen. Vermutlich war es mehr als eine Person, aber auch darüber weiß ich erst mehr, wenn ich die Fingerabdrücke analysiert habe.« Er seufzte und machte eine weit ausladende Geste. »Das hier ist ein öffentlicher Raum. Was glauben Sie, wie viele Dutzend Menschen sich hier normalerweise aufhalten?«

»Ich nehme an, Sie meinen die Frage rhetorisch?«

»Ja. Ist nämlich egal, es sind zu viele. Ich konzentriere mich auf die Spuren auf dem Boden unmittelbar um die Leiche herum und an seiner Kleidung. Wobei Spuren auf Stoffen sehr schwer zu sichern sind. Ich gebe mein Bestes.«

Tasso hatte seinen revoltierenden Magen inzwischen im Griff und kniete sich neben den Toten. Er ignorierte den Anblick des Kopfes so gut wie möglich. »Hat er weitere Verletzungen?«

»Ja. Hier hat er einige Schläge in die Nieren bekommen. Oder Tritte, falls er schon am Boden lag.« Dottore Agnelli lupfte das gestreifte Sakko und enthüllte Blutergüsse auf dem unteren Rücken.

»Haben Sie ihn schon umgedreht?«

»Ich wollte warten, bis der Ermittler dabei ist.«

»Und hatte er etwas bei sich? Konnten Sie ihn identifizieren?«

»Bedaure, in den Taschen befanden sich nur zwei Eintausend-Lire-Scheine, ein Pfefferminzbonbon und ein Stofftaschentuch. Massenware ohne Monogramm.«

Tasso brummte enttäuscht. Wäre auch zu schön gewesen.

Er befühlte das Gewebe des Sakkos. »Das scheint ein teurer Stoff zu sein.«

Mara hockte sich neben ihn. Sie betastete das Sakko und nickte dann eifrig. »Das ist möglicherweise ein Maßanzug von Gilberto Cazzola. Der benutzt Stoffe mit diesen Mustern. Ziemlich teuer.«

»Cazzola? Wer soll das sein?«

Mara stand auf, was ihr trotz des engen Rocks problemlos gelang, wie Tasso bemerkte. »Ein Herrenschneider hier aus Meran. Er hat seine Werkstatt in den Lauben. Wer es sich leisten kann, lässt sich seine Anzüge und Hemden von ihm fertigen.«

»So wie Ihr Vater?«

»Natürlich. Warum auch nicht?«

Tasso ignorierte die Frage. Er erhob sich und klopfte ein paar Staubflusen von den Knien. »Ich nehme stark an, dass er dennoch kein Gast des Hotels war, oder? Das hätten uns die Angestellten sicherlich gesagt.«

»Das müssen Sie die selbst fragen. Aber ich würde vermuten, dass es denen auffallen würde, wenn ein Gast nicht zum Frühstück erscheint, da haben Sie recht. Soll ich ihn jetzt umdrehen?«

»Ich bitte darum. Und Sie, Mara, machen sich darauf gefasst, dass es nochmal hässlich werden könnte.«

Schweigend beobachteten die beiden, wie der Arzt den toten Mann erst auf die Seite und dann auf den Rücken hievte. Sie hatten Glück. Das Gesicht war unversehrt, und auch sonst schien er keine weiteren Verletzungen aufzuweisen.

»Erkennen Sie ihn zufällig, Signorina Mara?«

»Nein, da bin ich ganz sicher.«

»Schade. Dottore, bitte fahren Sie mit Ihrer Arbeit fort. Können Sie uns einen Streifen vom Anzug abschneiden? Ich möchte ihn diesem Schneider vorlegen. Cazzola, richtig? Vielleicht erinnert er sich an den Kunden.«

»Wird erledigt. Das gute Stück ist ohnehin ruiniert mit dem ganzen Blut am Kragen.«

»Wir werden die Kollegen von der Bar abholen und mit der Befragung des Personals und des Direktors beginnen. Wer hat den Toten gefunden?«

»Das müssen Ihnen besagte Kollegen verraten. Es war einer der Gäste, und zwar nach dem Frühstück. Mehr weiß ich nicht.«

Sie fanden die Bar nach einer kurzen Suche im Souterrain des Hotels. Bar, Regal und Stehtische waren genau wie die Empfangshalle in einem Meer aus Gold und Rot gehalten, eine Fensterfront bot Ausblick auf den tiefverschneiten Garten. Eine kleinere Krippe war wie eine Art Hausaltar in einer Ecke aufgebaut, davor brannten Kerzen.

Vier uniformierte Polizisten standen oder saßen auf den Barhockern vor der Theke, rauchten und hielten jeder ein Glas Weinschorle in der Hand. Zumindest hoffte Tasso, dass es verdünnter Wein war. Er hatte nichts gegen einen Schluck am Mittag einzuwenden, aber er brauchte die Männer bei klarem Verstand. Hinter dem Tresen beschäftigte sich ein Barkeeper in Trachtenhemd und Strickjacke damit, Flaschen mit den Etiketten nach vorn auszurichten. Hotelgäste waren keine anwesend.

Beim Näherkommen erkannte Tasso erfreut Ispettore Paolo Dacosta unter den Wartenden. Dieser junge, aber ambitionierte Mann war insgeheim einer seiner Kandidaten für die Nachfolge seines treuen Vierweger. Er hatte nur noch keine Idee, wie er ihn davon überzeugen sollte, von der Questura Meran nach Bozen zu wechseln. Die anderen Gesichter meinte er vom Sehen her zu kennen.

Er wandte sich direkt an Dacosta, begrüßte ihn mit einem energischen Händeschütteln und stellte Mara vor. Sofort überfiel er die Männer mit Fragen, damit keiner auf die Idee kam, sie auf ihren Nachnamen anzusprechen.

»Der Tote wurde am späten Vormittag nach dem Frühstück von einer Deutschen entdeckt«, berichtete Dacosta. »Petra Dussmann, eine Touristin aus Hamburg, zweiundzwanzig Jahre alt. Sie ist mit ihrer Mutter und den Großeltern hier zu Gast, wie jedes Jahr. Ich habe ihre Aussage soweit möglich aufgenommen, aber sie hält sich in ihrer Suite zur Verfügung, damit Sie persönlich mit ihr sprechen können.«

»Was meinen Sie mit *soweit möglich?*«, wollte Tasso wissen.

Dacosta lächelte gequält. »Das werden Sie schon selbst feststellen, sobald Sie mit ihr sprechen wollen. Ihr Großvater ist ein hohes Tier bei der Hamburger Polizei gewesen und hat sie kaum zu Wort kommen lassen.«

Tasso runzelte nur die Stirn. »Gibt es weitere Zeugen?«

»Der Concierge, den Signorina Dussmann dann herbeigerufen hat. Ansonsten hat sich das Ereignis unter den anderen Gästen natürlich herumgesprochen. Bisher hat sich niemand gemeldet, um eine Aussage zu machen.«

»Gut. Signorina Oberhöller und ich werden mit der Familie Dussmann sprechen.«

»Dussmann heißen die Enkelin und deren Mutter. Die Großeltern sind Konrad und Erna von Kotzian.«

»Meinetwegen. Sie bilden zwei Teams und befragen die übrigen Gäste und die Angestellten. Der Tote muss irgendwann im Laufe des gestrigen Abends ins Hotel gekommen sein. Wer hat ihn also gesehen und mit wem? Dacosta, nehmen Sie sich bitte insbesondere die Portiers und diejenigen vor, die Nachtdienst an der Rezeption hatten. Auch die Bar.« Tasso schaute den Mann hinter dem Tresen auffordernd an, der die ganze Zeit so getan hatte, als höre er nicht zu.

Ertappt hob der abwehrend die Hände. »Ich habe die Bar erst um zwölf Uhr aufgemacht. Ich war noch nicht einmal im Haus, als die Leiche entdeckt worden ist. Ich gebe Ihnen gern die Namen meiner beiden Kollegen. Den Schichtplan habe ich hier.«

»Sie haben es gehört, Dacosta. Ich besuche jetzt diese Hamburger Familie. Signorina Oberhöller, würden Sie Notizen machen? Haben Sie etwas zu schreiben dabei?«

»Selbstverständlich. Ich bin bereit.«

Während Dacosta seine Kollegen aufteilte, verließen sie die Bar und nahmen eine breite Treppe mit vergoldetem Geländer in den obersten Stock. Sogar in den Fluren war nicht an weihnachtlicher Dekoration gespart worden, die sich zu Tassos Erleichterung aber auf Kiefern- oder Tannenzweige und rote Amaryllis in Bodenvasen beschränkte. Er klopfte an eine Tür mit der Aufschrift *Suite 01*, und eine dröhnende Stimme forderte auf, einzutreten.

Tasso öffnete die Tür und ließ Mara den Vortritt.

»Das wird auch Zeit, dass Sie kommen!«, schnauzte ein Mann um die siebzig mit einem gewaltigen Kreuz. Er erhob sich etwas schwerfällig aus einem Ohrensessel und griff zugleich nach einem Gehstock. Dabei ignorierte er den beschwichtigenden Blick der grauhaarigen Dame, die ihm gegenübersaß. Sie versuchte sogar, ihn am Handgelenk zu fassen, offenbar, um ihn zurückzuhalten. Doch er war schneller, und sie griff ins Leere.

»Ihnen auch einen guten Morgen«, erwiderte Tasso in seinem besten Deutsch und schloss ungerührt die Tür. Er ahnte jetzt schon, dass dieses Gespräch nicht zu den Sternstunden seiner Arbeit zählen würde.

Sein Gegenüber stutzte und blieb stehen, was Tasso die Gelegenheit gab, ihn zu betrachten. Konrad von Kotzian trug einen Stresemannanzug, sogar mit Weste, dazu auf Hochglanz polierte Schuhe. Der Gehstock wies einen silbernen Knauf in Form eines Bären auf. Nach Urlaub sah der alte Mann nicht aus, ebenso wenig wie die ältere Dame, die so aufrecht, als habe sie einen Stock verschluckt, an dem Tischchen saß und nur leicht die Stirn runzelte. Sie trug einen grauen Rock und einen weißen Rollkragenpullover, darüber eine Goldkette aus dicken Gliedern. Tasso zweifelte nicht daran, dass es sich um echten Schmuck handelte. Er nickte ihr einen freundlichen Gruß zu, und sie bewegte zur Antwort lautlos die Lippen.

Tasso straffte den Rücken und dachte endlich daran, seinen Hut abzunehmen. »Mein Name ist Commissario Tasso, ich ermittle …«

»Petra wartet im Nebenzimmer auf Sie.« Von Kotzian drehte ab und setzte sich wieder in Bewegung. Tasso war es ein Rätsel, wofür der Mann den Stock trug, denn er stützte sich nicht im Geringsten darauf. Vermutlich diente er mehr der Dekoration. Oder dazu, Angestellten zum Ansporn auf den Rücken zu schlagen. Hielt der Mann eventuell Haussklaven? Er sah aus wie jemand, dem so etwas zuzutrauen war.

Von Kotzian verschwand durch eine Verbindungstür. »Kommen Sie endlich?«, schallte es Tasso entgegen.

Mara murmelte empört vor sich hin. Sie durchquerten das Zimmer, nickten Frau von Kotzian im Vorbeigehen abermals zu und betraten den zweiten Raum, der genau spiegelverkehrt zum ersten eingerichtet war. Ein voluminöses Bett mit viel goldener Schnörkelei und Nachttischen zu beiden Seiten, darauf wertvoll aussehende Lampen. Unwillkürlich fragte Tasso sich, wie oft Gäste so eine Lampe bei einer Drehung im Schlaf herabfegten und ob der dicke Teppich ausreichte, um zu verhindern, dass der Porzellanfuß zerbrach. Trotz des sonnigen Tages wirkte der Raum düster, das Deckenlicht brannte.

Eine junge Frau stand vor dem Fußende des Bettes, auf dem eine Zeitschrift lag, in der sie gelesen hatte. Sie trug schlichte Stoffhosen und einen Rollkragenpulli, der dem ihrer Großmutter ähnelte. Dazu hatte sie ein wollenes zartrosa Tuch umgelegt, mit dessen Enden sie nervös spielte. Ihr stummer Blick wanderte von ihrem Großvater zu Mara. Beim Anblick ihrer Altersgenossin weiteten sich ihre Augen überrascht. Dann schaute sie Tasso an.

»Petra, erzähl dem Polizisten, was du gesehen hast!« Von Kotzian steuerte einen Ohrensessel an und ließ sich hineinplumpsen.

Sie leckte sich über die Lippen. »Also ich kam heute nach dem Frühstück in das Lesezimmer, und da …«

»Die genaue Uhrzeit, Kind!«

Tasso hoffte inständig, dass von Kotzian nicht gesehen hatte, wie er zusammengezuckt war. Er drehte sich ein wenig, um den alten Mann im Blick zu behalten. Nicht dass der noch aufsprang und seine arme Enkelin schüttelte.

Petra schlug die Augen nieder. »Ich bin gegen halb zehn aufgestanden …«

»Es war exakt neun Uhr vierundzwanzig.«

»… und dann erst noch kurz ins Zimmer, um … na ja, der Natur nachzukommen.«

Tasso nickte mit einem falschen Lächeln. Die arme Frau war völlig verstört. Kein Wunder, so wie der Tote dagelegen hatte.

»Also habe ich das Lesezimmer vielleicht gegen Viertel vor zehn betreten.«

»Stand die Tür offen oder war sie verschlossen? Mara, schreiben Sie mit?«

»Sehr gern.«

Tasso hörte das Kratzen des Stifts auf dem Papier. Skeptisch äugte er zu von Kotzian, der vornübergebeugt auf seinen Stock gestützt dasaß wie ein Raubtier vor dem Sprung. Er mochte ein alter Jäger sein, war aber nicht minder gefährlich.

Petra schaute Tasso zum ersten Mal an. »Die Tür war zu, aber nicht abgeschlossen, auch alle Fenster. Ich …«

Von Kotzian schnalzte ungeduldig. »Wie roch die Luft? Nun lass dir nicht alles aus der Nase ziehen!«

»Die Luft?«, wiederholte Petra stotternd. »Keine Ahnung. Normal. Nach Papier und Staub.«

Von Kotzian brummte unzufrieden. »Kein metallischer Geruch? Alkohol? Zigaretten? Drogen?« Er belauerte sie empört. »Wobei ich nicht davon ausgehe, dass du weißt, wie das riecht, wenn Drogen im Spiel sind.«

»Da herrscht Rauchverbot, wegen der Brandgefahr«, murmelte Petra verunsichert.

»Signor von Kotzian, wenn ich Signorina Dussmann meine Fragen stellen dürfte?« Es war das Äußerste an Höflichkeit, das Tasso gerade noch aufzubringen vermochte. Er hörte, wie Mara neben ihm scharf die Luft einsog.

»Was erlauben Sie sich?«

Und natürlich war es nicht genug, nein, dieser Mann erwartete einen anderen Umgangston. Er schoss überraschend schnell auf die Beine und tat einen einzigen Schritt. Trotzig starrte Tasso ihn an, was ihm bei diesem imposanten Mann, der ihn dazu um einen Kopf überragte, gar nicht so leicht fiel.

»Signor von Kotzian, ich …«

»Jetzt hören Sie mir zu – was sind Sie doch gleich? Commissario, richtig. Ich habe ja keine Ahnung, ob Sie sich mit Dienstrángen der deutschen Polizei auskennen, aber vor Ihnen steht ein *Kri-mi-nal-rat*. Das ist ein ziemlich hoher Rang, verstehen Sie? *Capito?* Und ich erwarte da auch von Ihresgleichen entsprechenden Respekt!«

»Ich dachte, Sie sind hier im Urlaub? Und noch dazu im Ruhestand?«

»Was erlauben Sie sich!« Von Kotzian schien diese Floskel gern zu verwenden. Er trat einen Schritt näher heran und stand jetzt direkt vor Tasso. Mara trat ein wenig zur Seite. Petra Dussmann lächelte hilflos und nestelte weiter an ihrem Tuch.

»Ich erlaube mir, meine Arbeit zu machen, Signor von Kotzian«, erklärte Tasso, so ruhig er es vermochte, und reckte mutig das Kinn. »Und ich würde Ihrer Enkelin gern die Fragen stellen, die ich für richtig halte.«

»Haben Sie überhaupt schon einmal in einem Mordfall ermittelt? Wissen Sie, was Sie da tun?«

»Ich habe in neunzehn Fällen von Gewaltverbrechen die Ermittlungen geleitet«, stellte Tasso sachlich fest. Vier hatte er in seiner bisherigen Laufbahn nicht aufgeklärt. Angeblich war das eine gute Quote, doch ihn wurmte jeder ungelöste Fall. Und während er daran dachte, wurde er zu seiner eigenen Verwunderung wütend. Was, wenn es am Ende genau die Informationen dieser jungen Frau waren, die zur Lösung führten, und ihr Großvater stand dem im Weg? Er musste mit seiner Befragung weiterkommen.

»Neunzehn? Das ist dürftig!«

»Wie bitte?«

»Das ist eine peinlich geringe Zahl, *Commissario*.« Er betonte den Titel wie ein Schimpfwort.

»Jetzt reicht es aber. Lassen Sie mich mit Signorina Dussmann sprechen und ich werde Sie nicht weiter belästigen.« Im letzten Moment beherrschte sich Tasso, sich an seinem Gegenüber vorbei Richtung Bett schieben zu wollen. Von Kotzian war doppelt so schwer wie er, er würde ihn kaum zur Seite drängen können und sich bei dem Versuch wahrscheinlich lächerlich machen.

»Ich verbitte mir diesen Ton!«, donnerte von Kotzian indes.

»Dann stehen Sie mir nicht im Weg.«

»Das genügt. Verlassen Sie mein Haus!«

»Sie stehen in einem Hotelzimmer. Dies ist kaum Ihr Eigentum.«

»Was sind Sie, Kommunist? Ich habe hier Hausrecht. Raus jetzt, aber flott!«

Petra Dussmann war inzwischen auf die Bettkante gesunken und hielt die Hände vors Gesicht. Tasso kam der Verdacht, dass sie gar nicht wegen der Entdeckung der Leiche nervös war, sondern weil sie einen solch peinlichen Auftritt ihres Großvaters vorausgeahnt hatte.

Tasso setzte seinen Hut auf. »Kommen Sie, Signorina Oberhöller. Wir sind hier fertig.«

»Ich werde mich über Sie beschweren!«

***

Die Innenstadt war voller Menschen, die den sonnigen Wintertag dazu nutzten, das Angebot an Südtiroler Spezialitäten zu begutachten und Weihnachtsgeschenke zu kaufen. Deutsche und italienische Stimmen schwirrten durch die Luft, vereinzelt mischten sich französische und englische Sätze dazwischen. Viele Wege waren vom Schnee geräumt. Überall unter den Lauben sammelten sich Passanten vor den Schaufenstern oder schlenderten über die Straße.

Tasso und Mara hatten sich bis an den Theaterplatz fahren lassen und legten den Rest des Weges zu Fuß zurück. Mit jedem Schritt an der kalten Luft besserte sich Tassos schlechte Laune. Er und solche Bonzen, das ging selten gut zusammen. Mara hatte sich zu seiner Erleichterung jeglichen Kommentar verkniffen.

»Wird die Polizei ein Foto des Opfers veröffentlichen, um es zu identifizieren?«, fragte Mara, während sie einem Paar in voluminösen Pelzmänteln und passenden Fellmützen auswichen.

»Nein, erst einmal nicht. Das erregt zu viel Aufmerksamkeit. Wir geben uns vierundzwanzig Stunden. Wenn wir dann noch nicht wissen, wer der Mann war, schicken wir ein Bild an die Zeitungen.«

Tasso hoffte inständig, dass es schneller ging. Wenn er zu entscheiden hätte, würde er sich bei Mordermittlungen eine vorläufige Nachrichtensperre wünschen. Natürlich musste die Öffentlichkeit informiert werden, doch die Erfahrung hatte ihn gelehrt, dass es zu viele Menschen gab, die von einem gewaltsamen Tod magisch angezogen wurden wie Motten vom Licht. Regelmäßig wollten Dutzende und mehr den Toten gesehen oder sogar gekannt haben und lieferten vor allem eine Fülle an Motiven, die sich bei näherer Betrachtung als haltlos erwiesen. Vielleicht brachte die Befragung des Schneiders ein bisschen Licht ins Dunkel.

Sie erreichten ein Geschäft, auf dessen Schaufenster *Gilberto Cazzola – Schneidermeister – mestiere di sarto* stand. Ein Herrenanzug sowie drei Hemden in Pastellfarben und Paisley-Muster waren dort ausgestellt. Tasso betrachtete die

Preisschilder und zählte zur Sicherheit ein zweites Mal die Nullen der Lira-Beträge. Ihm wurde schwindelig.

»Bekomme ich das Geld bezahlt, wenn ich dieses giftgrüne Hemd trage?«, brummte er.

Mara lachte. »Das ist der letzte Schrei – Muster und bunte Farben. Ich mag es, offen gestanden.«

Tasso zog die Tür auf. Ein Glöckchen bimmelte, und sie betraten das Geschäft. Ein dicker Perserteppich war auf dem Boden ausgelegt. Statt Anzügen und anderer Kleidungsstücke, die Tasso erwartet hatte, waren nur Stoffballen zu sehen, die in einer Vielzahl von Regalen lagen. Über einer Schneiderpuppe hingen mehrere bunte Maßbänder.

»Ich komme, *arrivo subito!*« Gilberto Cazzola kam hinter einem roten Samtvorhang am Ende des Raumes hervor. Es handelte sich um einen gedrungenen Mann in den Fünfzigern mit einer Halbglatze, über die er sich die übriggebliebenen langen Seitenhaare gekämmt hatte. Er trug ein dunkelviolettes Hemd und darüber eine Weste mit fliederfarben-schwarzem Karomuster. Im Vergleich zu den Hemden im Schaufenster fand Tasso die Farbwahl gediegen.

»Ah, Signorina Oberhöller, was für eine Ehre, *piacere!* War bei der letzten Lieferung für Ihren Vater alles zu seiner Zufriedenheit?«

»Absolut, Signor Cazzola, er ist äußerst glücklich mit den neuen Hemden.«

Rasch lüpfte Tasso kurz den Hut, zog seinen Dienstausweis hervor und kramte gleichzeitig in der Manteltasche nach der Stoffprobe. »*Buongiorno*, Signor Cazzola. Ich unterbreche Sie nur ungern, aber wir haben heute Vormittag die Ermittlungen in einem Todesfall aufgenommen. Vielleicht können Sie uns bei der Identifikation des Mannes helfen. Es könnte sich um einen Ihrer Kunden handeln.«

Gilberto Cazzola schien nicht so recht zu wissen, was von ihm erwartet wurde. Er zog eine Lesebrille aus der Brusttasche seiner Weste und studierte aufmerksam den Ausweis. Inzwischen hatte Tasso den Stofffetzen gefunden und reichte ihn dem Schneider. Der hatte kaum darauf gesehen, da machte er mit einem *»Sì, sì, sì!«* sofort einen großen Ausfallschritt in Richtung des Regals zu seiner Linken und deutete dann energisch auf einen Stoffballen mit demselben Muster.

»Es könnte dieser hier sein, Signore. Aber ich muss Ihnen leider sagen, dass dies ein ziemlich gebräuchlicher Stoff ist. Vermutlich bin ich nicht einmal der Einzige, der ihn verarbeitet. Davon stellen wir sicherlich zwei Anzüge oder Jacketts im Monat her, mindestens.«

»Oh.« Tasso schwieg verärgert. Konnte sich denn alle Welt heutzutage einen Maßanzug leisten? Er war jedes Mal froh, dass er einen gewöhnlichen Körperbau hatte und zumeist Anzüge von der Stange bekam, die er nicht einmal ändern lassen musste.

Gilberto Cazzola schien ihm seine Enttäuschung anzusehen. Er wandte sich zu einem Spalt hinter dem Regal und zog eine etwa hüfthohe Holzplatte hervor, auf der unzählige Reihen mit Knöpfen angebracht waren. »Aber wir sind ja noch nicht am Ende unserer Möglichkeiten. Ich werde selbstverständlich meine Auftragsbücher durchsehen lassen. Doch erst einmal: Erkennen Sie einen der Knöpfe wieder?«

Sowohl Tasso als auch Mara schüttelten gleichzeitig den Kopf.

»Aber das lässt sich leicht lösen«, erklärte Tasso erleichtert. »Wir werden Ihnen einen der Knöpfe vorbeibringen.«

»Sehr gut!« Der Schneider klatschte in die Hände. »Was können Sie mir sonst sagen? Wie groß war der Mann, wie seine Statur? Wie war der Anzug geschnitten? Und können

Sie sich an die Schuhe des Mannes erinnern? Ich achte immer sehr auf gutes Schuhwerk.«

»Auf jeden Fall modern geschnitten«, flötete Mara, »tailliert und die Hose unten eng und kurz. Er trug schwarze Budapester, sehr gepflegt. Das ist mir sofort aufgefallen.«

Tasso hob eine Augenbraue. Ihm war nur aufgefallen, dass die Schuhe für dieses Wetter ungewöhnlich sauber waren, als hätte sie jemand abgeputzt.

»Er müsste ungefähr so groß wie Commissario Tasso sein, auch so schlank, allerdings mit schmaleren Schultern«, fuhr Mara ungerührt fort.

»Bravo, sehr gut! Die Hosen werden nach unten noch nicht lange eng geschnitten; das ist ein neuer Trend. Das heißt, der Anzug kann noch nicht alt sein. Und der … tote Mann auch ungefähr in ihrem Alter, Signor Commissario? Ich lasse meinen Buchhalter die Aufträge der letzten zwei Jahre durchsehen.«

»Sie bekommen den Knopf heute noch. Schaffen Sie es bis morgen Abend, die Bücher durchzusehen?«, fragte Tasso schmallippig. Er ging zwar nicht davon aus, dass die Körpermerkmale des Toten etwas mit dem Motiv zu tun hatten, aber es war ihm gar nicht angenehm festzustellen, wie viel er mit dem Opfer gemeinsam hatte. Unauffällig spreizte er hinter dem Rücken Zeige- und kleinen Finger zur *corna*, um das Böse abzuwehren.

Gilberto Cazzola versprach, sein Bestes zu versuchen. Mit wortreichen Segenswünschen an Bürgermeister Oberhöller begleitete er sie zur Tür.

Kaum dass sie draußen standen, atmete Tasso tief die klare Winterluft ein. Er griff in die Innentasche seines Mantels und holte eine Packung Zigaretten hervor.

»Rauchen Sie?«

»Gelegentlich.«

Tasso gab ihr Feuer und beobachtete seine Praktikantin verstohlen, wie sie lustlos paffte. Er hatte den Eindruck, dass sie nur rauchte, um ihm einen Gefallen zu tun. Das war unnötig. Er wusste ohnehin nicht, ob er imponiert sein oder sich über sie ärgern sollte. Er schätzte es nicht, wenn ihm die Führung eines Gesprächs derart aus der Hand genommen wurde, doch er musste sich eingestehen, dass sie bisher nicht nur keine Last, sondern eine Hilfe gewesen war. Und da kam ihm eine Idee.

»Sagen Sie, Signorina Mara, Sie gehen doch sicherlich hin und wieder aus? Treffen sich mit Freundinnen oder gehen in ein Tanzlokal.«

»Ja, schon.«

»Was halten Sie davon, wenn Sie noch einmal zurück zum Hotel fahren und Signorina Dussmann einladen, heute Abend mit Ihnen auszugehen? Wenn Sie einwilligt, haben Sie die einmalige Gelegenheit, sich mit ihr zu unterhalten, ohne dass ihr unerträglicher *Nonno* immerzu dazwischenfunkt.«

Mara lachte. »Mit diesem Kriminalrat können Sie nicht gut, was?«

»Vorsicht mit solchen Äußerungen«, zischte er scharf.

Vor Schreck hätte Mara beinahe die Zigarette in den Schneematsch fallen lassen. Reumütig senkte sie den Kopf. »*Scusatemi*, entschuldigen Sie vielmals. Ich wollte nicht respektlos sein. Ich fand diesen von Kotzian völlig anmaßend.«

Tasso nickte gnädig und entschied sich, es dabei zu belassen. »Was halten Sie von meiner Idee? Laden Sie Petra Dussmann ein, das Nachtleben von Meran kennenzulernen.«

»Na ja, so aufregend ist das nicht gerade, aber es gibt schon Möglichkeiten. Aber was ist mit Ihnen?«

»Ich? Was soll mit mir sein?«

»Kommen Sie mit.«

»Sind Sie von allen guten Geistern verlassen? Ich bin viel zu alt für solche Tanzschuppen.«

»Wer sagt das denn? Das stimmt doch gar nicht. Ich habe schon Ältere als Sie beim Ausgehen getroffen.«

Das klang haarscharf nach der nächsten Beleidigung, aber Tasso ignorierte tapfer auch diese Bemerkung. Mochte er auch langweilig und altbacken erscheinen, so etwas war nichts für ihn.

»Ich werde gleich zu Dottore Agnelli ins Krankenhaus fahren und mir berichten lassen, was bei der Obduktion herausgekommen ist. Und danach wird Bru-, wird der Questore wissen wollen, wie die Dinge stehen. Wenn ich damit fertig bin, werde ich sicherlich nicht noch einmal nach Meran zurückfahren, sondern froh sein, wenn ich Feierabend machen kann.«

»Gut, dann sehen wir uns morgen früh in der Questura?«

»Seien Sie um neun Uhr an meinem Schreibtisch. Bitte pünktlich.«

»Selbstverständlich, Signor Commissario. *A domani.*«

3. Kapitel, in dem Mara Oberhöller am Verstand des Questore zweifelt und in einen Farbrausch gerät

»Beehren Sie uns alsbald wieder, Fräulein Oberhöller. Einen angenehmen Abend.« Schwungvoll zog der Portier die Eingangstür auf und deutete eine leichte Verbeugung an. Es war derselbe junge Mann, der sie vor einigen Stunden im Hotel Bellevue begrüßt hatte.

Mara lächelte ihm herzlich zu. »Das wünsche ich Ihnen auch. Vielen Dank!«

Sie hatte Glück gehabt und Petra allein erwischt, da ihre Großeltern und ihre Mutter auf dem Weg zum täglichen Kurkonzert waren. Es hatte nicht viel Überredungskunst gebraucht und sie waren für den Abend zum Tanzen verabredet – besser gesagt hatten sie vereinbart, dass Mara um einundzwanzig Uhr vor dem Hotel auf Petra warten würde. Wenn sie Pech hatte und ihr Großvater von dem Vorhaben Wind bekam, würde nichts daraus werden.

Mara trat auf die Straße und schaute ratlos nach rechts und links.

»Soll ich Ihnen ein Taxi rufen lassen?«

Mara wandte sich wieder dem Portier zu. »Das wäre sehr schön, ja. Ich danke Ihnen.«

Erst jetzt fiel ihr ein, dass ihr Fiat 500 an der Questura in Bozen parkte, da sie mit Tasso in dem Wagen der Polizei gefahren worden war. Kurz erwog sie, das Auto zu holen, aber das würde zu viel Zeit kosten. Besser, sie fuhr morgen früh mit dem ersten Zug nach Bozen, um pünktlich im Büro zu erscheinen.

Während sie auf dem Bürgersteig auf und ab wanderte und aus Langeweile eine zweite Zigarette rauchte, grübelte sie über Aurelio Tasso nach. Was hatte Bruno Visconti sich nur dabei gedacht? Dieser Commissario entsprach ganz und gar nicht dem Bild, das sie sich von Brunos angeblich bestem Mann gemacht hatte. Unhöflich, grantig, ohne jegliches Gespür für Diplomatie. Dazu wirkte er bieder und versuchte, sich unnahbar zu geben. Mara war es gewöhnt, als junge Frau von vielen Männern nicht für voll genommen zu werden, doch diese rüde Behandlung hatte sie nicht erwartet. Sie hatte geglaubt, dass ein langjähriger Weggefährte Brunos und dazu einer seiner engsten Vertrauten so wäre wie er. Was für ein Irrtum!

Die nächsten Wochen würden anstrengend werden. Wenn aber dieser Tasso meinte, er würde sie mit seiner miesen Laune vergraulen können, hatte er die Rechnung ohne sie gemacht. Das würde sie aushalten. Nun, sie würde sich bemühen, ihr loses Mundwerk unter Kontrolle zu halten, damit sie ihn nicht mehr als nötig reizte. Auch wenn ihr das schwerfallen würde. Sie war von ihren Eltern – und ihrer Großmutter väterlicherseits – nicht dazu erzogen worden, sich zu ducken und anzupassen. Dafür war sie normalerweise dankbar, versetzte es sie doch in die Lage, ihre Frau zu stehen und sich durchzusetzen. Ihr Vater meinte stets, das könne nicht schaden. Seine Lehrmeisterin, so pflegte er zu ergänzen, sei die sture Südtiroler Landbevölkerung gewesen. Jetzt fragte sich Mara, ob sie nicht besser gelernt hätte, sich in bestimmten Situationen wenigstens etwas zurückzuhalten, wie es sich – aus Sicht mancher Leute – für eine junge Frau gehörte, selbst solchen in einer höheren gesellschaftlichen Position.

»Die Zeiten ändern sich, Signor Commissario«, murmelte sie bei sich. »Wollen doch mal sehen, wer hier die Hosen anhat. Vielleicht nicht wörtlich, Signore, aber im übertragenen Sinne.«

Dazu hoffte sie inständig, dass Bruno Visconti nicht gänzlich blind vor freundschaftlicher Liebe war und dass sich möglicherweise vorhandene menschliche Qualitäten des Aurelio Tasso noch zeigten.

Ein Taxi hielt vor ihr, und der Fahrer winkte einladend mit einer Hand. Sie schnippte die Asche von der Zigarette, grüßte den Portier noch einmal zum Dank und stieg ein.

***

Gegen einundzwanzig Uhr hielt Mara in einem anderen Taxi wieder an derselben Stelle. Leichter Schneefall hatte eingesetzt, der die Umgebung im Zusammenspiel mit der Straßenbeleuchtung in eine magische Welt voller weißgoldenem Licht tauchte. Petra Dussmann wartete bereits mit einer großen Umhängetasche am Eingang des Hotels Bellevue unter einem Regenschirm, den ihr der Portier – ein anderer – über den Kopf hielt. Mara zahlte, griff nach ihrer geräumigen Handtasche und stieg aus.

Währenddessen zog Petra eine Kapuze mit Pelzkragen über den Kopf. »Ich bin raus, ich kann es gar nicht fassen!«, rief die junge Frau, tänzelte übermütig und wäre beinahe im Neuschnee ausgerutscht. Rasch ergriff Mara ihren Arm und bewahrte sie davor, der Länge nach hinzufallen.

»Nicht so hastig. Es wäre kein guter Start in den Abend, wenn du dir direkt den Knöchel brichst.«

»Wirklich nicht. Gehen wir zu Fuß?«

»Ja, es ist nicht weit. Wir können die Freiheitsstraße entlanggehen oder an der Passer vorbei und über den Christmarkt.«

»Lass uns lieber den direkten Weg nehmen. Ich werde diesen Weihnachtsmarkt noch häufig genug besuchen müssen.«

Mara lachte unbekümmert. »Wie schön, dass dein Großvater dir erlaubt hat, mit mir mitzukommen.«

Petra wich ihrem Blick aus und tat, als würde sie sich auf den schlüpfrigen Untergrund konzentrieren. »Meine Mutter hat einen Migräneanfall und sich ins Bett gelegt. Ich habe ihr gesagt, dass ich noch etwas spazieren gehe und mich dann in die Bar setze. Sie wird schlafen, wenn ich zurückkomme, und gar nicht merken, wie lange ich wegbleibe.«

Mara nickte mit mehr Überzeugung, als sie empfand. Hoffentlich zog das keinen Ärger nach sich, der am Ende bei Bruno oder Tasso abgeladen wurde. Sie und Petra waren beide großjährig. Es war ihnen kaum zu verbieten, auszugehen und sich zu amüsieren. Sie wusste aber nur zu gut, was es hieß, sich über die Wünsche der Eltern hinwegzusetzen. Letzten Endes war sie nicht für Petras Tun verantwortlich – sie stellte allerdings die kleine Stimme der Unvernunft dar, so ganz konnte sie sich also nicht herausreden, falls Petra Probleme bekam. Aber warum sich darüber den Kopf zerbrechen? Falls das passierte, konnte sie immer noch über eine Lösung nachdenken. Petra Dussmann war jedenfalls im Vergleich zu dem von ihrem Großvater dominierten Gespräch heute Morgen wie ausgewechselt.

»Wir gehen in die *Schwarze Trommel*, einen Jazzkeller in der Hallergasse. Magst du Jazz oder Swing?«

»Ich mag Beatmusik noch lieber, aber gegen eine gute Jazzband habe ich bestimmt nichts einzuwenden.«

»Beat, ja? So weit sind wir hier noch nicht. Du hast auch gute Tanzschuhe dabei, oder?«

»Natürlich.« Petra klopfte auf die Umhängetasche. »Ich werde doch nicht mit diesen Wanderstiefeln tanzen. Ich war dieses Jahr dreimal auf einem Konzert einer britischen Band; *The Beatles* nennen die sich. Haben wochenlang in Hamburg gespielt.«

»Sagt mir nichts.«

»Ich verspreche dir, von den vier Jungs werden wir noch so einiges hören. Das ist was völlig Neues, es reißt dich sofort mit.« Petra kicherte albern. »Meine Mutter dreht bei der Musik beinahe durch. Sie schwört auf Peter Alexander. Ein grausiges Gejammer!«

»Den kenne ich nur zu gut. Schließlich ist der Mann Österreicher, auf den lassen sie hier nichts kommen. Aber ich stimme dir zu.« Sie lachten einträchtig.

Petra reckte das Gesicht den Schneeflocken zu und fing einige mit der Zunge auf. »Ich mag den Schnee. In Hamburg schneit es viel zu selten.«

»Dafür habt ihr anscheinend gute Musikclubs.« Mara hakte sich bei ihr unter. »Du wirst sehen. Meran ist, was das anbelangt, nicht gerade der Nabel der Welt. Das Angebot ist eher auf Leute wie unsere Eltern ausgerichtet. Wird sich hoffentlich eines Tages noch ändern.«

»Hauptsache, wir können ein bisschen herumhopsen und müssen uns nicht mit Walzerschritten und einem Kerl abmühen.«

»Auch in diesem Punkt sind wir uns einig.«

Sie erreichten die historische Innenstadt von Meran und bogen in die Laubengasse ein. Statt unter den Lauben vor dem Schnee Schutz zu suchen, bummelten sie mitten auf der Straße. Mara fröstelte ein wenig, doch ihr würde später noch warm genug werden. Sie grübelte gerade darüber nach, wie sie das Gespräch unauffällig auf den Toten im Hotel bringen konnte, als Petra es ihr leicht machte, indem sie danach fragte, wie es zu der Zusammenarbeit mit diesem »stinkstiefeligen Kommissar« gekommen war. Mara erzählte von der Vermittlung des Questore und ihren Plänen zu studieren.

»Da hast du dir aber einiges vorgenommen.« Petra schnalzte anerkennend mit der Zunge. »Ich mache gerade eine Ausbildung zur Buchhändlerin. Es ist ganz in Ordnung, ich mag es. Aber spannend sind allenfalls die Krimis, die ich verkaufe. Na ja, und jetzt mein Leichenfund im Lesezimmer. Das klingt nach einem guten Romantitel, oder? ›Der Tote in der Bibliothek‹! Vielleicht sollte ich darüber schreiben.«

»Hat dir das nichts ausgemacht? Ich meine, das war nicht gerade ein appetitlicher Anblick. Sogar Tasso hat sich bekreuzigt, dabei wird das nun wirklich nicht seine erste Leiche gewesen sein.«

»Ehrlich gesagt fand ich's nicht so schlimm.« Petra wirkte verlegen. »Ich glaube, ich bin da ein wenig … Wie soll ich das nennen? Abgestumpft vielleicht. Großpapa will mich schützen, aber das kann er gar nicht.«

Mara biss sich auf die Zunge und hoffte darauf, dass Petra von sich aus erklärte, was sie meinte.

»Ich bin Anfang des Krieges geboren, weißt du?«, fuhr die junge Frau nach einer Pause fort. »Daran habe ich natürlich keine großartigen Erinnerungen mehr; ich war fünf, als die Briten einmarschiert sind. Aber es ist ja nicht so gewesen, dass mit dem Kriegsende auch das Sterben aufgehört hätte. Bei uns in der Straße ist eine Frau vor unseren Augen umgekippt. Einfach so, tot. Aus Schwäche, weil sie sich vor Hunger nicht mehr auf den Beinen halten konnte, verstehst du? Ich konnte sehen, dass ihr ganzer Körper angeknabbert war. Von Ratten. Das war in einem Sommer nach Kriegsende.« Sie stockte kurz. »Und mit der Schulklasse sind wir einmal an einem ausgebombten Haus vorbeigekommen. Da waren sie gerade dabei, den Schutt wegzuräumen, und haben unter den Trümmern Leichen geborgen. Die lagen seit Ewigkeiten da. Du kannst dir nicht vorstellen, wie die ausgesehen haben. Und der Gestank!« Sie rümpfte bei der Erinnerung die Nase. »Unsere Lehrerin hat natürlich dafür gesorgt, dass wir so schnell wie möglich weiterkamen, aber wir haben alles gesehen. Und da soll mich ein Mann mit einem eingeschlagenen Schädel und ein bisschen Blut schockieren?«

»Eher nicht.« Mara schwieg betroffen und wurde sich im Stillen bewusst, wie gut es ihr ging. Sie war ebenfalls im Krieg geboren, doch der hatte jenseits ihrer Wahrnehmung stattgefunden. In Meran war wenig passiert, die Stadt und ihre gesamte Infrastruktur mit den Kurhotels und Bädern wurden als riesiges Lazarett genutzt. Sie konnte sich auch nicht daran erinnern, jemals Hunger gelitten zu haben. Sicher, das Angebot war seit ihrer Zeit als Kleinkind bis heute reichhaltiger und exotischer geworden, aber irgendetwas hatte es immer gegeben, auch Süßes für die kleine Mara und ihre beiden älteren Brüder.

»Ist dir denn sonst noch etwas aufgefallen?«, fragte sie Petra.

»Ich glaube, dass dieser Mann auf jemanden gewartet hat, und zwar ziemlich lange. Mir ist aufgefallen, dass in dem Regal, unter dem er lag, die Bücher sehr unordentlich standen. Die Buchrücken standen nicht in einer Reihe, sondern waren unterschiedlich weit hervorgezogen worden. So als hätte er sich gelangweilt und das ein oder andere Buch genommen und dann nachlässig wieder zurückgestellt.« Sie lachte, es klang verlegen. »Berufskrankheit, so etwas fällt bestimmt sonst niemandem auf, oder? Dieses Lesezimmer kommt mir eher wie ein Büchermuseum vor; da hattest du Scheu, überhaupt eines anzufassen. Außerdem waren seine Schuhe sehr sauber. Ich vermute, dass sie abgewischt wurden.«

»Wirklich? Das könnte wichtig sein! Warum hast du Tasso nichts gesagt?« Das mit den Schuhen war Mara auch aufgefallen, doch sie hatte nicht darüber nachgedacht, ob es etwas bedeutete oder gar mit dem Tod des Mannes zusammenhing.

Die junge Frau zog eine Grimasse. »Wollte ich ja. Wenn Großpapa nicht immer dazwischengefunkt hätte. Er ist ... keine Ahnung. Vom alten Schlag. Bildet sich etwas auf unseren Adelstitel ein und meint, dass die Leute deswegen ihm gegenüber katzbuckeln müssten. Dein Tasso war ganz schön forsch, mit so etwas kann er gar nicht umgehen.« Sie lachte vergnügt. »Eigentlich hatte er kurz zuvor großartig herumgetönt, dass er alles tun wird, um die hiesige Polizei zu unterstützen. Er meint, dass ihr hier hinterm Mond lebt. Außerdem ist er neugierig. Vermutlich ärgert er sich bereits über sich selbst, weil er jetzt nicht mitmischen kann.«

Sie waren inzwischen in die Hallergasse eingebogen und trafen auf andere Nachtschwärmer. Es war noch früh, aber wer in der *Schwarzen Trommel* einen geeigneten Platz ergattern wollte, sollte rechtzeitig dort sein. Gerade kam ihnen eine Gruppe von vier Männern mit Instrumentenkoffern entgegen. Sie trugen trotz der Kälte keine Mäntel, sondern lediglich rote Schals zu schwarz-rot-blau karierten Sakkos über neumodischen Jeans. Zwei von ihnen hatten rot gefrorene Wangen und blonde Haare, die anderen beiden waren dunkelhäutig, der eine mit raspelkurz geschorenem Haar, der zweite trug Afro-Look.

»Ist das die Band?«, wollte Petra wissen.

»Ja. Einer ist Italiener, die anderen drei Amerikaner. Die Sängerin fehlt noch.«

»Ein Kontrabass, Trompete und Saxophon, der ohne Koffer ist vermutlich der Schlagzeuger. Sieht vielversprechend aus. Komm, lass uns reingehen.« Petra zog Mara Richtung Eingang und wurde prompt von einem Carabiniere in Uniform aufgehalten, der sie anschnauzte. Erschrocken sprang sie einen Schritt zurück und wäre um ein Haar abermals auf dem zertretenen Schnee ausgerutscht.

»Schon gut. Kein Grund, so herumzumotzen.« Mara wechselte ins Italienische und hob beschwichtigend beide Hände, während Petra wieder ins Gleichgewicht taumelte.

Der Carabiniere drängte sie mit dem Arm zur Seite und ließ zunächst die Musiker passieren, die von dem Geschehen keine Notiz nahmen. Dann wandte er sich mit verkniffen zusammengepressten Lippen unter dem dichten Schnauzbart an Mara. *»Non si puo entrare.«*

»Was soll das heißen, wir dürfen nicht rein? Ich habe zwei Eintrittskarten. Und seit wann kontrollieren die Carabinieri als Türsteher? Wissen Sie überhaupt, wer ich bin?«

Der Carabiniere blickte sich verstohlen um und beugte sich dann verschwörerisch zu ihr. »Es soll ein Anschlag geplant sein. Wie müssen alles kontrollieren. Vorher dürfen Sie nicht hinein. Ist nichts Persönliches, Signorina Oberhöller.«

»Ach so. Dann warten wir da drüben.« Mara zog Petra mit sich, die ihr verwirrt folgte. Sie suchten unter einem Vordach Schutz vor dem dichter werdenden Schneefall und zündeten sich Zigaretten an.

»Die sind alle völlig nervös. Na ja, ist schon verständlich.

Im Sommer und im Herbst gab es Anschläge auf verschiedene Bahnhöfe, vermutlich von Südtiroler Separatisten. Als ich heute Morgen in der Questura in Bozen auf Tasso gewartet habe, hieß es, sie hätten einige junge Männer verhaftet, die wieder etwas geplant hatten.«

Petra nickte. »Mama wollte in diesem Jahr gar nicht herreisen. Aber Großpapa meinte, die Terroristen hier wären auch nicht gefährlicher als die zu Hause. Und außerdem bräuchten die Südtiroler jetzt erst recht unsere Unterstützung, besser gesagt unser Geld. Was genau er damit gemeint hat, ist mir schleierhaft, aber ich bin gern hier, daher soll es mir recht sein.«

»Der Tourismus mit den eigenen Landsleuten ist mehr oder weniger vollständig eingebrochen. Die Italiener aus dem Süden fürchten sich davor, hier Urlaub zu machen«, erklärte Mara. »Daher hat es in Österreich und Deutschland einige Werbeaktionen gegeben, um die Touristen aus dem Norden anzulocken.«

»Woher weißt du das denn?«

»Mein Vater ist der Bürgermeister, schon vergessen? Er hat mit der Kurverwaltung eine großangelegte Kampagne ausgearbeitet, in allen wichtigen Zeitungen wurden Anzeigen geschaltet. Und wenn es bis zu deinem Großvater durchgedrungen ist, scheint es ja funktioniert zu haben.«

Der Carabiniere winkte ihnen zu. Nach der Kontrolle ihrer Eintrittskarten und einer flüchtigen Überprüfung ihrer Handtaschen ließ er sie hinein.

»Wenn ich einen Anschlag planen würde, hätte ich meine Bombe ja in dem großen Instrumentenkoffer versteckt und nicht mit meinen Tanzschuhen in der Umhängetasche.« Petra lachte, während sie hintereinander die schmale, schwach beleuchtete Treppe in den Keller hinabstiegen.

Mara fand den Gedanken weniger lustig. Nachdem sie ihrer neuen Freundin davon erzählt hatte, war ihr wieder eingefallen, wie besorgt Bruno über die angeblichen Anschlagspläne und die Verhaftungen gewesen war. Die Welt mochte ihre Augen im Augenblick auf das nun durch eine Mauer geteilte Deutschland richten, doch das hieß nicht, dass es hier im Etschtal gemütlich zuging. Und es musste ja nicht gleich ein großer Anschlag sein. Hatte Mara nicht heute Vormittag ihre erste Leiche gesehen? Schlagartig wurde ihr in vollem Umfang bewusst, auf was für eine Aufgabe sie sich da eingelassen hatte. Was hatte sie sich dabei gedacht?

Sie ging etwas langsamer und atmete auf jeder Stufe tief ein und aus, konzentrierte sich ganz auf den Abstieg. Noch einmal, sie würde nicht schon am ersten Tag das Handtuch werfen. Immerhin hatte sie etwas herausgefunden. Vielleicht würde dieser Informationsschnipsel, den sie von Petra hatte, Tasso ein wenig gnädig stimmen.

Die Gaststube war noch ziemlich leer, sodass Mara und Petra eine Sitzecke mit freiem Blick auf die Bühne fanden, auf der die Musiker gerade ihre Instrumente bereitstellten und die Mikrofonkabel anschlossen. Eine Jukebox spielte einen älteren Song von Fats Domino, bei dem Mara sofort Lust bekam zu tanzen.

»Ich hole uns was zu trinken, ich lade dich ein. Was möchtest du?«, fragte Petra, nachdem sie ihren Mantel und die Tasche unter der Sitzbank verstaut hatte. Sie trug ein enganliegendes cremefarbenes Etuikleid und ein dazu passendes straff geschnürtes Halstuch.

Mara zog ihre flachen Pumps aus der Handtasche und begann die dicken Stiefel aufzuschnüren. »Ich nehme erst mal eine Cola zum Wachwerden. Danke sehr!«

Sie öffnete ihren Mantel und lehnte sich zurück. In einem

Winkel hinter der Bar entdeckte sie zwei Bekannte, lässig mit bis zur Brust geöffneten Hawaiihemden und engen Chinos bekleidet. Sie winkte ihnen zu, aber die beiden jungen Männer schauten nicht in ihre Richtung. Sie würde später Gelegenheit haben, sie zu begrüßen; der Abend hatte gerade erst angefangen. Ob Petra einen Freund hatte? Mara hatte bisher keinen Mann getroffen, bei dem sie sich mehr als eine Freundschaft vorstellen konnte. Zum Glück waren ihre Eltern auch in dieser Hinsicht eher liberal. Weder drängten sie sobald wie möglich auf eine Heirat, noch versuchten sie, sie zu verkuppeln. Und seitdem ihr ältester Bruder Richard in diesem Jahr zum ersten Mal Vater geworden war, hatte sich die Aufmerksamkeit ihrer Mutter hauptsächlich dem jüngsten Spross der Familie zugewendet. Was Mara sehr recht war. Wenn sie sich vorstellte, einen Vater oder Großvater wie Petra zu haben, mit einem derartigen Kontrollzwang, würde sie vermutlich durchbrennen.

»Hier. Mit Eis.« Petra stellte zwei große Gläser Cola auf dem Tisch ab.

Mara nahm eines und hielt es ihrer neuen Bekanntschaft entgegen. Klirrend stießen die beiden Frauen an und lächelten einander zu. »Auf ins Abenteuer?«

Petras Augen glänzten erwartungsvoll. »Zeig mal, was so ein Abend in Meran außer dem Kurkonzert zu bieten hat.«

Mara zwinkerte ihr zu und deutete auf die beiden jungen Männer, zu denen sich inzwischen weitere gesellt hatten.

»Lust darauf, ein paar neue Leute kennenzulernen? Das sind nette Typen.«

»Warte, ich ziehe mir noch die anderen Schuhe an, dann geht's los!«

4. Kapitel, in dem Tasso und Mara sich am Dienstag fragen, ob die Welt ein Talent oder einen Scharlatan verloren hat

Tasso stand neben Bruno am Fenster in dessen Büro und schaute genau wie der Questore hinunter auf den ummauerten Hof. Vor wenigen Sekunden hatte sich eine Tür geöffnet und ein uniformierter Polizist war ins Freie getreten.

»Du meinst also wirklich, dass sie nichts vorhatten?«, fragte Tasso.

»Doch, die hatten ganz sicher etwas geplant. Die wollten eine Scheune neu streichen.«

Sechs junge Männer folgten einander im Gänsemarsch nach draußen. Auf ein Zeichen des Polizisten hin warteten sie sodann neben der Tür.

»Meinetwegen.« Tasso grinste. »Aber du bist sicher, dass sie nichts Kriminelles im Sinn hatten?«

Bruno schüttelte entschieden den Kopf. »Falls doch, sollte ich meinen Beruf drangeben. Ich habe mich in solchen Dingen sehr selten getäuscht.«

Der Questore hatte sogar noch nie danebengelegen, falls Tassos Erinnerung ihn nicht täuschte.

Selbst aus der Entfernung war einem bärtigen Burschen anzusehen, dass er ein blaues Auge hatte, die Lippen eines anderen wiesen dunkle Flecken auf, vermutlich blutiger Schorf. Keiner der Männer, die Tasso teilweise mehr wie Jungs vorkamen, trug eine Jacke oder einen Mantel, Hut oder Schal.

Entsprechend rückten sie nahe zusammen, rieben sich die Arme und Oberkörper, um sich warm zu halten.

»Muss das sein?«, murmelte Tasso. Ihn fröstelte bei dem Anblick.

»Nein, natürlich nicht. Aber du weißt ja, wie das ist. Ein kleiner *Agente*, der es noch zu nichts gebracht hat und sich jetzt in seiner neuen Uniform stark fühlt, überlegen. Du ahnst gar nicht, wie froh ich bin, dass ich mich gestern entschieden habe, an den Verhören teilzunehmen. So konnte ich Schlimmeres verhindern. In dieser aufgeheizten Stimmung können wir nicht noch mehr Ärger brauchen.«

Die Tür zum Hof schloss sich mit einem dumpfen Knall, der sogar durch das geschlossene Fenster zu hören war. Der Polizist bellte etwas. Die sechs Jungs folgten ihm zum Hoftor wie eine artige Schulklasse.

»Abgesehen davon, dass es selten zu etwas führt, ein Geständnis aus einem Verdächtigen herausprügeln zu wollen.«

»Du sagst es. Kompliziert wird es ja vor allem dann, wenn es nichts zu gestehen gibt.«

Der Polizist öffnete das Hoftor und die ehemaligen Gefangenen trotteten hinaus. Der Vorletzte schien Anstalten zu machen, sich von dem Polizisten verabschieden zu wollen, doch der gab ihm einen rüden Stoß in den Rücken. Der junge Mann stolperte mit zwischen den Schultern eingezogenem Kopf hinaus. Der Letzte folgte ihm, und das Tor schloss sich.

»Wie in den Hexenprozessen, nicht wahr?« Bruno hielt sich an der Fensterbank fest, vollführte eine halbe Drehung und lehnte sich mit dem Rücken gegen die breite Fensterbacke.

Tasso schwieg verwirrt.

»Ich habe gestern darüber gelesen«, erklärte Bruno. »Bei einem Hexenprozess konnte die angeklagte Frau – die meisten waren Frauen – gestehen, dann wurde sie hingerichtet, weil sie eine Hexe war. Gestand sie nicht, wurde sie meistens so lange gequält, bis sie starb oder irgendwann doch gestand. Oder hast du von der Wasserprobe gehört?«

»Bruno, genug! Ich habe schon verstanden. Was hätten wir denn machen sollen? Es gab diese Anzeige der Gastwirtin. Wir mussten dem nachgehen.«

Im Hof zündete der Polizist sich eine Zigarette an und verschwand dann durch eine weitere Tür in ein Treppenhaus.

Tasso legte die Hand an die Fensterscheibe. Sie war eiskalt. Im oberen Teil des Fensters hatten sich Eisblumen gebildet. Er spürte den Luftzug durch die Ritzen des hölzernen Rahmens.

»Ich kann sie nicht alle kontrollieren, Bruno. Ich kann nur an ihre Vernunft appellieren, an ihre Menschlichkeit. Und ich hoffe wirklich, dass die Carabinieri, die den Höfler zu Tode gefoltert haben, verurteilt werden.«

Bruno deutete mit dem Kinn zum Fenster. »Diese Kinder da. Ich hoffe, dass sie keinen Schaden nehmen. Die sind arglos in eine Sache hineingestolpert. Was, wenn sich jetzt einer von denen radikalisiert? Sich für die falschen Anschuldigungen rächen will? Und dann nicht zu Farbe greift, sondern zu Sprengstoff?«

Tasso lehnte die Stirn gegen die Scheibe. Ihm war danach, mit dem Fingernagel über das Glas zu kratzen, nur damit Bruno aufhörte. »Noch einmal: Was hätte ich tun sollen?«

»Schon gut, ich weiß, dass ich zu einem Bekehrten predige. Du tust, was du kannst, und wir beide sind nicht genug, um alles, was falsch läuft, zu verhindern. Vielleicht bin ich einfach gereizt, es war ein hartes Jahr. Konzentrier dich auf den Mord, und dann bringen wir das hier bis Neujahr zu einem guten Ende.«

Tasso bekam einen Klaps auf die Schultern.

»Wirklich, Aurelio, ich wollte dir keine Vorwürfe machen. Ich mache mir nur Sorgen. Die Männer sind alle nervös, sie greifen zu hart durch. Wir dürfen nicht die Kontrolle verlieren.«

Tasso drückte sich vom Fenster ab. »Ich schaue mal, ob Signorina Mara eingetroffen ist. Sicherlich wartet sie schon auf mich.«

Er wollte gerade nach der Klinke greifen, als Bruno ihn zurückrief.

»Da ist noch etwas.«

»Ja?«

»Konrad von Kotzian, Kriminalrat außer Dienst aus Hamburg, hat sich heute Morgen telefonisch bei mir über das ungebührliche Verhalten des Herrn Kommissar beschwert.«

»Das wundert mich gar nicht.«

»Aurelio, reiß dich zusammen. Ich kann nicht noch mehr Ärger brauchen.«

»Ich gebe mein Bestes.«

»Und noch ein bisschen mehr. Oder lass Mara bei solchen Bonzen das Begrüßungsritual tanzen. Sie weiß, was sich dabei gehört.«

Tasso wandte sich ihm zu und grinste bösartig. »Ich weiß das nicht, schon klar.«

»Doch, du weißt das sehr genau. Aber du hast manchmal die Neigung, die Umsetzung deiner theoretischen Kenntnisse in die Praxis zu verweigern.«

»Ich hab dich auch lieb, Questore.«

***

Schon von Weitem sah Tasso Mara auf dem Besucherstuhl vor seinem Schreibtisch sitzen. Sie bemühte sich sichtlich, den Eindruck zu erwecken, weder gelangweilt noch ungeduldig zu wirken. Doch bis Tasso seinen Platz erreichte, hatte sie zweimal versucht, die Schnur seines Telefonhörers zu entwirren – was ein aussichtsloses Unterfangen darstellte.

»*Buongiorno*, Mara. Sie sehen ein wenig – wie soll ich es ausdrücken? – übernächtigt aus.«

»Ich war tanzen. Auf Ihre Anweisung hin, wenn ich mich recht erinnere.« Sie blinzelte auf ihre Armbanduhr, als erwarte sie, dass er sich dafür entschuldigte, weil er eine halbe Stunde zu spät war.

Er setzte sich. »Möchten Sie einen Kaffee?«

»Oh, sehr gern.«

»Da vorn ist eine Tür, die führt zu unserer Kaffeeküche. Dort stehen Kannen und Filter bereit. Boilern Sie Wasser, geben Sie sechs Löffel in den Filter und bringen Sie die Kanne und zwei Tassen mit. Meine halbvoll mit Milch.«

Mara starrte ihn mit weit aufgerissenen Augen an.

Er hob eine Augenbraue. »Bitte.«

»Bah.« Sie ging davon.

Eigentlich hatte Tasso sie nur kurz loswerden wollen, um seine Gedanken zu sortieren. Seit er die jungen Männer dort unten im Hof beobachtet hatte, nagte die gesamte Angelegenheit wieder an ihm. Er hatte da irgendetwas übersehen. Wenn er nur wüsste, was? Und jetzt war die Sache vorerst abgeschlossen. Er musste sich auf den Mord konzentrieren.

Er beobachtete Mara, wie sie mit einem Tablett samt der Kaffeekanne mit dem Porzellanfilter, zwei Bechern und einer Zuckerdose zurückkam. Vor Konzentration hatte sie die Zungenspitze in einen Mundwinkel geklemmt. Sie schien wirklich müde zu sein. Aber darauf konnte er keine Rücksicht nehmen – selbst wenn er gewollt hätte.

»Und, wie war denn Ihr nächtlicher Ausflug?«, fragte er, nachdem sie sich wieder hingesetzt hatte.

Bei der Frage leuchteten ihre Augen etwas wacher. »Ich habe von Petra Dussmann einiges erfahren. Sie hat mir den gesamten Ablauf geschildert. Und dazu macht ein Gerücht die Runde, das uns vielleicht hilft, den toten Mann zu identifizieren.«

»Dann lassen Sie mal hören.« Der Kaffee war inzwischen durchgelaufen. Tasso stellte den Filter auf das Tablett und goss sich seinen Becher voll. Er hasste Filterkaffee, aber in der Questura gab es nichts anderes, und mit Milch war das Gebräu einigermaßen erträglich.

Während Mara ihrerseits Zucker in ihren Kaffee schaufelte, erzählte sie, was sie erfahren hatte.

»Das mit den ungewöhnlich sauberen Schuhen hat Dottore Agnelli bereits bestätigt. Das hilft uns leider nur insofern weiter, als dass hier jemand umsichtig zu Werk gegangen ist«, sagte Tasso daraufhin.

»Meinen Sie, das war ein Auftragsmord?«

»Das ist nicht auszuschließen. Es war jedenfalls eine Person, die keine Hemmungen hatte zuzuschlagen. Agnelli hat noch mehrere Rippenbrüche und einen Milzriss festgestellt. Nicht zu vergessen, dass dieser Jemand dem Opfer den Schädel mit einem Stahlknüppel oder so etwas zertrümmert hat. Dazu braucht es …« Er schauderte. »So was kostet normalerweise Überwindung. Oder dieser Mensch ist von Natur aus sehr brutal.«

»Capito.«

Tasso riss sich zusammen. »Die Sache mit den Büchern könnte helfen, die Tatzeit enger einzugrenzen. Das hat diese

Petra Dussmann gut gemacht.« Er stockte, dann gab er sich einen Ruck. »Und Sie auch.«

»Danke«, antwortete Mara überrascht.

»Sie haben noch ein Gerücht erwähnt.«

»Ja, und zwar gibt es einen Maler aus Tirol, der sich in der Meraner Boheme herumtreibt und seit mindestens zwei Tagen verschwunden ist. Ich weiß sicher, dass er ein Kunde von Schneidermeister Cazzola ist. Dazu passen Alter und Beschreibung auf den Toten.«

»Wie heißt der Mann?«

»Carlo Colori.«

»Wie bitte? Ist das Ihr Ernst? So heißt doch kein Mensch.«

»Ja, klingt absurd. Ich vermute, dass es ein Künstlername ist. Doch alle, mit denen ich gesprochen habe, kennen ihn nur so. Manchmal nennt er sich auch einfach CC.«

»Mit anderen Worten: Wenn er bei Cazzola ordert, wird er das unter seinem echten Namen tun, und falls der Schneider nicht beide kennt, bringt uns das nicht weiter.«

Das aufgeregte Leuchten in Maras Augen erlosch. »Stimmt, das habe ich gar nicht bedacht. Gilberto Cazzola interessiert sich überhaupt nicht für Kunstmalerei, der wird das nicht wissen.« Sie brach ab, die Enttäuschung stand ihr ins Gesicht geschrieben.

Schmunzelnd trank Tasso seinen Kaffee aus und erhob sich. »Eine Ermittlung, auch eine Mordermittlung, ist wie ein großes Puzzle, Mara. Kleine Stücke, die wir zu einem Gesamtbild zusammensetzen müssen, bis wir seinen Sinn begreifen. Kommen Sie, ziehen Sie Ihren Mantel an.«

»Wo wollen Sie denn hin?«

»Sie haben doch gerade das Dorf Tirol erwähnt, aus dem der Maler stammen soll. Oder meinten Sie etwa die Region in Österreich?«

»Natürlich nicht.«

»Dann fahren wir dorthin. Dieser Colori verdient mit seiner Kunst so viel Geld, dass er sich teure Maßanzüge leisten kann? Da müsste es doch mit dem Teufel zugehen, wenn uns in diesem Nest niemand sagen kann, wo er sein Atelier hat. Sobald wir das gefunden haben, sehen wir weiter.«

***

»Was habe ich Ihnen gesagt, Mara?« Mit tief in den Manteltaschen vergrabenen Händen schritt Tasso im Storchenschritt durch den frisch gefallenen Schnee voraus. Mara folgte ihm und versuchte dabei, in seine Fußstapfen zu treten. Im Laufe des Vormittags hatte erneut Schneefall eingesetzt, und die Wege waren noch nicht geräumt, sodass es gar nicht so leicht war, auf den abschüssigen Bürgersteigen voranzukommen.

»Ich hätte das nicht gedacht«, meinte sie. »Ich habe von diesem Colori noch nie etwas gehört. Dabei erwarten meine Eltern, dass ich regelmäßig Ausstellungen und Kulturveranstaltungen besuche. Was in der Regel sterbenslangweilig ist. Alte Männer, die beisammenstehen, rauchen, Wein trinken und über sich reden.«

»Haben Sie etwas gegen alte Männer?«, fragte Tasso amüsiert.

»Überhaupt nicht, bei diesen Zusammenkünften sind es nun einmal fast ausschließlich Männer. Es ist das Über-sich-Reden. Die meisten halten zu viel von sich und ihrer Meinung. Aber wenn ich es recht bedenke, sind diese Veranstaltungen ja genau dazu da: ihnen dieses Gefühl zu geben, dass sie furchtbar wichtig sind.«

Tasso hatte zwar keine große Erfahrung mit solchen öffentlichen oder gar kulturellen Anlässen, aber er würde nicht widersprechen.

»Vielleicht ist das der Grund, warum ich Bruno, also den Questore Visconti, so schätze«, ergänzte sie. »Er ist anders. Er schaut über den Tellerrand hinaus, wenn Sie verstehen, was ich meine.«

»Durchaus.«

Sie umrundeten eine Schneewehe und hielten auf den Weg zu, der hinter der Pfarrkirche Sankt Johannes vorbeiführte. Direkt am Steilhang unterhalb des Friedhofs sollte sich laut dem Küster das Atelier dieses Carlo Colori befinden, der hier besser unter seinem bürgerlichen Namen Franz Gruber bekannt war. Und wie es sich für einen wachsamen Kirchenmann in einer überschaubaren Gemeinde gehörte, wusste er voller Überzeugung zu berichten, der Kunstmaler – es folgte ein abfälliges Schnauben – habe sich zum letzten Mal vormittags vor genau drei Tagen blicken lassen. Was schlecht wäre, wie der Küster weitschweifig erklärte, wegen der Heizungsrohre. Die Heizung müsse bei solch einer Witterung einmal am Tag angeworfen werden, ansonsten bestand die Gefahr, dass die Rohre platzten. Er hatte das weiter ausführen wollen, doch Tasso unterbrach ihn rüde und zog Mara mit sich über den Kirchplatz durch die Kälte zu dem benannten Haus.

Obwohl er seine dicken Armeestiefel trug, waren Tassos Socken inzwischen völlig durchnässt und seine Füße zu Eisklumpen erstarrt. »Verfluchtes Wetter.«

Mara blieb stehen und lehnte sich kurz an die Brüstung nahe der Straße. »Dafür ist die Aussicht atemberaubend, das müssen Sie zugeben.«

»Ja, es raubt mir den Atem, weil die Luft vor meinem

Mund gefriert. Was soll da sein? Weiße konturlose Landschaft, die üblichen Berge, Nebel. Allein bei diesem Anblick wird mir noch kälter. Beten Sie besser darum, dass dieser Küster sich irrt und CC sein Atelier angeheizt hat.«

Er überhörte den folgenden respektlosen Kommentar Maras über seine Meckerei und stapfte auf die Haustür zu. Schon die unberührte Schneedecke zeigte ihm, dass seine Hoffnung auf eine warme Stube vergeblich bleiben würde.

Er klopfte energisch und blies dann Atemluft auf seine erstarrten Finger.

»Wir hätten den Küster nach einem Schlüssel fragen sollen, für den Fall, dass Signor Colori nicht hier ist«, warf Mara ein.

Er warf ihr einen finsteren Blick zu, weil er sich darüber ärgerte, nicht selbst auf diese Idee gekommen zu sein. Sie stand ungerührt hinter ihm, aufrecht wie eine Amazone, der braune Nerzmantel und die Mütze mit weißen Sprenkeln dekoriert. Fror die denn gar nicht? Tasso hatte bereits häufiger festgestellt, dass Menschen, die schon immer in dieser rauen Gegend gelebt hatten, besser mit der Kälte klarkamen als die Zugezogenen aus dem Süden. Was das anbelangte, hatte zu seinem Leidwesen das Erbe seiner Südtiroler Mutter nicht im Geringsten durchgeschlagen.

»Das dauert mir zu lange, bis dahin sind wir erfroren.« Die Tür machte keinen sonderlich stabilen Eindruck. Und wie erhofft reichte es, zweimal Anlauf zu nehmen und mit der Schulter dagegenzustoßen, und sie sprang auf.

»Dürfen wir das?«

»Wer sollte es uns verbieten?« Tasso betrat einen Flur, in dem es keinen Deut wärmer war als draußen. Hinter der ersten Tür führten Stufen hinab in den Keller, die zweite ging in einen Raum, dessen gesamte Front zum Abhang hin verglast war, was zur Folge hatte, dass der Wind mit einem hohlen Pfeifen hindurchzog. Das Licht war zur Mittagsstunde überraschend hell, obwohl auf dem unteren Drittel der Scheibe Schnee klebte. Die Luft roch muffig nach schalem Rauch, Farbe und Terpentin.

Mara schaute sich neugierig um und nestelte an ihrer Handtasche. »Sollten wir die Heizung anmachen?«

»Nein, aber wir sollten dem Küster Bescheid geben, dass er heizen soll, falls dieser Farbkleckser unser Opfer ist. Was denken Sie?« Er zeigte auf unzählige Stapel von Leinwänden, die an den Wänden lehnten. Von einem Tisch abgesehen, der von Zigarettenstummeln, leeren Weinflaschen und Malutensilien überquoll, war der Raum unmöbliert. Einige Staffeleien mit Bildern in verschiedenen Stadien der Vollendung standen herum, zumeist so ausgerichtet, dass der Maler das Licht der Glasfront optimal ausnutzte.

Tasso trat an den Tisch und holte mit spitzen Fingern einen Zigarettenstummel aus dem Aschenbecher. Chesterfield, eine amerikanische Marke. Die war zurzeit beliebt. Nicht an jeder Ecke zu bekommen, aber nicht allzu selten.

Mara hatte inzwischen ihre Kamera hervorgezogen und nahm den Verschluss ab. Sie beugte sich über die Bilder. »Die kommen mir bekannt vor.«

»Ich dachte, Sie kennen Signor Colori und seine Werke nicht?«

»Tu ich auch nicht. Halten Sie mal?« Sie drückte Tasso die Kamera in die Hand und blätterte vorsichtig durch die Leinwände. Dabei runzelte sie die Stirn, nahm einige Bilder und stellte sie nebeneinander an der Wand entlang auf. Dann trat sie einen Schritt zurück und vertiefte sich in den Anblick der religiösen Motive und düsteren Ansichten von Obst, Gassen oder Menschen. Auf Tasso wirkten Letztere allesamt irgendwie ungesund, zumindest waren ihre Gesichtszüge fahl und abgehärmt. So etwas konnte schön finden, wer wollte. Er sicher nicht.

»Und, was sehen Sie?«, fragte er ungeduldig. Ihm war inzwischen kalt bis aufs Mark, und er stampfte mit den Füßen. Warum musste er ausgerechnet jetzt an den Anblick der Burschen denken, die heute Morgen aus der Haft entlassen worden waren? Hoffentlich waren die schnell nach Hause ins Warme gelangt.

»Geben Sie mir die Kamera, bitte.« Das Klicken des Auslösers folgte. »Kommen Ihnen die Bilder nicht bekannt vor?«

»Sollten sie? Sie erinnern mich an Altarbilder.«

»Damit liegen Sie gar nicht so falsch. Das sind Werke, die denen der altniederländischen Malerei nachempfunden sind.«

»Rembrandt?«

Mara lachte hell. »Nicht ganz, der folgte einige Zeit später. Rembrandt hat im siebzehnten Jahrhundert gelebt, die altniederländischen Maler haben im Spätmittelalter und zu Beginn der Renaissance gewirkt. Wann das war, wissen Sie aber, oder?«

»Fünfzehnhundertirgendwas. Interessiert mich nicht«, erklärte Tasso unwirsch. Ihm war es gehörig peinlich, dass diese vorwitzige Signorina ihn mit ihrem Kunstverstand derartig vorführte. »Was hilft uns das, um herauszufinden, ob Carlo Colori alias Franz Gruber unser Opfer aus dem Hotel ist?«

»Verstehen Sie denn nicht? Das könnte doch ein Motiv sein!« Mara fuchtelte aufgeregt mit der Kamera herum.

»Ein Motiv? Dass er scheußliche Bilder malt? Also wenn sich die Menschen deswegen umbringen, dann gute Nacht.«

»Nein, er schafft gar keine eigenen Werke, er wandelt

Klassiker ab. Sehen Sie, hier dieses Bild mit der Obstschale? Da hat er eine Zucchini hinzugefügt, die gehört da nicht hin, wenn ich mich richtig erinnere.«

»Wenn Sie es sagen? Für mich sehen die Bilder alle ähnlich scheußlich aus.«

»Ich finde es auch seltsam. Hat der keine eigenen Ideen gehabt?«

Tasso brummte nur unschlüssig.

»Aber er verändert nicht alle Bilder. Er kopiert sie.« Sie beugte sich über die Leinwände und blätterte durch den gleichen Stapel wie zuvor. Dann hielt sie triumphierend ein Bild hoch, auf dem unzählige winzige Szenen dargestellt waren, Figürchen und Tiere, die in teils grotesken Posen herumwimmelten.

»Das hier kam mir gleich bekannt vor. Es ist mir eingefallen: Es heißt *Die flämischen Sprichwörter* und ist von Pieter Bruegel dem Älteren. Carlo Colori ist ein Fälscher. Der hat sich mit den falschen Leuten angelegt, und die haben ihn umgebracht.«

»Nicht so voreilig mit solchen Schlussfolgerungen. Zeigen Sie mir das Bild.« Er trat heran, um es von Nahem zu begutachten. Mara winkte ihn zum Fenster und hielt ihm die Leinwand entgegen. Bei der Bewegung meinte Tasso, einen Hauch frischer Farbe zu riechen.

»Und Sie behaupten, das hier wäre ein berühmtes Gemälde?«

»Nein, ich glaube, dass es die Kopie eines berühmten Gemäldes ist. Wäre es das Original, würde es kaum in diesem zugigen Atelier stehen, ohne dass es vermisst würde.«

»Und wozu sollte unser Farbteufel das kopiert haben? Woran erkennen Sie, dass es eine Kopie ist?«

»Um das zweifelsfrei zu belegen, müsste ich das Original

haben und es Stück für Stück vergleichen.« Mara drehte das Bild um und betrachtete es. »Das Original ist doch sicher viel größer. Dies scheint mir zu klein zu sein, manche Szenen erkenne ich kaum.«

Tasso drehte sich einmal um die eigene Achse und versuchte, dieses kalte Atelier mit seinen Dutzenden Bildern auf sich wirken zu lassen. »Warum macht jemand so etwas? Das scheint mir … nicht kreativ zu sein. Einfach etwas nachzumachen oder abzuwandeln, das eine andere Person erschaffen hat? Das ist doch armselig, oder sehe ich das falsch?«

»Nein, ich würde Ihnen da zustimmen. Aber denken Sie an Coloris Anzug. Ich würde tippen, dass es ihm ums Geld ging. Was wieder auf ein Motiv hinweist. Er wollte zu viel Geld für eine Fälschung, oder jemand wollte nicht bezahlen.«

»Nochmal, ich warne Sie davor, voreilige Schlüsse zu ziehen. Erst müssen wir das alles richtig verstehen. Sie sagen, dieses Bild von Colori ist kleiner als das Original, richtig?«

»Ich bin mir nicht ganz sicher, aber das ließe sich ja schnell herausfinden.«

»Gut. Nehmen wir an, das stimmt. Dann ist Coloris Nachahmung eindeutig vom Original unterscheidbar.« Er begann, auf und ab zu laufen. Seine kalten Füße spürte er nur noch am Rande der Wahrnehmung.

»Stimmt.«

»Dann ist es keine Fälschung, sondern eine Kopie.« Grübelnd rieb er sich das Kinn. Er kratzte über erste Bartstoppeln, obwohl er sich am Morgen rasiert hatte. »Das ist keine Straftat, soweit ich das beurteilen kann.«

»Nicht? Das sehe ich aber anders!«, rief Mara empört aus. »Wenn Sie etwas nachmachen, was jemand anderes erschaffen hat, und damit auch noch Geld verdienen, ist das sehr wohl eine Straftat.«

Tasso hielt konsterniert inne.

Mara räusperte sich verlegen und stellte das Bild ab. »Das weiß ich, weil es kürzlich erst ein Gerichtsverfahren gegeben hat, das für ziemlich viel Aufsehen sorgte. Da hat ein Holzschnitzer aus Meran Figuren von einem anderen Schnitzer aus Gröden nachgemacht, und der hat ihn verklagt. Der Grödner hat Recht bekommen. Der Meraner darf die Figuren in dieser Form nicht mehr herstellen und musste sogar Schadensersatz bezahlen.«

»Jetzt erinnere ich mich, Sie haben recht. Aber das meinte ich gar nicht. Außerdem ist dieser flämische Maler schon lange tot, der wird unseren CC nicht mehr verklagen. Was ich vielmehr sagen will: Es ist nicht möglich, die Originale mit den Kopien zu verwechseln. Stimmen Sie mir zu?«

Mara nickte zögernd.

»Diese Bilder wurden daher nicht mit der Absicht gemalt, jemandem eine Fälschung für ein Original zu verkaufen oder eine andere Art von Täuschungsversuch zu unternehmen.«

»Da könnten Sie recht haben.«

»Was zu der Frage führt: Warum hat unser Maler mit dem zweifelhaften Talent diese Bilder dann gemalt?«

Mara schwieg einen Moment nachdenklich, bevor sie antwortete. »Wenn ich das noch einmal mit den beiden Schnitzern vergleiche: Der eine hat die Figuren des anderen nachgeahmt, weil er wusste, dass die sich gut verkaufen. Colori hat Bilder gemalt, von denen er wusste, dass die Motive beliebt sind. Schon gut, Tasso, ziehen Sie nicht so eine abfällige Grimasse. Viele Menschen mögen diese Bilder. Ich kann mir gut vorstellen, dass manche es schön finden, so eine Kopie über dem Sofa hängen zu haben.«

»Schön und gut«, unterbrach Tasso sie. »Aber um das Ganze jetzt zusammenzuführen: Wegen der Bilder – besser gesagt wegen der Motive auf den Bildern – hat ihn niemand umgebracht. Genauso wenig wegen der Tatsache, dass es Kopien sind. Ihre Vermutung von vorhin ergibt nur Sinn, wenn Colori vorgehabt hat, seine Kundschaft zu täuschen. Was er, wie Sie selbst plausibel dargelegt haben, wohl nicht vorgehabt haben kann. Als mögliches Motiv bleibt damit allenfalls eine misslungene Geschäftsvereinbarung übrig.«

»Könnte das denn ein Grund sein?«

»Diese Frage können wir im Moment unmöglich beantworten. Sie übersehen da nämlich eine Kleinigkeit, Mara. Denken Sie nach.«

Sie schaute sich in dem Raum um, ging noch einmal zu einem Bilderstapel, blätterte ihn stirnrunzelnd durch. Dann zuckte sie resigniert mit den Schultern.

Tasso machte eine Armbewegung, mit der er den gesamten Raum einschloss. »Wir haben noch keinen Hinweis darauf gefunden, dass Carlo Colori und unser Toter aus dem Hotel ein und dieselbe Person sind. Dieser Maler ist verschwunden und seine Personenbeschreibung passt ungefähr. Aber das heißt noch gar nichts. Beispielsweise wurde in diesem Atelier hier geraucht, aber der Tote hatte keine Zigaretten bei sich. Wir brauchen ein Foto oder einen persönlichen Gegenstand, anhand dessen wir ihn zweifelsfrei identifizieren können. Erst dann ist es sinnvoll, dass wir uns über mögliche Motive, die direkt mit CC und seinem künstlerischen Lebenswandel in Zusammenhang stehen, Gedanken machen.«

»Oh.« Enttäuscht kickte Mara gegen eine Blechdose, die auf dem Boden lag und scheppernd davonrollte.

»Was denken Sie, finden wir hier noch Hinweise?«, fragte Tasso versöhnlich.

»Ich glaube nicht.«

»Ich auch nicht. Kommen Sie, lassen Sie uns noch einen Blick in den Keller werfen, und dann sehen wir zu, dass wir irgendwo auftauen. Also ich zumindest. Ihnen scheint die Kälte ja gar nichts auszumachen.«

»Sie sagen das so vorwurfsvoll. Dafür kann ich doch nichts. Ziehen Sie sich wärmer an. Das ist schließlich nicht Ihr erster Winter in Südtirol.«

»Wahrlich, ist er nicht.« Und es würde vermutlich auch nicht der letzte bleiben. Wobei er sich wieder einmal fragte, warum er nicht endlich seine Sachen packte und nach Rom zurückkehrte. Vielleicht, wenn er diesen Mord aufgeklärt hatte. Dann gäbe es einen hübschen Schlusspunkt, mit dem er sein freiwilliges Exil in den Südtiroler Bergen beenden konnte.

Mit einem letzten Blick über die Schulter verließ Tasso den Raum. Bis es so weit war, wartete eine Menge Arbeit auf ihn und seine Praktikantin. Deren Begleitung er zwar nach wie vor lästig empfand, die sich aber zugegebenermaßen erneut als nützlich erwiesen hatte.

5. Kapitel, in dem Mara ihre erste Zeugenbefragung erlebt, außerdem Knödel die Sache rund machen und Tasso sich ein bisschen verliebt; in die Knödel natürlich

Mara konnte nicht so recht einordnen, ob der Ausflug nach Tirol vergeblich gewesen war oder nicht. Die Durchsuchung des Kellers hatte keine weiteren Hinweise ergeben, und als sie danach wieder im Auto saßen, war sogar sie ordentlich durchgefroren. Immerhin kannten sie nun den bürgerlichen Namen des verschwundenen Malers. Das würde ihnen weiterhelfen, falls sich herausstellte, dass er tatsächlich das Mordopfer war.

Auf der Rückfahrt hielten sie an der Questura in Meran und gaben Dacosta den Auftrag, den Wohnort von Signor Carlo Colori alias Franz Gruber herauszufinden. In Tirol wohnte er nicht, dort hatte er nur sein Atelier. So viel hatten sie in einem kurzen zweiten Gespräch mit dem Küster erfahren. Der Mann hatte ihnen gedankt, weil sie ihm Bescheid gegeben hatten, dass wirklich seit Tagen niemand im Haus gewesen war. Ob seine Dankbarkeit anhielt, wenn er erst die aufgebrochene Haustür entdeckt hatte, bezweifelte Mara.

Commissario Tasso wurde im Verlauf des Tages immer gereizter. Mara hatte keinen Schimmer, was der Grund dafür sein könnte, und schwieg wohlweislich die meiste Zeit. Umso überraschter war sie, als sie die Questura in Meran verließen und er abrupt stehen blieb, sogar seine

Hand auf ihren Unterarm legte. »Haben Sie noch etwas Zeit, Mara?«

»Sicherlich.« Sie verstand die Frage nicht. Er bestimmte, wo es langging, das war selbstverständlich. Aber dass er sich länger als nötig mir ihr abgeben wollte, war merkwürdig. Bisher hatte sie eher das Gefühl gehabt, er suchte nach Möglichkeiten, sie loszuwerden.

»Dann begleiten Sie mich in die *Bunte Kuh* auf ein spätes Mittagessen – oder ein frühes Abendessen, ganz wie Sie wollen. Das hat nichts mit der Mordermittlung zu tun. Vermutlich hat es mit gar nichts etwas zu tun.« Sein Blick schweifte über den Vorplatz und den Brunnen vor dem Polizeigebäude. Im Sommer tummelten sich hier Einheimische und Reisende um Marktstände, doch jetzt lag der Platz verlassen da. Ein einsamer Schneemann grinste ihnen unter den Bäumen entgegen.

»Ich habe mich für dieses Praktikum nicht wegen einer Mordermittlung entschieden, sondern um mir ganz allgemein ein Bild von der Polizeiarbeit zu machen. Es hätte nicht sofort mit einer Leiche beginnen müssen.«

»Dann haben Sie eben Glück gehabt. Oder Pech, wie man's nimmt. Sehr viele Morde passieren hier nämlich nicht. Was ist jetzt, begleiten Sie mich?«

»Sehr gern. Gehen wir.«

Es war nicht weit, ansonsten wäre Tasso vermutlich nicht zu Fuß gegangen. Seiner roten Nase und der verkrampften Haltung nach war ihm immer noch kalt.

Sie folgten dem Rennweg bis zur Promenade, die an der Passer entlangführte. Dort, wo bei warmem Wetter Tische unter einem Sonnenschirm oder einer mit Weinranken bewachsenen Pergola zum Verweilen einluden, reihten sich jetzt die Buden des Christmarktes aneinander. Menschen bummelten an den Auslagen mit Holzschnitzereien, Speck und Honig, Wollsocken, Schaffellen und edlem Christbaumschmuck vorbei. Andere standen schwatzend in Grüppchen zusammen, tranken Kakao oder Glühwein.

Die *Bunte Kuh* war eines der Weinlokale in prominenter Lage und genoss, soweit Mara sich erinnerte, einen guten Ruf. Sie war bisher nie persönlich dort gewesen. Die Weine siedelten in der mittleren Preisklasse, die Speisekarte war übersichtlich und die Gerichte eher schlicht. Daher war das kein Restaurant, das ihre Eltern zu besuchen pflegten.

Sie folgte Tasso in eine rustikal eingerichtete Gaststube. Mächtige, in Jahrzehnten nachgedunkelte Stützbalken dräuten über ihnen, sodass Mara gegen das Bedürfnis ankämpfen musste, sich zu ducken. Die Tische waren dagegen einladend mit rot-weiß karierten Decken, dezenten Tannengestecken und roten Kerzen dekoriert. Etwa die Hälfte der ungefähr ein Dutzend Tische war belegt. Die meisten Gäste hatten nur Getränke vor sich stehen. Es roch nach abgestandenem Rauch und würzigen Gerichten. Auf der Holztheke stand ein angeschnittener Apfelstrudel unter einer Tortenhaube.

Eine Frau, die Mara auf Ende dreißig schätzte, wirbelte in einem atemberaubenden Tempo herum. Sie trug ein schlichtes Kleid, darüber eine Schürze um die Hüften und eine graue Strickjacke. Sie schien gleichzeitig Bier zu zapfen, die chromfunkelnde Siebträgermaschine zu bedienen und Weingläser einzuschenken.

»Grüß Gott, *buongiorno*, da drüben wäre ein Platz für Sie«, sagte sie im Vorbeigehen. Sie steuerte einen Tisch mit einer vierköpfigen Familie an, servierte Getränke. Noch bevor sie das letzte Glas abgestellt hatte, zog sie mit derselben Bewegung einen Lappen aus der Schürzentasche, sammelte leere Krüge und Bierfilze vom Nebentisch und wischte sauber.

»Da wird mir ja vom Zusehen schwindelig«, murmelte Mara.

»Setzen wir uns.« Tasso ging zu dem Tisch mit Sitzbank und zwei Stühlen, den die Wirtin ihnen zugewiesen hatte.

Mara hatte sich noch nicht ganz aus dem Mantel geschält, da stand die Frau schon vor ihnen. Trotz des Tempos, in dem sie arbeitete, lächelte sie, als wären sie die ersten Gäste des Tages und ihr aus vollem Herzen willkommen.

»Sprechen Sie Deutsch? *Parlate Italiano?*«

»Deutsch ist kein Problem«, meinte Tasso und bestellte ein Glas Rotwein für sich.

Mara nickte verdutzt. Hatte er es bisher nicht immer vorgezogen, Italienisch zu sprechen, wenn er die Wahl hatte? »Eine Coca-Cola bitte.«

»Und eine Cola für die Dame, sehr gern. Möchten Sie etwas essen? Wir haben noch Speckknödel vom Mittag, Schweinegeschnetzeltes, Frittatensuppe oder süße Marillenknödel. Und Apfelstrudel.« Sie wies zur Theke.

Tassos Miene hellte sich schlagartig auf. »Ich nehme die Speckknödel mit Soße. Das Fleisch können Sie weglassen.«

Mara winkte verneinend ab. Die Wirtin bedankte sich und eilte davon.

Tasso rieb sich die roten Hände. Seiner Gesichtsfarbe nach schien ihm endlich wieder warm zu werden. »Vielleicht danach noch einen Marillenknödel, was schadet es?«, murmelte er bei sich.

Mara wandte sich ab, damit er ihr verwundertes Lächeln nicht bemerkte. So, ein Knödelliebhaber war dieser knurrige Signor also. Sie fand das sehr sympathisch, doch sie hütete sich, einen Kommentar abzugeben, den er ihr wieder übel nahm.

Es dauerte nicht lange, bis die Wirtin die Getränke brachte.

Tasso bedankte sich, zog das Weinglas heran und legte zugleich seinen Dienstausweis auf den Tisch. »Ich habe nur ein paar kurze Fragen, sofern Sie die Rosa Marthaler sind, die vor einigen Tagen Anzeige erstattet hat.«

Ihre Augen weiteten sich vor Schreck, und sie trat reflexartig einen Schritt zurück. Dann griff sie sich an das Revers ihrer Strickjacke und schaute sich in der Schankstube um. »Können Sie eine halbe Stunde warten? Dann kommt mein Sohn, der kann mich ablösen. Vielleicht geht es auch schneller, je nachdem, wie viel noch los ist.« Sie machte eine hilflose Geste. Hinter ihrem Rücken versuchte bereits ein Mann, auf sich aufmerksam zu machen, indem er mit dem Portemonnaie in der Luft herumwedelte.

»Aber selbstverständlich, Signora Marthaler, ich werde in Ruhe essen, und dann sehen wir weiter.«

Mara traute ihren Ohren nicht. Tassos Stimme summte vor Freundlichkeit. Misstrauisch beäugte sie ihn aus den Augenwinkeln, während sie an ihrer Cola nippte. Jetzt lächelte er Rosa Marthaler sogar an, breit und fröhlich. Sie erwiderte sein Lächeln flüchtig und war schon wieder unterwegs zum nächsten Gast.

»Muss ein guter Wein sein«, sagte sie laut und ergänzte in Gedanken: *mit durchschlagend entspannender Wirkung.*

Tasso nahm einen Schluck und ließ ihn mit theatralischer Miene über die Zunge rollen. »Ganz gut.«

»Auf kulinarischer Ebene scheinen Sie nichts gegen Südtirol einzuwenden zu haben.«

»Ich habe zum Glück eine Nudelmaschine und kann mir meine Spaghetti oder Lasagne selbst kochen. Und in Bozen gibt es die ein oder andere Pizzeria, ein Segen.« Er stockte, da ihm aufzufallen schien, dass er einen lockeren, geradezu vertraulichen Ton angeschlagen hatte, und wandte den Kopf ab. »Nein, das ist schon ganz in Ordnung, das Essen hier oben«, meinte er leise.

Mara schwieg wohlweislich. Das klang sehnsüchtig, als hätte er Heimweh nach dem Süden, auch wenn so manches Essen ihm darüber hinweghelfen könne.

Rosa Marthaler brachte die Knödel, die wirklich lecker aussahen, wie Mara zugeben musste. Tasso aß schweigend. Nur ab und zu huschte ein verzückter Ausdruck über sein Gesicht. Die Schankstube leerte sich nur wenig, als nach ungefähr zwanzig Minuten ein schlaksiger Junge mit braunen – vermutlich aus Sicht konservativerer Gemüter zu langen – Haaren auftauchte und sofort hinter der Schwingtür verschwand, die zur Küche führte.

Kurz darauf tauchte Rosa Marthaler in dem inzwischen vertrauten Laufschritt auf, band sich unterwegs die Schürze ab und wollte sich gerade zu Tasso und Mara setzen, als sie innehielt. »Wie ich sehe, hat es Ihnen geschmeckt. Möchten Sie einen Nachtisch?«

»Sie erwähnten vorhin Marillenknödel?«

»Bring ich Ihnen.«

»Und einen *caffè*, wenn es nichts ausmacht.«

»*Caffè?* Sie meinen Espresso?«

»Ja.« Tasso runzelte angestrengt die Stirn. »Wie heißt der noch gleich?«

»Schwarzer«, rief Mara.

»Einen Schwarzen«, sagte Rosa Marthaler.

»Ja richtig. Mit Zucker.«

»Kommt sofort!« Kurz darauf kehrte Rosa Marthaler mit zwei statt einem Knödel zurück, dazu drei Espressotassen, die verheißungsvoll dampften. Mara hatte nichts bestellt und es bereut, sobald die Wirtin gegangen war. Etwas Süßem und einer kräftigen Tasse Kaffee widerstand sie nur schwer. War ihr das so deutlich anzusehen gewesen, oder verstand Rosa Marthaler sich darauf, hellzusehen?

Wie auf eine unausgesprochene Übereinkunft hin schwiegen sie, bis Tasso und Rosa ihren Schwarzen gezuckert und alle drei getrunken hatten. Dann endlich erfuhr Mara, warum der Commissario hier hatte einkehren wollen.

»Signora Marthaler, Sie haben Ende letzter Woche eine Anzeige aufgegeben, in der Sie davon berichteten, dass hier in Ihrem Lokal vier Männer einen Anschlag geplant haben könnten.«

»Richtig. Die saßen dort drüben in der Ecke neben der Eingangstür.« Sie zeigte auf den entsprechenden Tisch. »Es war spät, und sie waren die letzten Gäste.«

»Haben Sie auch davon gehört, dass wir auf einem Einhof bei Lana sechs Männer verhaftet haben?«

Jetzt glitt Empörung in ihre Züge. »Ja, und die waren's bestimmt nicht, das schwör ich Ihnen auf die Bibel, wenn's sein muss. Der eine, Markus, der geht mit meinem Sohn Stefan in eine Klasse. Der ist vielleicht kein Engel, aber der hat bestimmt nichts Kriminelles geplant.« Sie hielt kurz inne. »Ich meine, das ist kein leichtes Alter heutzutage. Aber die Männer hier, die waren älter. Mit so einem Grünschnabel haben die sicher nichts zu schaffen.«

Tasso kaute zufrieden seinen Knödel. Mara konnte den verzückten Gesichtsausdruck des Commissario voll und ganz nachvollziehen. Es schmeckte umwerfend lecker.

»Sie haben die Anzeige in Meran aufgegeben, ist das richtig? Haben Sie eine Personenbeschreibung abgegeben?«

»Ja. Also ja, ich war in Meran, aber ich bin nur ganz oberflächlich danach befragt worden, wie die Männer aussahen. Es ging mehr um das, was sie gesagt hatten. Wieso?«

»Nur so. Ich bin aus Bozen. Aber solche großen Geschichten wie ein Terrorverdacht landen sehr schnell bei unserem Questore, weil der in solchen Dingen die größte Erfahrung hat.«

»Ach so.«

»Und das, was die Männer gesagt haben, wie gut konnten Sie sich an den Wortlaut erinnern?«

Jetzt zupfte Rosa Marthaler sich verlegen am Ohrläppchen. »Kaum, wenn ich ehrlich bin. Ich habe es ja nicht einmal selbst mitangehört, sondern Stefan. Mir kamen die Männer dubios vor. Es war ja auch schon sehr spät, zu spät für Geschäftsreisende. Touristen waren das auch nicht, dafür waren sie zu elegant gekleidet. Daher habe ich Stefan angewiesen, dass er mal unauffällig hinhören soll, worüber die reden. Weil er besser Italienisch versteht als ich.«

»Italienisch?« Tasso hielt mit der Gabel mitten in der Luft inne. »Die Männer haben Italienisch gesprochen?«

Rosa Marthaler wurde immer unsicherer. »Ja? Also ja. Einer verstand gar kein Deutsch, ein anderer nur ein bisschen. Der hat sehr höflich in gebrochenem Deutsch bestellt.«

Mara vermerkte das. Das war ungewöhnlich. Die meisten Italiener aus dem Süden redeten einfach drauflos in der Erwartung, dass ihr Gegenüber sie verstand. Schließlich versuchten sie seit fast vierzig Jahren, Südtirol zu italienisieren – wenn auch mit wenig Erfolg. Dennoch wurde im öffentlichen Leben das Italienische ganz selbstverständlich vorausgesetzt.

»Haben Sie das bei der Anzeige erwähnt?«

»Ich glaube nicht.« Sie überlegte kurz. »Nein, habe ich nicht, ich wurde nicht danach gefragt. Das tut mir unendlich leid, ich wusste ja nicht, dass das wichtig sein könnte.«

»Wichtig?« Tasso legte das Besteck zusammen und tupfte

sich mit der Serviette die Lippen ab. »Lassen Sie es mich so sagen, Signora Marthaler. Es ist Ihnen ja nicht unbekannt, dass es einige Konflikte zwischen den Leuten aus Südtirol gibt und der anderen Gruppe von Menschen, die aus dem Süden des Landes hier in den Norden eingewandert ist. Lassen wir kurz einmal beiseite, wie richtig oder falsch das Verhalten der italienischen und der österreichischen Regierungen ist. Werden Sie mir widersprechen, wenn ich sage, dass die Aggression in der Regel von ein paar Südtiroler Hitzköpfen ausgeht?«

»Oder von der überwiegend aus Süditalienern bestehenden Polizei«, konnte Mara sich nicht verkneifen. Sie wappnete sich gegen eine scharfe Zurechtweisung von Tasso oder wenigstens einen finsteren Blick.

Doch der seufzte nur schwer und sah sie eher bedauernd, ja traurig an. »Ja. Das tut mir leid. Das ist mir peinlich. Das müssen Sie mir glauben. Kein Polizist sollte auf Menschen einprügeln, die er zu beschützen hat.«

Bevor Mara etwas erwidern konnte, hob Rosa Marthaler beschwichtigend die Hände. »Ich versteh schon, worauf Sie hinauswollen. Es ist nicht logisch, dass hier in meinem Lokal ein paar Italiener sitzen, die mit ziemlicher Sicherheit aus dem Süden kommen und auf Italienisch einen Anschlag planen, der sich gegen die eigene Regierung richtet. Ich habe zwar zu Protokoll gegeben, dass es Italiener sind, aber damit hatte ich gemeint, dass sie nicht aus Südtirol … Wir sind zwar auch, aber eben nicht … Sie wissen, was ich meine.«

»Basta, capito!«, entfuhr es Tasso. »Ich will von Ihnen vielmehr jetzt wissen: In welcher Sprache haben Sie die Anzeige aufgegeben?«

»Ich habe es auf Italienisch versucht, aber der Polizist hat mich nicht verstanden, da haben wir zu Deutsch gewechselt.«

»Aber er hat es auf Italienisch getippt? Und Sie haben das Protokoll unterschrieben?«

Sie rieb sich verlegen die Nase. »Ich habe es nur überflogen und nichts verstanden. Das hat alles sehr lange gedauert, also habe ich es unterschrieben, weil ich davon ausgegangen bin, dass schon alles seine Richtigkeit haben wird.«

»Kaum jemand liest das Protokoll hinterher noch einmal, das hat mit der Sprache nichts zu tun.« Tasso knurrte unzufrieden. »Und in diesen vermeintlichen Anschlagsplänen war von Farbe die Rede? Besser gesagt, Farben? Mehrzahl.«

»Ja. Und in dieser Sache bin ich mir sicher, denn davon haben sie beim Hinausgehen noch einmal gesprochen. Sie sagten sinngemäß, sie müssten Farben holen. *Colori.*«

Mara stockte der Atem.

Tasso leckte versonnen die Gabel ab. »Das ist es.«

»Die haben den Mord an Carlo Colori geplant!«, entfuhr es Mara.

»Könnte sein. Ist bis jetzt nur eine Idee, aber ja, genau das war auch mein Gedanke.«

Rosa schaute sie nacheinander an. »Mord? Carlo wer? Der klingt ja wie eine Figur aus einem dieser amerikanischen Comics, die Stefan liest.«

»Signora Marthaler, Sie haben dem Polizisten gesagt, dass die Männer über Farben gesprochen haben. *Colori.*«

»Ja, genau.«

Tasso wandte sich an Mara. »Im Protokoll hat *pittura* gestanden, ich bin ganz sicher. Und das ist das richtige Wort für das Zeug, mit dem gemeinhin Wände gestrichen werden.«

Rosa Marthaler wurde blass. »Dann war diese Sache mit der Farbe ja kompletter Unsinn. Ging es denn gar nicht um …« Sie stockte, sprang auf und drehte sich zur Theke, hinter der ihr Sohn Getränke auf ein Tablett stellte. »Stefan, komm sofort her!«

Der Junge schaute auf, wischte sich die Hände an einem Tuch ab und folgte der Aufforderung.

»Stefan, erzähl dem Commissario, was du gehört hast. Diese vier Männer, die an diesem einen Abend so spät erst gekommen sind. Die an dem Tisch da vorn gesessen haben.«

Verunsichert blickte Stefan von seiner Mutter zu Tasso, der ihm auffordernd zunickte.

»Also, ich weiß das nicht mehr alles genau. Sie planten etwas. Einer schlug etwas vor, die anderen waren dagegen. Es ging um den Ablauf, irgendwas sollte nachts passieren. Was, das haben sie nicht gesagt. Aber es fiel mehrfach das Wort *assassinare*. Das ist ja eindeutig, meinen Sie nicht?«

»Und es war von *colori* die Rede?«

Stefan zog die Schultern hoch. »Ja. Warum, weiß ich nicht.«

»Dann war das Ihre Idee, dass es ein Anschlag mit Farbe sein könnte, Signora Marthaler?«

Sie sank zurück auf den Stuhl. »Ja.«

Ihr Sohn sah sie ungläubig an. »Ein Anschlag mit Farbe? Was für ein Quatsch! Das habe ich nie gesagt. Wie kommst du darauf, Mama?«

»Ist ja gut, ich habe das falsch verstanden.« Sie schlug die Hände vors Gesicht. »Und deswegen sind nun die Burschen aus Lana verhaftet worden. Ach, Herr Jesus Christus!«

Tasso unterbrach sie unwirsch. »Schon gut, das ist jetzt nicht mehr rückgängig zu machen. Stefan, was haben die Männer noch gesagt? Haben sie einen Ort erwähnt, an dem der Anschlag, oder was auch immer, stattfinden sollte?«

»Nein, gar nichts. Sie haben später, als ich die leeren

Teller abgeräumt habe, vom Misurinasee gesprochen. Und einer hat von einer Polenta geschwärmt, die er da mal gegessen hat. Aber ich glaube nicht, dass das etwas damit zu tun hatte.«

»Der Misurinasee?«

Stefan lächelte verlegen. »Da, wo die Wettkämpfe im Eisschnelllauf bei Olympia '56 stattgefunden haben. Das war das erste Mal, dass ich eine Fernsehsendung gesehen habe. Da hat Papa noch gelebt.« Er sah seine Mutter an, als wäre das irgendwie ihre Schuld, dass sein Vater tot war.

»Der Lago di Misurina und Polenta. *Grazie mille*, vielen Dank, Stefan.« Tasso nickte gedankenverloren.

Rosa Marthaler schwieg, schockiert über das, was ihre Aussage angerichtet hatte. Mara hätte ihr am liebsten beruhigend zugesprochen, ihr fielen nur keine passenden Worte ein, und sie wollte Tasso auch nicht unterbrechen. Sie fragte sich außerdem, wie er den Zusammenhang zwischen dem, was die Männer hier besprochen hatten, und dem verschwundenen Maler hergeleitet hatte. Sie hoffte, dass später eine Gelegenheit kam, nachzufragen.

Stefan trat von einem Fuß auf den anderen. »War es das, Herr Kommissar? Ich muss die Gäste bedienen.«

»Erst einmal ja, Sie können gehen. Signora Marthaler, das ist jetzt ganz wichtig: Bitte gehen Sie direkt morgen früh zur Questura nach Meran. Nein, noch besser, können Sie nach Bozen kommen?«

Sie kaute auf ihrer Unterlippe, wirkte immer noch schuldbewusst. »Das lässt sich schon einrichten.«

»Fragen Sie dort nach mir. Sollte ich nicht da sein, sagen Sie, dass ich Sie geschickt habe. Wir haben dort einen Zeichner. Dem werden Sie die vier Männer beschreiben, und er soll Phantombilder anfertigen. Er wird Ihnen viele

Fragen stellen. Versuchen Sie, sich an alles zu erinnern, und nehmen Sie sich Zeit. Das ist sehr wichtig, haben Sie das verstanden?« Er streckte die Hand aus und tätschelte ihren Unterarm. Mara fragte sich, ob er sie mit dieser Geste beruhigen oder anspornen wollte. Vielleicht ein bisschen von beidem.

»Das mache ich, selbstverständlich, Herr Kommissar.«

»Bitte machen Sie sich nicht allzu große Vorwürfe, Signora Marthaler. Zwei der Burschen, die wir verhaftet haben, haben uns schon einmal für ein paar Tage beehrt. Es mag ja sein, dass die übrigen vier nur zur falschen Zeit am falschen Ort waren, aber das sind keine reinen Unschuldslämmer. Es war gut und richtig, dass Sie Anzeige erstattet haben. Und vielleicht hilft uns dieser Umstand nun, einen Mord aufzuklären. Ihre vier geheimnisvollen Gäste, die haben nämlich ziemlich sicher etwas geplant. Ob es wirklich ein Verbrechen war oder sogar unser Mord, können wir natürlich erst wissen, wenn wir sie gefunden haben. Aber dass die keine legalen Geschäfte besprochen haben, da bin ich mir sicher.«

Darüber schien die Wirtin so erschrocken zu sein, dass ihr keine Nachfragen einfielen.

Tasso tätschelte ihr abermals die Hand. »Ihre Knödel jedenfalls, Signora Marthaler, suchen ihresgleichen. Bringen Sie mir bitte die Rechnung. Vielleicht sehen wir uns morgen, ansonsten werde ich sicher einmal unter freundlicheren Umständen wiederkommen und gerne bei Ihnen essen.«

»Danke, ja, mache ich«, stotterte Rosa Marthaler. Sie erhob sich so hastig, dass ihr Stuhl nach hinten polterte. Sie hob ihn auf und lief davon.

Tasso zündete sich eine Zigarette an, ohne Mara eine anzubieten. Er schien völlig in Gedanken zu sein, gab ein äußerst großzügiges Trinkgeld und verließ mit einem knappen

Abschiedsgruß die Gastwirtschaft. Mara zog rasch ihren Mantel an und folgte ihm. Draußen war es inzwischen dunkel geworden, und die Wolkendecke war aufgerissen.

Tasso blies Rauchwolken in die kalte Luft und starrte in den Sternenhimmel. »Die Sache mit der Farbe war mir von Anfang an merkwürdig vorgekommen.«

Mara zog ihre Pelzmütze etwas tiefer und versenkte die Hände in die Manteltaschen. Die Kälte hatte noch zugenommen, die Schneedecke war von einer Eisschicht überzogen. Da Mara nicht sicher war, ob Tasso überhaupt mit ihr sprach oder nur vor sich hin redete, schwieg sie, obwohl ihr eine Menge Fragen auf der Zunge brannten. Es war viel los; Paare, kleine Gruppen und Familien kamen aus der Stadt und waren auf dem Weg nach Hause oder unterwegs zum Christmarkt, um sich dort miteinander zu treffen.

Tasso ging einige Schritte bis an das Geländer, das die Promenade zur Passer hin sicherte. Der Fluss führte ordentlich Wasser und rauschte forsch seiner größeren Schwester Etsch entgegen. Ein eisiger Luftzug stieg aus dem Flussbett auf.

»Wenn es um Straftaten geht«, begann Tasso irgendwann zu erklären, wobei er es eher dem Fluss zu erläutern schien, »ist manchmal von einem *Modus Operandi* die Rede. Und zwar immer dann, wenn Taten nach einem bestimmten Muster verübt werden. Die Südtiroler Separatisten haben bisher Sprengstoff bevorzugt. Dieser sogenannte *Befreiungsausschuss Südtirol* ist nicht zimperlich. Ein zweites Muster besteht darin, dass sich bei einer Abfolge von Taten die Grausamkeit und Brutalität häufig steigern. Warum also hätte der BAS statt Sprengstoff plötzlich zu Farbe gegriffen? Umgekehrt ja, aber so? Nein, das passte nicht.«

Er schnippte die Zigarettenkippe zu Boden und zertrat sie. »Ich habe es mir damit erklärt, dass es neue Rekruten sein könnten, eine Art Mutprobe, bevor sie die Bomben in die Hand bekommen. Aber diese ganze Sache war von Anfang an seltsam. Und dann war heute den gesamten Mittag die Rede von dem verschwundenen Maler, diesem Carlo Colori. *Colore* – Farbe – *pittura* – Farbe, im Deutschen ist das ein und dasselbe Wort. Wir haben bei den Verhaftungen weiße Wandfarbe gefunden, mit der angeblich die Scheune gestrichen werden sollte. Was sage ich? Angeblich? Nein, das hatten sie tatsächlich vor, denke ich jetzt. Während meine Leute die Verhafteten abgeführt haben, habe ich noch dagestanden und gedacht, dass ich, wenn ich Denkmäler beschmieren wollte, rote oder grüne Farbe nehmen würde. Oder Lack. Jedenfalls etwas mit Signalwirkung. Aber kein langweiliges Weiß. Absurder Gedanke.«

Er beachtete Mara nicht, wandte sich von dem Geländer ab und stapfte durch den Schnee. Ringsum räumten Männer mit Schaufeln und Besen die Fußgängerwege, doch zum größten Teil gingen sie über die knirschende Oberfläche.

Nach wenigen Minuten hielt Mara es nicht mehr aus. »Signor Commissario?«

»Tasso reicht schon.«

»Tasso, glauben Sie denn jetzt, dass Carlo Colori der Tote ist?«

»Sagen wir, ich würde ein Monatsgehalt darauf verwetten. Gewissheit werden wir vermutlich erst erhalten, wenn wir seine Wohnung gefunden und untersucht haben. Was nur noch eine Frage von Stunden sein kann. Vielleicht ist Dacosta sogar schon vor Ort. Und der Schneider wird uns die Identität vermutlich ebenfalls bestätigen.«

»Das ist gut und schnell, oder?«

»Leider führt es uns aber noch nicht zu den Tätern. Selbst wenn es diese Männer aus der *Bunten Kuh* waren, wovon ich allerdings ausgehe, müssen wir sie identifizieren und aufspüren. Und dann müssen wir ihnen die Tat immer noch nachweisen. Was Stefan Marthaler da gehört haben will, wird niemals reichen, dass sie für einen Mord verurteilt werden. Wenn wir Glück haben, findet Dottore Agnelli verwertbare Fingerabdrücke oder andere Spuren an der Leiche, die wir den Tätern eindeutig zuordnen können. Aber eins nach dem anderen. Wir können mit der Suche erst beginnen, wenn wir die Phantombilder haben. Vielleicht spreche ich auch selbst nochmal mit Signora Marthaler.«

Seine Stimme wurde ganz weich. Was hatte es ihm wohl mehr angetan, die Wirtin oder die Knödel? Mara zog ihren Schal über Kinn und Mund, damit er ihr Grinsen nicht sah. »Da hat aber jemand Feuer gefangen.«

»Was haben Sie gesagt, Mara?«

»Nichts, ich habe nur vor mich hin gesprochen.«

»Ihre Angelegenheit. Wir lassen es für heute gut sein, wir müssen ohnehin auf das Ergebnis von Dacosta warten. Wie sieht es aus, Signorina Mara, soll ich Sie mit nach Bozen nehmen oder direkt nach Hause fahren?«

»Sie würden mich nach Hause fahren?«

»Das gehört sich so, aber die Entscheidung liegt ganz bei Ihnen. Ihr Fiat parkt im Hof der Questura, wenn ich mich nicht irre.«

»Das stimmt. Aber da kann er auch noch einen Tag länger stehen bleiben. Ich würde daher Ihr Angebot sehr gern annehmen. Ich fahre dann morgen wieder mit dem Zug nach Bozen.«

»Seien Sie um neun Uhr pünktlich im Büro.«

»Selbstverständlich.«

Eine Weile schlenderten sie schweigend dahin, beide mit ihren eigenen Gedanken beschäftigt.

»Tasso?«

»Bah?«

»Wenn Sie gewusst hätten, dass dieser angebliche Anschlagsplan auf Italienisch ausgeheckt wurde, hätten Sie die sechs jungen Männer aus Lana nicht verhaftet.«

»Ja. Genau so ist es. Ein Fehler. Der hoffentlich keine fatalen Folgen hat.«

»Sie könnten sich doch bei den Verdächtigen entschuldigen.«

»Wie bitte? Ich soll was? Mich dafür entschuldigen, dass ich meine Arbeit mache?«

»Dafür, dass bei der Polizei ein Missverständnis passiert ist. Sie haben keinen Fehler gemacht, das ist richtig. Nicht Sie selbst. Sie könnten trotzdem die Verantwortung übernehmen.«

Er brummte mürrisch vor sich hin und sagte nichts mehr. Doch Mara hatte den Eindruck, dass er darüber nachdachte. Ein ganz klein wenig vielleicht.

Wenn das kein Anfang war …

6. Kapitel, in dem Tasso wie jeden dritten Mittwoch im Monat eine lästige Pflicht erfüllt

Zufrieden spazierte Tasso am nächsten Morgen in den ersten Stock der Questura. Mara wartete vor seinem Schreibtisch. Sie war wirklich zuverlässig, das musste er ihr lassen. Es standen sogar eine Porzellankanne und ein Kaffeebecher für ihn bereit. Mara trank ihren letzten Schluck Kaffee, als sie ihn kommen hörte und sich zu ihm umwandte.

»*Buongiorno*, Signorina Mara. Wie ich sehe, haben Sie bereits für frischen Kaffee gesorgt.«

»*Buongiorno*, Tasso. Ja, das habe ich.« Sie betonte das merkwürdig gedehnt.

Tasso beäugte sie aus den Augenwinkeln, während er sich seinen mit Milch halb gefüllten Becher mit Kaffee füllte. Von ihrer Miene ließ sich nichts ablesen.

Er setzte sich und nahm einen tiefen Schluck – und beherrschte sich mit einiger Mühe, den Kaffee nicht wieder in hohem Bogen auszuspucken. »Der ist ja gerade mal lauwarm!«

»Also um neun Uhr war er noch heiß.« Mara stellte ihren leeren Becher ab.

Missmutig knallte er seinen auf den Schreibtisch. Kaffee schwappte auf die Unterlage und hinterließ eine braune Pfütze auf der obersten Aktenmappe. »Ich glaube nicht, dass ich Ihnen darüber Rechenschaft schuldig bin, was ich bis jetzt getan habe.«

»Sicher nicht.«

»Ich bin schon lange hier, was Sie mit einem Blick auf den Garderobenständer dort vorn hätten feststellen können. Da hängen nämlich mein Mantel und mein Hut. Als ich heute Morgen eingetroffen bin – um acht Uhr dreißig, um das zu präzisieren –, wartete Signora Marthaler bereits am Empfang.« Hastig zog er ein Stofftaschentuch aus einer Schublade und tupfte die Kaffeelache weg. »Ich habe sie persönlich in das Büro unseres Signor Lombardi gebracht. Das ist der Zeichner. Und ich bin nur so lange geblieben, wie es nötig war, um mich zu vergewissern, dass die beiden gut zusammenarbeiten. Das ist elementar für unsere weitere Arbeit.«

»Ich weiß. Der Kaffee ist nicht aus lauter Vorwurf kalt geworden, sondern weil es den physikalischen Gegebenheiten von Flüssigkeiten entspricht, sich an die Umgebungstemperatur anzupassen.«

Tasso hatte das böse Gefühl, dass diese *raggazzina* sich gehörig über ihn lustig machte.

Er wollte zu einer Schimpftirade ansetzen, als Mara mit einem spitzen Finger auf einen braunen Umschlag tippte. »Schauen Sie mal, was der Bürobote vor zehn Minuten für Sie hier abgelegt hat. Das ist aus der Questura Meran.«

»Sie hätten doch neuen Kaffee machen können«, murmelte er hilflos.

Sie schaute ihn zerknirscht an, und es schien ihr sogar aufrichtig leidzutun. »Hätte ich. Wenn ich gewusst hätte, wann Sie kommen. Ich habe dahinten in der Küche keine Warmhaltekannen gefunden, und bevor er ein zweites Mal kalt wird, hab ich lieber gewartet.«

Darauf fiel ihm keine vernünftige Antwort ein, denn sie saß zugegebenermaßen seit über einer Stunde hier. Er zog den Umschlag heran und entnahm ihm eine Pappmappe. Es war ein sauber getipptes Protokoll mit Dacostas Unterschrift. Ganz oben stand eine Meraner Adresse. Dazu ein handgeschriebener Zettel, auf dem der Ispettore Grüße ausrichtete. Rasch überflog Tasso die Zeilen.

»Soll ich noch Kaffee machen?«

»Lassen Sie, ich muss gleich wieder weg.«

Falls ihr aufgefallen war, dass er *ich* und nicht *wir* gesagt hatte, kommentierte sie es nicht. Sie schien dazuzulernen.

Er reichte ihr das Protokoll. »Lesen Sie selbst. Er ist es. Carlo Colori alias Franz Gruber ist der Tote. Größe, Haarfarbe, Alter, alles passt. Das ist seine Adresse. Dacosta und sein Team haben in der Wohnung Fotos gefunden, außerdem seinen Führerschein mit einem Passbild. Darüber hinaus einen weiteren Maßanzug von Gilberto Cazzola und einige Hemden des Schneidermeisters. Laut seiner Vermieterin ist Colori seit Sonntag nicht mehr aufgetaucht, obwohl er am Montagabend Besuch bekam.« Tasso schnaubte erbost. »Die Vermieterin hat mit zwei Frauen gesprochen, die nach kurzem Warten wieder gegangen sind. Alle drei haben es offenkundig nicht für nötig befunden, den Herrn Gruber als vermisst zu melden.«

»Er ist es, das ist ja wundervoll! Also, nein, ich meine, das ist alles schrecklich, der Arme.« Mara nahm die Akte entgegen und überflog die Zeilen.

»Colori wird sich hoffentlich nicht mehr um weltliche Dinge kümmern.« Tasso erhob sich und ging zu dem Garderobenständer, der zwischen seinem und drei anderen Schreibtischen stand. Während er sich den Schal umband und den Hut aufsetzte, beobachtete er Mara. Sie las mit gerunzelter Stirn, schien völlig vertieft in den Text, als läse sie so etwas zum ersten Mal. Was der Fall sein dürfte, wie Tasso sich vor Augen führte. Nachdem er den Mantel angezogen hatte, trat er wieder an den Schreibtisch.

»Mara, wir brauchen für vierzehn Uhr einen Wagen. Bitte wenden Sie sich an die Zentrale und lassen Sie für den Rest des Tages einen bereitstellen. Einen Chauffeur brauchen wir nicht, ich fahre dieses Mal selbst. Haben Sie noch Fragen?«

Erschrocken zuckte sie zusammen, sodass ihr beinahe die Pappmappe vom Schoß gerutscht wäre. »Wo gehen Sie denn hin?«

»Das ist eine private Angelegenheit. Sie können solange das Protokoll studieren oder spazieren gehen. Ganz wie Sie möchten. Um zwei Uhr fahren wir beide dann nach Cortina oder, besser gesagt, zum Lago di Misurina.«

»Sie glauben also wirklich, dass die vier Männer aus der *Bunten Kuh* die Täter sind?«

Tasso zögerte mit einer Antwort. Am Vorabend hatten ihn die Aussagen von Rosa Marthaler und ihrem Sohn keine Ruhe gelassen. Daher war er trotz der späten Stunde ins Büro zurückgekehrt und hatte ein wenig recherchiert. Dabei fand er heraus, dass es ein Hotel Misurina nahe dem gleichnamigen See gab, das von mindestens ebenso hohem Renommee wie das Bellevue war. Carlo Colori könnte in solchen Häusern verkehrt haben, obwohl er gar nicht der entsprechenden gesellschaftlichen Schicht angehört hatte. Könnte, hätte – es blieb ein reichlich dünner Strohhalm, nach dem er da griff.

»Nicht zwangsläufig, aber es ist die beste Spur, die wir haben. Falls es in der Wohnung noch weitere Hinweise gab, hätte Dacosta sie gefunden, darauf kann ich mich verlassen. Da im Protokoll nichts davon erwähnt wird, ist da auch nichts.«

Mara klappte die Akte zu. »So wie das beschrieben ist, war

der Kleiderschrank besser mit Maßhemden gefüllt als die gesamte Wohnung mit Möbeln. Dieser Gruber muss ziemlich spartanisch gelebt haben. Könnte er noch eine zweite Wohnung haben?«

Tasso nickte zögernd. »Ein interessanter Gedanke. Würden Sie in Meran anrufen und diese Idee mit Dacosta besprechen? Er soll das prüfen. Er soll auch bei Grubers Bank Konteneinsicht beantragen, damit wir uns seine finanzielle Situation anschauen können. Sie können mit meinem Apparat telefonieren. Und wir beide treffen uns trotzdem um zwei Uhr unten vor dem Haus.«

Mara nickte eifrig und legte die Mappe zurück auf den Schreibtisch. »Ich rufe in Meran an und kümmere mich um den Wagen.«

Er atmete tief durch. »Um Ihre Frage zu beantworten, ob ich die Männer aus der Gastwirtschaft für die Täter halte: Nun, sie haben sich so verdächtig benommen, dass es Signora Marthaler zu einer Anzeige motivierte. Es mag ein Zufall sein, aber ich mag keine Zufälle. Ich gebe erst Ruhe, wenn wir sicher ausgeschlossen haben, dass diese konspirative Sitzung in der *Bunten Kuh* und der Mord im Hotel Bellevue nichts miteinander zu tun haben. Ganz nebenbei bemerkt ist die *Bunte Kuh* vom Hotel aus gesehen die nächstgelegene Gastwirtschaft. Wie gesagt, für meinen Geschmack zu viel Zufall. Wir werden dem nachgehen, während Dacosta das Umfeld unseres Opfers näher beleuchtet. Dazu braucht er keine Unterstützung unsererseits. Müssen Sie noch etwas wissen?«

»Darf der Name des Opfers an die Öffentlichkeit oder muss ich das für mich behalten?«

Das war eine kluge Frage. Tasso dachte kurz darüber nach. »Er kann an die Öffentlichkeit. Geben Sie dem Vorzimmer von Questore Visconti Bescheid, Signorina Rosso wird dann alles Weitere in die Wege leiten.«

»Wird erledigt.«

»Sehr gut. Noch etwas?«

»Ich denke nicht. Dann bis um zwei.« Mara zog bereits das Telefon zu sich heran, nahm den Hörer ab und wählte die Nummer der Zentrale.

Tasso winkte zum Abschied und verließ das Büro. Besser, diese vorwitzige Mara bekam erst einmal keine Gelegenheit, ihn weiter mit Fragen zu malträtieren, deren Antworten sie nichts angingen.

Es gab einen zweiten Grund, warum er unbedingt nach Misurina wollte. Oder, allgemeiner gesprochen, wenigstens für einige Stunden weg aus Bozen und keinesfalls nach Meran oder in die Umgebung: Die Sache mit der Verhaftung der sechs jungen Männer quälte ihn. Er sorgte sich, dass einer von ihnen ihm über den Weg laufen, ihn daran erinnern könnte, dass er zu blind gewesen war, diese falschen Anschuldigungen zu entlarven. Ein Anschlag mit Farbe! Wieso hatten er und seine Kollegen das geglaubt? Das erneute Zusammentreffen mit dieser entzückenden Signora Marthaler hatte sein schlechtes Gewissen noch verschlimmert. Sie machte sich ebenfalls arge Vorwürfe. Und dass er ihr diese nicht abnehmen konnte, brachte ihn innerlich zur Weißglut. Er brauchte Abstand. Wortwörtlich räumlich großen Abstand. Da kam ihm die Möglichkeit, wenigstens für ein paar Stunden unter dem Deckmantel der Ermittlung einige Dolomitengipfel zwischen sich und die Geschehnisse zu bringen, gerade recht.

Das ging Mara Oberhöller nun wirklich nichts an. Besser, sie nahm ihm ab, er wäre der Überzeugung, die Spur dieser vier Männern sei verflogen.

Doch zuerst musste er jetzt noch eine höchst unangenehme Sache hinter sich bringen. Sie nannte sich Tante Hedwig.

***

Tante Hedwig wohnte seit Anbeginn der Zeitrechnung in einem kleinen Haus, das zwischen Talferbach und dem Schloss Maretsch lag. Dabei handelte es sich um den letzten Rest eines Ansitzes, der angeblich in grauer Vorzeit der Familie von Tassos Mutter gehört hatte. Tasso war sich nie sicher, wie viel von den Geschichten dieser glorreichen Vergangenheit der Wahrheit entsprach. Als seine Mutter seinen Vater Ende der Zwanzigerjahre kennengelernt hatte, galt es für sie jedenfalls nicht als gesellschaftlicher Abstieg, sich in einen Gastarbeiter aus Rom zu verlieben und ihn sogar zu heiraten. Kompliziert wurde es erst, als sich herausstellte, dass Tassos Vater ein glühender Kommunist war und die Unverschämtheit besaß, seine hochschwangere Frau zurück nach Rom mitzunehmen. Danach wollte der größte Teil der Familie nichts mehr von dem Paar wissen. Mit Ausnahme von Hedwig Vernatscher, Emma Tassos zwei Jahre jüngerer Schwester.

Sie schrieb mindestens einmal im Monat einen Brief, schickte regelmäßig Speck und Obstbrand – die waren sehr willkommen –, Graukäse und Schüttelbrot – die wurden an die Nachbarschaft verschenkt – nach Rom. Sie war laut den Familienüberlieferungen dafür verantwortlich, dass der kleine Aurelio die Sprache seiner Mutter lernte. Wofür Tasso ihr insgeheim dankbar war, denn es vereinfachte sein Leben in mancher Hinsicht, erst recht, seit er vor vier Jahren Bruno Viscontis Ruf nach Bozen gefolgt war.

Das würde er Tante Hedwig gegenüber aber niemals offen zugeben. Er fand es ausreichend, sie einmal im Monat zum Mittagessen zu besuchen und den neuesten Familientratsch auszutauschen – wobei von Austausch streng genommen keine Rede war, denn Tasso hatte eher selten etwas zu berichten. Er telefonierte zu den kirchlichen Festtagen mit seiner Mutter, dazu am ersten April, ihrem Namenstag, mit seiner Schwester Aurora, und damit hatte es sich. Er hatte geplant, in diesem Jahr endlich einmal wieder zu Weihnachten nach Rom zu fahren. Kommenden Sonntag wollte er den Zug nehmen, ob das allerdings klappen würde, würde der Stand der Ermittlung entscheiden. Aktuell sah es nicht danach aus. Bis dahin übernahm Tante Hedwig alle familiären Pflichten und sorgte dafür, dass die losen Bande nicht endgültig abrissen.

»Aurelio, mein Guter, du bist ja halb erfroren! Komm schnell herein ins Warme!« Tasso fand sich einen atemberaubenden Moment lang am ausladenden Busen seiner Tante wieder und durfte dann die Wohnung im Erdgeschoss betreten. Das kleine Haus gehörte zwar komplett seiner Tante, doch sie hatte die Zimmer im ersten und zweiten Stock vermietet, um ihre Rente etwas aufzubessern.

Er hängte Hut und Mantel an die Garderobe und zog nach einer kurzen Überlegung sein Jackett aus. Tante Hedwig neigte dazu, den Holzofen zusätzlich anzuheizen, wenn er sie besuchte. Er fror schnell, das war unbestreitbar, aber sie meinte es mit der Temperatur gelegentlich etwas zu gut.

»Ich habe Haxe, Kraut und Knödel gemacht. Das magst du doch.«

»Vielen Dank, Tante. Das ist sehr lieb.« Nein, mochte er nicht. Das war auch so etwas, das sie niemals einsehen würde.

Sie wurde nicht müde, ihm die Alpenküche schmackhaft machen zu wollen. Was hätte er in solchen Stunden für ein simples Risotto gegeben …

»Und zum Nachtisch Apfelstrudel. Ich habe ein neues Rezept ausprobiert, da nehmen sie statt Walnüssen Pinienkerne. Ich bin gespannt, ob es dir schmeckt.«

»Oh, da werde ich mich beim Hauptgericht ordentlich zurückhalten müssen.« Immerhin bei den Süßspeisen waren sie sich einig. An Tante Hedwig war eine Konditorin verloren gegangen.

Im Flur stolperte er. »Entschuldigung!«

»Fall nicht, was machst du denn!«

»Geht schon. Hier steht eine leere Milchflasche. Hast du die vergessen?«

»Nein, im Gegenteil, sie steht da, um mich daran zu erinnern, dass ich morgen Brot und Milch nach draußen stelle.«

»Warum das? Fütterst du neuerdings Katzen?«

»Morgen ist die erste Raunacht, es ist für die Geister.« Sie schnalzte empört mit der Zunge. »Weißt du denn gar nichts?«

Natürlich, die Raunächte. Tasso hatte vergessen, wie empfänglich seine Tante für diese Art von Aberglauben war. Viele Bräuche hier in den Bergen waren älter als das Christentum. Doch er sagte nichts. Manche würden es auch als Aberglauben bezeichnen, dass er ein Bild der Schutzheiligen Roms, Santo Pietro e Santo Paolo, hinter dem Dienstausweis mit sich herumtrug.

Tante Hedwig führte ihn in die Stube, einen Raum mit einem Kachelofen, in dem neben Sesseln noch eine Anrichte mit dem Sonntagsgeschirr und ein Esstisch samt vier Stühlen gerade so Platz fanden. Zwei winzige Fenster wurden von gehäkelten Vorhängen geschmückt. Auf den Sessellehnen, dem Tisch und der Anrichte lagen ebenfalls selbstgemachte Spitzendeckchen in Weiß und Beige, allesamt in langen Wintermonaten entstanden.

»Setz dich. Hast du abgenommen? Du musst mehr essen. Vor allem jetzt im Winter mehr Obst.«

»Nicht doch.« Tante oder Mutter, Nord- oder Süditalien, so groß waren die Unterschiede in mancherlei Hinsicht nun auch wieder nicht.

Er wartete geduldig, bis seine Tante die Schüsseln aufgetischt und sich gesetzt hatte. Sie aß genug, da musste er sich keine Sorgen machen. Sie nahm eher zu und schnaufte gehörig unter ihrem Gewicht. »Alles Veranlagung«, behauptete sie. Tasso wusste, dass sie den süßen Verführungen mehr zuneigte, als ihr guttat. Natürlich hütete er sich, darüber ein Wort zu verlieren.

Er ließ sich ein Stück Haxe und zwei Kartoffelknödel auflegen. Das Rotkraut verweigerte er. Er musste es ja nicht übertreiben mit der kulinarischen Sozialisierung.

Sie sprachen gemeinsam ein Tischgebet und begannen zu essen. Und wie Tasso erwartet hatte, dauerte es nicht lange, bis Tante Hedwig Fragen zur aktuellen Ermittlung stellte.

»Erschlagen? Das ist ja grauenhaft! Wer tut so etwas?«

»Das werden wir herausfinden. Immerhin wissen wir inzwischen, wer der Tote ist.«

»Davon stand heute Morgen nichts in der Zeitung.«

»Wir wissen es erst seit einigen Stunden.«

»Seit heute Morgen? Wie aufregend!« Tante Hedwigs rosige Wangen leuchteten etwas röter. Sie freute sich immer, wenn sie exklusive Informationen bekam, von denen noch niemand wusste – zumindest glaubte sie das. Tasso wäre es im Traum nicht eingefallen, ihr etwas zu verraten, das sich nicht herumsprechen durfte. Jede Kleinigkeit, die er ihr erzählte, könnte er gleich als öffentliche Bekanntmachung an den nächsten Baum schlagen.

»Wer ist es denn? Ist er prominent?«

»Ein Maler, der seine Kunst unter dem Pseudonym Carlo Colori verkauft. In Wahrheit handelt es sich um einen Mann namens Franz Gruber.«

Tante Hedwig verzog den Mund. »Kenne ich nicht.«

»Nun, alles andere hätte mich sehr verwundert. Seine Bilder wären vielleicht nach deinem Geschmack, aber er verkehrt nicht in Kreisen, die für unsereins üblich sind.«

Sie zwinkerte belustigt. »Das sagst du so. Als Teil einer alteingesessenen Bozener Familie steht mir die Oberschicht der Stadt durchaus offen. Ich habe nur kein Interesse an diesem oberflächlichen Getratsche und all diesem Standesdünkel.«

Tasso lächelte. »Das glaube ich dir sogar.« Tante Hedwig redete tatsächlich über alle gleich gern und gleich schlecht. Sie machte da keine gesellschaftlichen Unterschiede. Für ihn hatte es durchaus den Vorteil, dass er hin und wieder ein pikantes Detail erfuhr, das ihm schon bei Ermittlungen geholfen hatte.

»Erst letztens hat diese Anneliese von Tramin sich bei dem Ball, den der Vorsitzende des Trachtenvereins extra …«

Aber meistens hörte er schlicht gar nicht zu, sobald sie mit den Verflechtungen innerhalb ihres Bekanntenkreises loslegte. Falls es ihr jemals aufgefallen war, so ignorierte sie es standhaft oder nahm es zumindest nicht übel.

»… wollte sie es nicht einsehen! Kannst du dir das vorstellen?«

Tasso schreckte auf. »Nein, wirklich nicht. Das ist ja unerhört.«

»Sage ich doch. Und was machst du heute noch, um deine Verbrecher zu fangen? Oh, wenn es ein Maler ist, solltest du in den Lauben in der Galerie Wenger vorbeischauen. Wenn dieser Colori auch nur die geringste Bedeutung in der Kunstszene hat, dann werden die darüber Bescheid wissen.«

»Danke für den Tipp. Ich fahre heute Mittag Richtung Cortina d'Ampezzo. Es gibt in der aktuellen Ermittlung Hinweise, denen ich nachgehen muss.«

»Cortina, oh, wie schön!« Hedwig blinzelte erfreut. »Ich war mit deinem Onkel Alfred oft in Cortina zum Skifahren. Sie haben damals die Pisten für die Olympiade richtig schön hergerichtet. Ach, wenn Alfred nicht so früh gestorben wäre! Vielleicht könnten wir beide einmal dorthin fahren? Ich bin schon viel zu lange nicht mehr auf Skiern gewesen. Und du könntest es einmal ausprobieren.«

»Mitten durch Tiefschnee? Gott bewahre.« Tasso beherrschte sich, die Finger nicht zur *corna* zu spreizen. Sich auf zwei schmalen Brettern einen Berghang hinunterstürzen? Er war doch nicht lebensmüde. »Du bist Ski gefahren?«

»Ja, und sogar richtig gut! Das war, bevor du nach Bozen gezogen bist. Jetzt guck nicht so, ich habe erst seit Alfreds Tod ein bisschen um die Hüften zugelegt. Na ja, vielleicht auch etwas mehr. Aber auf Skiern könnte ich mich sicher immer noch halten.«

Vergeblich versuchte Tasso das Bild vor seinem geistigen Auge zu verdrängen, wie seine beleibte Tante einem Schneeball gleich den Hang hinunterpurzelte. Er verschluckte sich, hustete und schlug sich hastig die Stoffserviette vor den Mund.

Tante Hedwig klopfte ihm gutmütig auf den Rücken. »Mach dich nur lustig über eine alte Frau. Lümmel!«

»Tu ich doch gar nicht.«

»Ich hab das schon richtig verstanden. Aber was ist das denn? Du hast ja kaum etwas gegessen.«

»Ich hatte heute Morgen ein üppiges Frühstück. Außerdem hast du mir Apfelstrudel versprochen.«

»Du und frühstücken? Du rauchst doch allenfalls eine Zigarette zu einem Schwarzen. Was soll's, ich bin nicht deine Mutter. Wobei die mir sicherlich den Kopf abreißt, wenn ich nicht auf dich achtgebe.«

»Ich kann schon auf mich selbst aufpassen.« Tasso schaute zu, wie sie abräumte und das Geschirr mit dem übriggebliebenen Essen in die Küche brachte. Er hatte ein schlechtes Gewissen. Tante Hedwig kochte zufriedenstellend, dieses Mal hatte es ihm allerdings nicht geschmeckt. Die Klöße waren ihm zäh und klebrig im Hals stecken geblieben, wie aus Pappmaschee. Ein himmelweiter Unterschied zu denen von Rosa Marthaler. Er verschränkte die Hände und wartete auf den versprochenen Apfelstrudel. Der war, begleitet von seiner ersten anständigen Tasse Milchkaffee, immerhin so gut wie erwartet.

Versöhnt verabschiedete er sich eine gute halbe Stunde später von seiner Tante. Ihm blieb noch genug Zeit, bei der Galerie vorbeizugehen, die sie ihm empfohlen hatte. Wenigstens einmal würde er pünktlich zum verabredeten Zeitpunkt erscheinen.

***

Tasso fand die Galerie Wenger nur wenige Meter hinter dem Obstmarkt. Unter den Lauben hatte sie sich in einem kleinen Ladenlokal mit einer unscheinbaren Holzfassade angesiedelt. Im Schaufenster hingen großformatige Schwarz-Weiß-Fotografien eines tschechoslowakischen Fotografen. Der Name sagte Tasso nichts, aber die dargestellten Szenen gefielen ihm: Menschen vor schäbigen Wohnhäusern, die Blumen gossen, miteinander plauderten, sich mit Alltäglichem beschäftigten. Eine Gans, die über die Straße watschelte. Katzen, die an Häuserecken entlangstrichen. Laut den Beschriftungen hatte der Fotograf die Bilder in Prag aufgenommen. Sie hätten ebenso aus den Gassen Roms stammen können.

Heimweh war eine schreckliche Angelegenheit. Und es hörte nie auf, war immer da.

Tasso gab sich einen Ruck und betrat den Laden. Sämtliche Wände waren mit Fotos, Postern oder Gemälden bedeckt, auf einer Schautafel reihten sich Eckteile von Rahmenmustern wie Matrioschkas ineinander. Eine Frau in Tassos Alter in einem schwarzen Rock und einem pinkschwarz-karierten Blazer kam durch einen Perlenvorhang aus dem Hinterzimmer.

»*Buongiorno*, was kann ich für Sie tun?«

Tasso stellte sich vor. »Ich habe nur eine kurze Frage, die einen Maler namens Carlo Colori betrifft. Sagt Ihnen der Name etwas?«

»Ja, natürlich. Den verkaufen wir.« Es war ihr nicht anzumerken, was sie über die Qualität des Künstlers dachte.

Tasso ließ den Blick durch den Raum schweifen. »Aber hier hängt nichts von ihm, oder irre ich mich?«

»Nein. Folgen Sie mir.«

Sie winkte ihn zu einem Durchgang weiter in den Laden hinein. Durch einen gewölbeartigen Flur kamen sie in einen Lichthof und stiegen eine hölzerne Treppe hinauf bis in den zweiten Stock. Tasso staunte immer wieder, als wie groß sich manche Läden in den Lauben Bozens hinter ein paar Quadratmetern Schaufenster und Eingangsfront erweisen konnten. Ihre Fundamente reichten teilweise bis weit ins Mittelalter zurück. Über die Jahrhunderte hatten die Besitzer immer wieder neue Durchbrüche geschaffen, Stockwerke ergänzt, Mauern versetzt. Die gesamte Häuserzeile musste einem löchrigen Käse ähneln.

Sie betraten einen weiteren Ausstellungsraum, ähnlich vollgepackt mit Bildern aller Art. Tasso fand diese Kunstwerke auf Anhieb weniger ansprechend. Aber Geschmack war bekanntlich Geschmacksache. Die Leute konnten sich in ihre Wohnungen hängen, was sie wollten.

Die Galeristin führte ihn zu einer Ecke nahe dem Fenster, wo Tasso endlich Werke Coloris wiedererkannte. Eines war ein Bild mit einem mit Lebensmitteln überladenen Tisch, hinter dem eine Frau einen Kohl darbot, während ein Mann seine Hand nach ihrem Gesicht ausstreckte. Daneben hing dreimal das gleiche Bild: ein Mann in dunkellilafarbenem Gewand und eine Frau in einem grünen Kleid, die einander gegenüberstanden und sich die Hände reichten.

»Das sind beispielhafte Werke des Künstlers. Carlo arbeitet hauptsächlich nach Auftrag im Kundenwunsch.«

Tasso musste eine verständnislose Grimasse gezogen haben, denn jetzt wandte die Frau sich zu den drei Gemälden und zeigte auf die Köpfe der beiden Figuren. »Sehen Sie genau hin. Beim Original handelt es sich um das Werk *Die Arnolfini-Hochzeit* von Jan van Eyck. Colori kopiert es möglichst detailgetreu bis auf die Gesichter. Dort montiert er nach Wunsch Personen hinein. Bei dem Motiv hier sind es, wie könnte es anders sein, Hochzeitspaare. Dies Bild ist ein äußerst beliebtes Geschenk.«

»*Momento.* Nur damit ich das richtig verstehe. Angenommen, meine Schwester heiratet. Dann komme ich zu Ihnen und lasse von Colori dieses Bild malen, nur dass die Frau mit dem grünen Kleid – ist die schwanger? –, diese Frau also das Gesicht meiner Schwester bekommt. Und der griesgrämig dreinblickende Typ das des Bräutigams?«

»Ganz genau. Den Möglichkeiten sind keine Grenzen gesetzt. Es gibt auch Leute, die ihre Tiere auf diese Weise verewigt haben wollen. Hunde und Katzen, Pferde. Einmal war es eine Ziege.«

»Eine Ziege? Sie erlauben sich einen Scherz.«

»Es gibt sehr viele Ziegen in den Werken der alten Meister.« Die Galeristin lächelte unverbindlich.

Tasso war immer noch nicht sicher, ob sie das ernst meinte. Aber das war nicht so wichtig. »Ist das einträglich?«

»Sehr sogar.« Sie wandte sich den Bildern zu. »Der Löwenanteil geht an den Maler und wir bekommen eine Provision.« Es schien ihr unangenehm zu sein. Tasso erkannte keinen Grund dafür.

»Und ist das Kunst?«, wagte er zu fragen.

Jetzt fiel das Lächeln der Frau deutlich gequälter aus. »Es ist wirklich sehr einträglich.«

»Na, das ist auch eine Antwort.«

Sie schämte sich, dass sie solche Machwerke verkaufte. Deshalb hingen Coloris Bilder im zweiten Stock statt im Erdgeschoss.

»Warum wollen Sie das überhaupt wissen?«

»Carlo Colori wurde am Montag tot aufgefunden.«

Die Galeristin wurde blass. »Das ist ja schrecklich.« Sie blickte kurz zu Boden, bevor sie ein beflissenes Lächeln aufsetzte. »Sie suchen nach dem Täter. Wie kann ich Ihnen behilflich sein?«

»Ich führe die Ermittlungen, das ist richtig. Ich versuche gerade, mir einen Eindruck von Colori zu machen, zu verstehen, was für ein Mensch er war. Er scheint sehr zurückgezogen gelebt zu haben. Wir wissen bisher kaum etwas über sein Umfeld, seine gesellschaftliche Situation, seine Motive.«

Sie deutete auf die Leinwände. »Die Motive sehen Sie hier.«

»Damit meine ich nicht seine Bilder, sondern das, was ihn im Leben angetrieben hat, sein Lebensmotto.«

»Ich hatte das schon verstanden, ein kleiner Scherz.« Die Frau trat ans Fenster und sah hinaus. »Schade um ihn. Armer Carlo.«

Tasso stellte sich neben sie. Zwischen den Lauben flanierten die Menschen, Einheimische und Gäste, vorwiegend aus Deutschland und Österreich. Sie schlenderten über das Kopfsteinpflaster, wichen den Schneehaufen aus, blieben an Schaukästen stehen oder betraten die Geschäfte. Bald war Mittagspause. Dann würde es leerer werden, bevor der Trubel am Nachmittag von Neuem einsetzte.

»Gute Kunst hat es immer schwer«, beendete die Galeristin das einträchtige Schweigen. »Kunst zu verkaufen bedeutet auch, Kompromisse einzugehen. Es ist eine Mischkalkulation. Ich kann es mir nicht leisten, nur das anzubieten, was meinem Kunstverständnis entspricht. Und immerhin habe ich Kunst und Kunstgeschichte studiert. Ich sollte mich auskennen, oder nicht?«

Tasso stimmte beeindruckt zu.

Sie hob wie zur Mahnung den Zeigefinger. »Mir ist es wichtig, dass wir gegenüber allem, was die Menschen erschaffen, Respekt und Toleranz aufbringen. In Deutschland macht zurzeit ein gewisser Professor Beuys mit seiner Kunst und seinem Kunstverständnis von sich reden. Ich sage Ihnen, der Mann ist wohltuend radikal, auch wenn ich mit manchen seiner Werke meine Schwierigkeiten habe. Aber die Zeit, in der uns Diktatoren zwingen wollten, ihrer Auffassung von Kunst zu folgen, ist noch nicht lange genug vorüber. Und so achte ich jeglichen Schaffensprozess.«

»Verzeihen Sie bitte, so sehr ich Ihnen diesbezüglich aus vollem Herzen zustimme und die Freiheit der Kunst achte, schweifen Sie gerade ab.«

Sie seufzte. »Carlo kann gar nichts. Er kann nachahmen. Er trifft die Linien und Farben, aber er besitzt nicht einen Funken Kreativität. Was er macht, ist keine Kunst. Und ist das nicht ein herrlicher Widerspruch? Ich halte Ihnen ein Plädoyer für die Kunstfreiheit, und ich verkaufe Carlos Bilder in meiner Galerie, bin aber im Stillen der Meinung, dass sie keine Kunst sind. Was übrigens Carlos eigener Sicht entspricht. Er hält sich nicht für einen Künstler. Er ist ein bodenständiger Kerl, der Glück gehabt hat, dass er mit dem, was ihm Spaß macht, Geld verdienen kann. Dazu pflegt er ein gewisses Auftreten. In der Öffentlichkeit gibt er sich exaltiert und à la Boheme. Er gibt den Leuten das, was sie erwarten. In Wahrheit ist er einer meiner solidesten Geschäftspartner und führt ein vollkommen langweiliges Privatleben.« Sie lächelte plötzlich verlegen. »Zumindest der Teil, von dem ich weiß. Was nicht viel ist … war. Ich rede von ihm, als würde er noch leben. Vergangenheit.« Sie wandte sich ab. Ihre Schultern bebten ein wenig.

Tasso schien es, als würden ihr die gesamte Tragweite der Geschehnisse und ihre Konsequenzen erst jetzt bewusst. Sie und ihr malender Lieferant hatten mit diesem Geschmiere ordentlich verdient, nun würden ihr einträgliche Geschäfte wegbrechen. Was sie auf der Liste möglicher Verdächtiger weit ans Ende setzte. Tasso konnte sich beim besten Willen nicht vorstellen, dass diese Frau etwas mit dem Ableben Coloris zu tun hatte.

Mit freundlichen Worten verabschiedete er sich und verließ den Laden. Er musste sich beeilen, um es rechtzeitig bis zur Questura zu schaffen.

Unterwegs grübelte er über sein Mordopfer und dessen beide Identitäten nach, die er zwar nicht geheim gehalten, aber vermutlich nicht an die große Glocke gehängt hatte. Was bedeutete das für die Ermittlung und mögliche Motive? Die finanzielle Situation eines Mordopfers erwies sich stets als interessant. Leider würde es dauern, bis die bürokratischen Hürden genommen waren und die Bank die entsprechenden Daten zur Verfügung stellte. Kommenden Montag war Heiligabend. Vermutlich würde er sich bis nach den Feiertagen gedulden müssen.

Aber erst einmal stand sein Ausflug mit Mara Oberhöller nach Misurina an. Wenn er ehrlich zu sich war, freute er sich darauf. Es war auf jeden Fall mal etwas anderes, mit der Tochter eines Bürgermeisters unterwegs zu sein, statt in kahlen Verhörräumen zu sitzen und harte Jungs zu vernehmen. Und für seine Rückkehr heute Abend nahm er sich vor, ein weiteres Mal in der *Bunten Kuh* zu essen. Ganz privat.

7. Kapitel, in dem nur noch eine kleine Katze in Toblach Tasso den Tag rettet

Um drei Minuten vor zwei schritt Tasso durch die Toreinfahrt zum Parkplatz der Questura und traute seinen Augen nicht. Dort stand eine schwarz glänzende Mercedes-Benz-Limousine Typ 300 d mit Chauffeur und laufendem Motor. Im wahrsten Sinne eine Staatskarosse. Gab sich der Innenminister von Südtirol die Ehre?

»Tasso, da sind Sie ja! Huhu, hier, Commissario!« Er wandte sich der Stimme zu und erblickte Mara, wie sie aus einem Fenster im ersten Stock winkte. Die Silhouette einer zweiten Person zeichnete sich hinter ihr ab.

»Signorina Mara, wie schön! Steht der Wagen bereit?«

»Bleiben Sie, wo Sie sind, wir kommen runter!«

Wir? Bevor er antworten konnte, hatte sie das Fenster geschlossen und war verschwunden. Tasso steckte sich eine Zigarette an und wühlte mit der Fußspitze im Schneematsch. Dann entschied er sich, ins Gebäude zu gehen und vorn am Haupteingang zu warten. Wenn Mara alles so erledigt hatte, wie er ihr vorgegeben hatte, wäre der Wagen dort abgestellt und nicht hier hinten auf dem Hof.

Im Flur prallte er um ein Haar mit Mara und ihrer Begleiterin zusammen. Die beiden waren vermummt, als planten sie eine Expedition zum Nordpol, dennoch erkannte er zwischen den Schichten aus Schal und Mütze das rosige Gesicht von Petra Dussmann.

»Signorina Dussmann, *piacere!* Was haben Sie denn hier verloren?«

»Glück im Unglück, heißt es nicht so?« Maras Stimme überschlug sich vor Nervosität. »Es gab da ein kleines Problem, aber ich habe es für uns gelöst. Auch zu Ihrer Zufriedenheit, wie ich hoffe, Signor Commissario. Tasso.«

Tasso neigte den Kopf und verschränkte die Arme. Wenn seine Praktikantin etwas angestellt hatte, hatte sie ihn die längste Zeit begleitet. Da konnte Bruno sagen, was er wollte. Er würde da nichts für sie geradebiegen.

Mara wandte sich schwungvoll um und deutete theatralisch auf ihre Begleiterin. »Petra, nein, Quatsch, natürlich ihr Großvater, Herr von Kotzian wird uns nach Cortina bringen. Er wartet schon draußen in dem Mercedes. Sie haben doch sicher die riesige schwarze Limousine im Hof gesehen!«

»Bitte was? Moment mal! *Momento!*« Tasso wechselte ins Italienische, damit diese Dussmann ihn nicht verstand. Das ging sie nichts an. »Ich habe Ihnen gesagt, Sie sollen ein Auto besorgen, damit meinte ich einen Wagen aus dem Fuhrpark der Questura! Das hatten Sie doch richtig verstanden? Wollen Sie mich auf den Arm nehmen?«

»Nein, keineswegs. Es gab nur keinen.«

»Was soll das heißen, was gab es keinen?«

»Es steht kein Auto zur Verfügung, weder mit noch ohne Fahrer. Alle unterwegs.« Sie warf die Arme in die Höhe. »Was sollte ich denn machen? Ich hatte keine Idee. Mit meinem Fiat kommen wir ganz sicher weder nach Cortina noch zum Misurinasee. Jedenfalls bin ich spazieren gegangen. Und da läuft mir doch mitten auf dem Waltherplatz Petra über den Weg, mit ihrem *Nonno* im Schlepptau.«

»Und da haben Sie gedacht, Sie fragen diesen deutschen

Touristen einfach mal, ob er uns ein passendes Auto zur Verfügung stellt?«

»So ungefähr.«

»Sind Sie von Sinnen, Oberhöller?«

»Haben Sie eine bessere Idee? Wir wollen nach Cortina, wir brauchen ein Auto. Da draußen wartet ein Auto und noch dazu ein sehr bequemes. Sie werden das nicht bereuen.«

»Ich fahre nicht mit diesem deutschen Bonzen.« Er schielte zu Petra Dussmann, ob die von dem Wortwechsel etwas verstand, doch das schien nicht der Fall zu sein.

»Was machen wir dann jetzt?« Mara wechselte ins Deutsche.

»Sie sagen dem Signor von Kotzian, dass er seine Enkelin einsammeln und nach Hause fahren soll. Oder sich weiter den Obstmarkt und die Lauben ansehen, ist mir doch egal.«

»Und wann fahren wir nach Cortina? Sie haben gesagt, das wäre die einzige Spur.«

Das stimmte, und zwar mehr, als ihm lieb war. Solange Dacosta keine weiterführenden Informationen lieferte oder Dottore Agnellis Untersuchung der Leiche neue Erkenntnisse erbrachte, kam er nicht weiter. Außerdem fiel ihm nichts ein, wie er seine Aussage zurücknehmen konnte, ohne vor Mara sein Gesicht zu verlieren.

Er schloss für einen Moment die Augen und sammelte sich. Dann winkte er die beiden jungen Frauen Richtung Ausgang. »Also gut, Sie haben mich überredet. Fahren wir los.«

***

Tasso fluchte lautlos in sich hinein und fragte sich, womit er das verdient hatte. Bisher hatten sie nur eine Menge Zeit vergeudet. War die Fahrt zu Beginn erträglich verlaufen, entwickelte sie sich inzwischen zum reinen Fiasko.

Die Straße mitten durch die Dolomitentäler war aufgrund der Wetterlage ab Waidbruck für den Autoverkehr gesperrt. Jetzt mussten sie einen weiten Bogen über Brixen, Bruneck und Toblach fahren, um überhaupt ans Ziel zu kommen. Tasso hatte protestiert und darauf bestanden, dass sie zurückführen und er es mit Mara am nächsten Tag versuchte. Doch Konrad von Kotzian hatte sich auf keine Diskussionen eingelassen. Er wendete vor der Straßensperrung und fuhr Richtung Brixen.

Tasso hatte zu Beginn der Fahrt einige Fragen zu Leistung und Ausstattung des Mercedes gestellt, teils aus aufrichtiger Neugier, teils um dem Deutschen ein wenig Honig ums Maul zu schmieren. Es schien, dass diese Taktik viel zu gut funktioniert hatte: Ihr Chauffeur war in abstoßend fröhlicher Laune. Es machte ihm offensichtlich großen Spaß, mit diesem Riesenauto durch die Gegend zu kutschieren. Nun, der Fahrkomfort war unbestreitbar, nur die Gesellschaft ließ zu wünschen übrig. Von Kotzian hatte darauf bestanden, dass Tasso vorn einstieg und die »Kinder« hinten saßen.

»Sehen Sie, da ist schon Brixen.« Von Kotzian deutete auf ein Straßenschild. »Also, ich hoffe ja wirklich, dass sie bald diese Autobahn bauen. Der Weg von Hamburg nach München ist fast doppelt so weit, aber wir schaffen das heutzutage in der halben Zeit.« Er wandte sich an Tasso. »Wir haben Verwandte in München, da machen wir immer einen Zwischenstopp. Sie müssen wissen, wir fahren seit zehn Jahren nach Meran. Damals war da noch viel weniger los, es fing ja gerade erst an. Wir haben sozusagen einen der Grundsteine des Tourismus in Südtirol gelegt.«

Das war ein ziemlicher Quatsch, wie Tasso wusste, Meran war schon zu Zeiten der Habsburger Kaiser als Sommerfrische beliebt gewesen. Vielleicht war das der Grund, warum Mara sich hinter ihm so auffällig räusperte.

»Das kannte ja kaum jemand bei uns zu Hause«, fuhr von Kotzian ungerührt mit seinem Monolog fort. »Gut, konnte sich auch nicht jeder Familienvater leisten, so einen Urlaub damals. Wir schon.«

Tasso starrte demonstrativ aus dem Seitenfenster. Hin und wieder glaubte er, die Doppeltürme des Brixner Doms zwischen den Hausdächern zu erkennen, doch das konnte auch Wunschdenken sein, denn die Luft unter den tiefhängenden dunklen Wolken war diesig. Immerhin schneite es nicht.

Tasso war bisher einmal in Brixen gewesen, der Dom und die Klosteranlagen hatten ihn fasziniert. Die Fresken aus verschiedenen Jahrhunderten dort auf den Wänden, das war wahre Kunst. Diese Wimmelbilder, die Mara ihm in Coloris Atelier gezeigt hatte, waren nichts dagegen. Vage erinnerte er sich daran, dass der Maler auch einige Heiligenszenen angefertigt hatte. Vielleicht hätte er sich diese Bilder genauer ansehen sollen. Was würde mit denen geschehen? Hatte Colori Angehörige? Dacosta hatte in dem Protokoll nichts erwähnt. Aber sicherlich war er auf dem Weg, das herauszufinden; der Ispettore wusste, wie er seine Arbeit zu tun hatte. Dennoch sollte er unbedingt mit ihm telefonieren, sobald er nach Bozen zurückgekehrt war.

»So, gleich geht's ins Pustertal. Wie sieht es aus, wollt ihr eine Pause, dahinten? Muss jemand auf die Toilette?«

»Nein danke, uns geht es gut«, rief Mara.

Tasso kannte seine Praktikantin inzwischen besser. Ihrem

nüchternen Tonfall nach zu urteilen, hätte sie lieber etwas anderes gesagt. Von Kotzian behandelte die beiden wirklich wie Zehnjährige. Über die Reife von Petra Dussmann konnte Tasso nach den wenigen Worten, die er mit der jungen Frau gewechselt hatte, nicht urteilen. Aber Mara Oberhöller war das nicht angemessen.

In Bruneck hielten sie, um zu tanken.

Tasso nutzte die Pause, um sich ein paar Meter die Beine zu vertreten und zu rauchen. Wenigstens rückten ihm die Berge hier nicht so nah. Das Pustertal war im Vergleich zu einigen anderen Tälern weitläufig. Nach wie vor hing ein dunstiger Schleier über der Landschaft. Inzwischen dämmerte es, übermorgen war Stephanstag, der Tag der Wintersonnenwende.

Misstrauisch beäugte von Kotzian den Tankwart in der ölverschmierten Latzhose, dass der bloß keinen Kratzer auf seinem wertvollen Auto hinterließ. Danach setzte eine lange und gestenreiche Diskussion zwischen den beiden ein. Amüsiert beobachtete Tasso, wie von Kotzian im Gesicht rot anlief. Der Mann verlor zu schnell die Beherrschung.

»Tasso! Kommen Sie her!«

Gemächlich nahm Tasso einen tiefen letzten Zug und zertrat die Zigarette am Straßenrand. Dann versenkte er die Hände in die Manteltaschen und schlenderte zur Zapfsäule.

Von Kotzian fuchtelte mit einem Papierfetzen. »Das ist meine Quittung. Schauen Sie sich einmal die Summe an, die ich bezahlen soll! Und dieser Kerl hier behauptet, dass er mich nicht versteht.«

Der Mann, ein schmächtiges Kerlchen mit einem großen Schnauzbart, klemmte die Daumen unter die Träger seiner Latzhose. »Steuer, alles Steuer! Kann nix dafür!« Er zog die Schultern hoch bis an die Ohren.

»Dieser Mann«, erklärte von Kotzian drohend und zeigte mit dem Finger auf Tasso, als wollte er ihn gleich aufspießen, »ist von der Polizei. Aber wenn Sie jetzt zugeben, dass Sie mich hier über den Tisch ziehen, dann werde ich Gnade vor Recht ergehen lassen. Letzte Chance!«

Der Tankwart wurde eine Spur blasser, er schien zu ahnen, dass er dabei war, zu verlieren. Er warf die Hände in die Höhe. »Alles Steuer. *Non so parlare tedesco. Non ho capito.*« Es folgte eine lange Tirade.

»Du sprichst also kein Deutsch, verstehst nichts«, wiederholte Tasso auf Italienisch und grinste breit. »Wo kommst du her, *caro?* Neapel? Einen fürchterlichen Dialekt sprichst du da. Hast du allen Ernstes gedacht, ich verstehe dich nicht? Sehe ich aus wie ein dämlicher Tourist aus dem Norden?«

»Nix für ungut. Hab mir schon gedacht, dass du dich einmischst.«

Tasso schaute ihn finster an. »Was hast du vor?«

»*Bah*, ist doch ein fetter Schlitten. Ich hab vier Kinder zu Hause. Ich will nix Böses, ich mach das nur mit den Kerlen, die sich so was leisten können. Wie Robin Hood.«

»Wie viel hast du draufgeschlagen?«

»Viertausend Lire. Das ist ein Trinkgeld. Und ich sage dir, je größer das Auto, desto knickriger die Fahrer. Von selbst geben die nichts. Hast du gesehen, wie der mich beobachtet hat? Als ob ich dieser *bellezza* etwas antun würde. Niemals!«

Tasso wandte sich an von Kotzian, der mit hochrotem Kopf dastand und dem Wortwechsel unmöglich folgen konnte. »Das ist eine neue Maut. Gebühr für den Winterdienst«, erklärte er auf Deutsch.

»Wie bitte? Was soll das denn? Das habe ich auf der Hinfahrt nicht bezahlt! Da habe ich in Kastelruth getankt. Und in Meran bisher auch nicht.«

»Gilt nur im Pustertal.«

»Beim Tanken?«

»Sagt er. Ich glaube ihm.«

Der Tankwart lächelte zuversichtlich.

Von Kotzian riss seine Geldbörse aus der Innentasche des Mantels. »Warum wissen Sie so was nicht? Was sind Sie für ein Polizist?«

»Kein Verkehrspolizist.« Als sie gehalten hatten, hatte Tasso kurz überlegt, ob er die Rechnung übernehmen sollte. Er bekäme die Auslagen später erstattet. Doch dann hatte er entschieden, dass von Kotzian mehr als genug Geld besaß, um sich eine Tankfüllung zu leisten. Schließlich hatte Tasso nicht um diese Fahrt gebeten. Vor allen Dingen nicht um diese Begleitung.

Wutschnaubend zählte von Kotzian dem Tankwart die Scheine in die Hand.

»Vergessen Sie das Trinkgeld nicht!«, rief Tasso beim Einsteigen.

Die weitere Fahrt sagte von Kotzian erst einmal gar nichts mehr. Stattdessen stellte er das Radio an, was Tasso recht war. Es hätte nur keine klassische Marschmusik sein müssen, die erinnerte ihn immer zu sehr an den Krieg. Man konnte nicht alles haben. Bei der Lautstärke wurde immerhin jegliche Unterhaltung unmöglich.

***

Kurz hinter dem Olanger Stausee setzte Schneefall ein, und sie kamen immer langsamer voran. Als sie im Stockfinstern wenige Kilometer vor Toblach waren, beschlich Tasso ein ungutes Gefühl. Die Straßen waren kaum noch geräumt, der Mercedes schlitterte trotz seines Gewichts auf dem platt gefahrenen Schneematsch hin und her.

»Haben Sie Schneeketten dabei?«

»Im Kofferraum.« Von Kotzian drehte das Radio leiser und fuhr an den Straßenrand. Erstaunlich kleinlaut schaute er Tasso an. »Aber ich kann die nicht anlegen.«

»Sie können *was* nicht? Keine Schneeketten anlegen? Wenn Sie in den Winterurlaub nach Südtirol fahren?«

Von Kotzian wischte nervös mit den Händen übers Lenkrad. »Nein, also, das war bisher nicht … Ich glaube nicht, dass ich Ihnen gegenüber Rechenschaft ablegen muss!«

Tasso lehnte den Kopf gegen die Kopfstütze. In Erinnerung an Brunos Rat, den fachgerechten Umgang mit diesem touristischen Hochwohlgeborenen Mara zu überlassen, wartete er darauf, dass seine Praktikantin etwas sagte.

»Dann mache ich das.«

Tasso schloss die Augen. Das war nicht, was er erwartet hatte. »Kommt nicht infrage, Mara. Sie bleiben sitzen. Von Kotzian, lassen Sie den Motor laufen und geben Sie mir die Schneeketten. Ich ziehe sie auf.«

»Trauen Sie mir das nicht zu, Tasso?«

»Doch, doch, ganz sicher. Aber es reicht doch, wenn ich mich in dieses Scheißwetter stürze. Sie sollten nicht riskieren, dass Ihr Pelzmantel dreckig wird.«

Mara öffnete die Tür. »Wir machen es zusammen, dann geht es doppelt so schnell.«

Tasso seufzte ergeben und stieg aus. Fröstelnd wartete er mit Mara am Straßenrand, während von Kotzian geräuschvoll im Kofferraum herumwühlte. Bevor er die Schneeketten gefunden hatte, hielt ein Wagen der Carabinieri neben ihnen.

Der Fahrer kurbelte das Seitenfenster herunter und lehnte sich hinaus. »*Buonasera*. Guten Abend. Wo wollen Sie hin?«

»Richtung Cortina«, rief Tasso und schlug den Mantelkragen hoch. Die dicken Schneeflocken legten sich auf den Stoff und tropften ihm trotz Schal in den Nacken.

»Das wird heute nichts mehr. Vor Schluderbach ist eine Lawine abgegangen, genau auf der Kreuzung nach Misurina. Da muss erst geräumt werden. Warum haben Sie noch keine Schneeketten aufgezogen?«

»Wir sind gerade dabei.«

Wie auf Kommando riss von Kotzian einen Beutel in die Höhe, in dem Kettenglieder aneinanderklirrten.

»*Va bene*. Damit kommen Sie bis nach Toblach. Sie sollten sich dort ein Quartier suchen und über Nacht bleiben. Bis morgen ist die Straße sicherlich wieder frei. *Buon viaggio!*«

Von Kotzian schaute Tasso entsetzt an. »Übernachten? Wir fahren zurück!«

»Bei dem Wetter? Ich fürchte, der Carabiniere hat recht. Das Beste wäre, hierzubleiben und zu warten, wie sich das Wetter morgen entwickelt. Aber bei dem Schneetreiben und im Dunkeln zu fahren, das ist Selbstmord.«

Mara legte dem alten Mann begütigend die Hand auf den Arm. »Da hören Sie es, Herr von Kotzian. Besonders, wenn Sie das Fahren mit Schneeketten bei einem solchen Wetter nicht gewohnt sind. Dazu braucht es einige Übung.«

Tasso nickte eifrig. Einen Moment lang hatte er befürchtet, Mara würde anbieten, sich ans Steuer zu setzen. Er war davon überzeugt, dass sie die tückischen Straßenverhältnisse besser gemeistert hätte als von Kotzian. Denn dass Frauen nicht Auto fahren konnten, war nur ein Gerücht. Es kam auf die Übung an, und die musste Mara in Bezug auf winterliche Witterung haben, schließlich lebte sie hier. Dieser Deutsche war in Hamburg dagegen vermutlich nicht mal regelmäßigen Schnee gewohnt.

Doch ihm war allgemein nicht wohl bei dem Gedanken, noch länger in der Dunkelheit unterwegs zu sein. Den ganzen Tag schon diese trübe Sicht und die nasskalte Luft, jetzt dazu dieser Schneefall – als wollte Frau Holle ihre gesamten Vorräte über ihnen ausschütten. Tante Hedwig hatte es erwähnt, morgen Abend stand die erste Raunacht bevor, und die Geister würden erwachen. Was er vor wenigen Stunden als Aberglauben abgetan hatte, kam ihm jetzt gar nicht mehr so abwegig vor. Und wie konnte er sicher sein, dass sich die Geister in dieser Region strikt an den Kalender hielten und nicht schon eine Nacht früher auftauchten? Ihn gruselte. Er ließ seinen Blick prüfend über die Landschaft schweifen, tat, als versuchte er abzuschätzen, wie sich das Wetter in den kommenden Stunden entwickelte. In Wahrheit suchte er nach verdächtigen Anzeichen, ob sich jemand näherte. Oder etwas. Doch das Motorengeräusch und der Atem von Kotzians waren die einzigen Laute, und nur das Scheinwerferlicht des Autos durchdrang die Dunkelheit.

»Also gut, ziehen Sie diese Dinger über die Reifen und dann fahren wir nach Toblach. Passen Sie um Himmels willen auf, dass Sie mit den Ketten keine Kratzer in den Lack machen. Besonders Sie, Fräulein Oberhöller. Das ist keine Arbeit für ein Fräulein. Also, wenn Sie meine Tochter wären …« Mit einem vorwurfsvollen Blick auf Tasso, den dieser nicht verstand, denn Mara war genauso wenig seine Tochter, ließ er sie stehen und setzte sich zurück ans Steuer.

»Arroganter Idiot«, hörte Tasso Mara murmeln. Wo sie recht hatte, hatte sie recht.

Kurz darauf fuhren sie wieder los, und nur wenig später

tauchten einige Straßenlaternen auf, die trübes Licht durch den immer dichter werdenden Schneefall sandten. Von Kotzian steuerte direkt ins Ortszentrum. Ein majestätisches Gebäude ließ sich zur Rechten erahnen, lag jedoch völlig im Dunkeln. Sie hielten an, und von Kotzian beugte sich vor, um durch die Windschutzscheibe zu spähen.

»Merkwürdig. Ich hatte in Erinnerung, dass dies das Grand Hotel sein muss, das erste Haus am Platz. Aber es scheint geschlossen zu sein. Fahren wir weiter.«

Niemand kommentierte das.

Sie hielten vor dem nächsten hell erleuchteten Gebäude. Auf einem Schild schimmerten nur einige Buchstaben zwischen nassen Flocken hindurch.

»Das scheint ein Hotel zu sein. Schauen wir, ob die Zimmer für uns haben.«

Er parkte und sie stiegen aus. Tasso bemerkte, wie begeistert Mara und Petra waren, obwohl sie sich große Mühe gaben, es nicht zu zeigen. Doch für die beiden war der Schnee genau das Richtige.

Schon beim Eintreten hatte Tasso ein fürchterliches Déjà-vu. Es war ein Hotel, und es hieß zu allem Überfluss auch Bellevue. Diese Ausgabe schien zwar nicht ganz so nobel wie das in Meran, dennoch geizte es nicht mit Goldverzierungen und Weihnachtsdekorationen in glitzernden Farben. Ein junger Mann in einer dunkelblauen Uniform erwartete sie hinter einem Tresen mit schwarzer Marmorplatte.

»Abend. Von Kotzian mein Name. Haben Sie Zimmer?«

Der Concierge verzog keine Miene. »Sie meinen, ob noch Zimmer für die bevorstehende Nacht frei sind?«

»Machen Sie schon!«

Petra schaute auf ihre Füße, und ihre Lippen formten einen stummen Klagelaut. Mara schüttelte nur den Kopf.

»Es sind noch zwei Zimmer frei, die Suite Dolasilla und ein Superior Zimmer mit Dusche. Beide mit Doppelbetten.« Der Concierge schaute etwas ratlos zwischen den Anwesenden hin und her, als versuche er einzuordnen, wer den Raum mit wem teilen würde.

»Gut. Eins für die beiden Fräulein, eins für den Signore«, erklärte Tasso, bevor von Kotzian irgendeine Entscheidung traf, die dann mühsam diskutiert werden müsste, da sie ganz bestimmt nicht in seinem Sinne wäre. »Ich suche mir etwas anderes.«

»Das ist vermutlich auch besser so. Sie passen hier nicht hin.« Von Kotzian sagte es nicht sehr laut. Tasso war sicher, dass er es trotzdem verstehen sollte. Ohne ein Wort wandte er sich ab.

Er hatte den Ausgang noch nicht erreicht, als er Schritte hinter sich hörte. »Tasso, warten Sie doch.«

Er blieb stehen. Mara wich im letzten Moment aus, bevor sie auf ihn auflief.

»Was denn?«

»Wo wollen Sie denn hin?«

»Ich werde schon etwas finden. Es ist zwar dunkel, aber noch nicht spät. Ich finde schon was.«

»Aber Sie könnten doch mit Herrn von Kotzian …«

»Kommt nicht in Frage, und wenn er der letzte Mensch auf Erden wäre.«

»Und wenn Sie und ich, also nur im Zimmer, nicht gemeinsam im Bett, Sie könnten …«

»Mara, kein Wort weiter.« Tasso fühlte sich seltsam berührt. Es war lange her, dass sich jemand auf diese Weise um ihn gesorgt hatte. Er atmete tief durch. Hinter Maras Rücken sah er, wie von Kotzian die Zimmer buchte und sein Geld hervorholte. »Bruno würde mich eigenhändig umbringen. Und Ihr Vater vermutlich auch. Was denken Sie sich nur dabei?«

Sie reckte trotzig das Kinn. »Ich denke, dass Sie trotz allem Gemecker ein anständiger Kerl sind und ich es nicht verantworten möchte, wenn Sie heute Nacht im Auto erfrieren.«

»Ich finde schon ein Bett.« Er stockte. »Wie wäre es mit folgendem Kompromiss: Ich verspreche Ihnen, dass ich zurückkomme, wenn ich nichts finden sollte. Geben Sie mir Ihre Zimmernummer, und ich werde klopfen.«

»Also gut, einverstanden.«

»Andernfalls hören Sie um neun Uhr von mir. Dann können wir hoffentlich weiterfahren und diese Odyssee hinter uns bringen. Beten Sie, dass es uns auch neue Erkenntnisse bringt, sonst haben wir uns umsonst gequält.«

Sie verabschiedeten sich. Mara kehrte zurück an die Theke und ließ sich ihre Zimmernummer nennen. Tasso trat hinaus in den wirbelnden Schnee.

***

»Tut mir leid, wir sind ausgebucht.« Die Wirtin der Pension befand es nicht einmal für nötig, ihn hereinzubitten, sondern fertigte ihn direkt an der Tür ab. Dann immerhin hatte sie ein wenig Mitleid. Sie zeigte mit dem Finger quer über die Straße auf ein unscheinbares vierstöckiges Haus mit einem mächtigen Holzdach. »Da vorn wohnt die Roswitha Talferer, die vermietet auch Zimmer. Versuchen Sie es bei der.«

»*Grazie*, danke sehr. *Arrivederci*.«

Im Gehen klopfte Tasso sich den Schnee von den Schultern. Seine Füße spürte er schon längst nicht mehr. Seit zwei

Stunden wanderte er durch das nächtliche Dorf. *Das ist ja wie in der Weihnachtsgeschichte, alles bis auf das letzte Bett belegt*, dachte er. Zum Glück hatte er keine schwangere Frau auf einem Esel dabei.

Unter einer Straßenlaterne blieb er stehen und zündete sich eine Zigarette an. Er brauchte ein paar Versuche, bis er das Streichholz zum Brennen brachte. Dann endlich blies er den Rauch in die Luft und betrachtete das wenig einladende Haus. Ein ehemaliger Bauernhof, wenn er raten müsste. Diese typischen Bauten hielten seit Jahrhunderten Wind und Wetter in den Bergen stand, weshalb sie abweisend und trutzig wirkten. Wer seinen Hof schon zu einer Gastwirtschaft oder Pension umgebaut hatte, sorgte meistens dafür, dass die Gebäude etwas freundlicher daherkamen, und sei es nur durch eine hellere Farbe und im Sommer mit Balkonkästen voller roter Geranien. Dieses Haus hatte der Wandel von der Landwirtschaft zur Unterkunft für Reisende jedoch noch nicht erreicht.

Etwas Weiches stupste gegen Tassos Unterschenkel. Vor Schreck sprang er einen Satz rückwärts. Er rutschte im Schnee aus und erwischte glücklicherweise einen Laternenpfahl, um sich festzuhalten. Ein jämmerliches Quieken war die Antwort. Eine winzige schwarze Katze saß vor ihm und schaute vorwurfsvoll zu ihm hoch.

Tasso beugte sich zu ihr. Schnurrend rieb sie ihren Kopf an seiner nackten Hand. Seine Handschuhe hatte er in von Kotzians Auto vergessen. Er spürte willkommene Wärme auf seiner Haut. Es schien sich um ein freundliches Tier zu handeln. Tasso machte dennoch die *corna*, nur zur Sicherheit. Er hatte nicht gesehen, woher die Katze aufgetaucht war, und sie war schwarz.

»Kommst du mit?« Er erhob sich und ging zu dem Bauernhaus. Hinter den Scheiben im Erdgeschoss brannte Licht. Er klopfte und wartete. Dabei beobachtete er die Katze, die in seinen Fußstapfen umherhüpfte, da der Schnee zu hoch für sie war.

»Guten Abend. Bitte, Sie wünschen?«

»Guten Abend. Ihre Nachbarin meinte, Sie hätten vielleicht noch ein Bett für mich frei.«

»Ist alles belegt.«

Tasso nickte zermürbt. Er hatte sämtliche Unterkünfte abgeklappert und war zu müde, um weiterzusuchen. Jetzt blieb ihm nur der Gang zurück, wo er entweder im Auto übernachten oder sich vor Maras und Petras Zimmer in den Flur legen könnte. Oder das Hotel stellte ihm die Wäschekammer zur Verfügung. Alles, nur die Suite mit diesem Bonzen zu teilen, das war undenkbar. Wenn er Glück hatte, gaben die jungen Frauen ihm eine Decke ab.

»Dann nichts für ungut. Einen schönen Abend.«

Er wollte sich abwenden, als die Frau ihn zurückrief.

»Nur für diese Nacht? Sie allein? Ich habe noch eine Dachstube, da stehen drei Betten drin. Das ist eigentlich kein Zimmer, da übernachten im Spätsommer die Erntehelfer.«

»Das reicht mir.«

»Da zieht es. Aber ich kann Ihnen ein paar Wärmflaschen machen.«

Tasso gefroren die Worte auf den Lippen. Er brachte ein schwaches Nicken zustande. Die Wirtin hatte endlich ein Einsehen und ließ ihn ins Haus. Sie drückte ihm zwei Wolldecken in die Arme und schickte ihn eine Treppe hinauf bis ins oberste Stockwerk. Dort wurden die Stufen von einer breiten Leiter abgelöst, und er stand vor der Dachkammer. Schon in dem winzigen Flur – mehr ein Treppenabsatz –

hörte er, wie der Wind durch die Tür pfiff. Er öffnete sie, tastete, bis er einen Drehschalter fand und das Licht anging. Eine verlorene Glühbirne, die von der Decke baumelte. Es war kaum wärmer als draußen. Aber wenigstens trocken. Drei Betten samt Kissen und Federdecken standen im größtmöglichen Abstand voneinander in der Kammer. Sie waren mit Laken abgedeckt, auf denen sich eine Staubschicht gesammelt hatte. Tasso zog das Laken von einem Bett und fand säuberlich zusammengelegte Bettbezüge vor.

Er legte die Decken ab und bezog das Bett. Anschließend versuchte er, sich die Stiefel auszuziehen. Das Leder war steif gefroren. Leise fluchend zerrte er. »Und solche Leute wie diese von Kotzians tun sich das freiwillig an. Verrückt!«

Endlich stand er in langen Unterhosen und Hemd im Zimmer, als es an der Tür klopfte. »Ich bringe Ihnen zwei Wärmflaschen und eine Schale Suppe. Minestrone, ist ein italienisches Rezept. Gemüsesuppe. Sie sind Italiener, oder? Dann kennen Sie das sicherlich.«

Sie sind auch Italienerin, dachte Tasso, doch laut dankte er und wartete, bis die Schritte der Frau auf der Leiter verhallten. Erst dann holte er sich beides ins Zimmer. Die Wärme war beinahe unwirklich. Er aß im Sitzen auf dem Bett, die Decken über der Schulter, die Wärmflaschen an den Füßen. Danach löschte er das Licht und verkroch sich. Es war finster, denn das einzige Fenster war bis oben hin mit Schnee zugeweht. Mit Luxus hatte das hier nichts zu tun, aber es war gar nicht mal so unerträglich.

Er hatte kaum die Augen geschlossen, da hörte er klägliche Laute, wie von einem stimmschwachen Säugling. Er setzte sich auf. Das Wimmern kam näher.

Etwas flog auf ihn zu. Er zuckte zu Tode erschrocken zusammen. Es dauerte, bis er erkannte, dass es nur die kleine

Katze war, die aufs Oberbett gesprungen war. Er bekreuzigte sich, legte sich zitternd wieder hin und hob die Decke. Das Tierchen kroch darunter und rollte sich auf seiner Brust zusammen. Er spürte ein feines, regelmäßiges Beben. Sein Herzschlag beruhigte sich. Gerührt kraulte er ein Ohr, das erstaunlicherweise kalt war, im Gegensatz zum Rest der Katze, die sich wie eine dritte Wärmflasche an ihn gekuschelt hatte.

»Du merkst, dass ich Katzen mag, was, Kleines? Da, wo ich aufgewachsen bin, gab es ganze Rudel von Straßenkatzen. Wir haben sie gefüttert, meine Schwester und ich. Du hast ja keine Ahnung, wie gut es dir im Gegensatz zu denen geht.«

Seine Mutter hatte ihm und Aurora stets die Küchenabfälle überlassen, und zwar restlos alles. Es gab Tiere, die sogar Krautstrünke oder Kartoffelschalen fraßen. Wer Hunger hat, darf nicht wählerisch sein, das lernte Tasso viele Jahre später aus eigener bitterer Erfahrung. Vielleicht hatte er auch deshalb so ein Problem mit Kälte. Weil das Frieren Erinnerungen weckte, die er lieber vergessen wollte.

Er schloss die Augen. So schlimm war das alles gar nicht. Nur für ein paar herzhafte Knödel von Rosa Marthaler, für die gäbe er jetzt einiges. Wobei er satt war, die Minestrone war nicht übel gewesen. Also lieber einen süßen Knödel zum Nachtisch, mit Pflaumenmus oder Marillen. Noch weniger hätte er gegen die Gesellschaft der Wirtin einzuwenden. Die Unterhaltung mit ihr war trotz der widrigen Umstände sehr charmant gewesen. Ihm fiel ein, dass er davon ausgegangen war, dass er zu diesem Zeitpunkt längst aus Misurina zurück wäre und vorgehabt hatte, in der *Bunten Kuh* zu Abend zu essen. Jetzt blieben ihm nur ein paar köstliche Erinnerungen.

Die Katze streckte sich und schlief ein, wärmte ihn schnurrend. Schade, dass sie so klein war.

8. Kapitel, in dem Tasso von Mara am Donnerstag aufs Glatteis geführt wird

In strahlendem Sonnenschein marschierte Tasso am nächsten Morgen zurück zum Hotel Bellevue. Die Welt lag unter mindestens einem halben Meter Neuschnee und hatte sämtliche Konturen verloren. Alles wirkte friedlich, hell und weich. Die Luft war trocken, es schmerzte nur ein bisschen, wenn er zu tief einatmete. Tasso gestand sich widerwillig ein, dass ihm die Aussicht auf das winterliche Panorama ringsum gefiel. Er hatte nicht sonderlich gut geschlafen, erstaunlicherweise fühlte er sich dennoch wach und energiegeladen, wie ein um fünfzehn Jahre jüngeres Abbild seiner selbst.

Noch besser gefiel ihm der Anblick der Schnee- und Streufahrzeuge, die der weißen Pracht auf der Straße zu Leibe rückten. Sie sollten sich reichlich Zeit für eine Tasse Kaffee im Hotel nehmen, aber dann dürfte der Weg nach Cortina geräumt sein. Zur Sicherheit plante Tasso, bei der örtlichen Station der Carabinieri vorbeizusehen und sich einen Lagebericht geben zu lassen.

Als er auf den Parkplatz vor dem Hotel einbog, zischte ein Schneeball haarscharf an seinem Kopf vorbei. In der Ferne erkannte er Mara, die sich die Hände vors Gesicht schlug und anscheinend gerade am liebsten im Boden versunken wäre. Petra stand mit dem Rücken zu ihm und hatte ihn noch nicht bemerkt. Sie nutzte die Gelegenheit, ihre Freundin mit einer Salve Schneebälle einzudecken.

»So eine bist du also, Signorina Oberhöller?«, knurrte Tasso amüsiert. »Kannst du haben.«

Eine ganze Horde Schneefiguren stand auf dem Weg zum Hotel Spalier. Er ging hinter einem großen bärenartigen Wesen in Deckung und kratzte Schnee zusammen.

Mara konnte von ihrem Standpunkt aus nicht sehen, was er tat. Sie zögerte erst und näherte sich dann arglos. Kaum war sie auf Wurfweite heran, sprang er hervor und bombardierte sie. Sie kreischte auf, duckte sich und versuchte vergeblich auszuweichen. Dann trafen Tasso die nassen Wurfgeschosse von der Seite. Petra hatte ihn ins Visier genommen.

Doch er hatte hinter den Figuren eine ordentliche Deckung. Mühelos hielt er Schneeball um Schneeball die zweite Gegnerin auf Distanz. Aus den Augenwinkeln bemerkte er eine Gestalt, die sich hinter der Glastür vom Hotel näherte.

Er hob die Hände. »*Finito, basta!* Schluss jetzt!« Seine letzten Worte wurden von einem Schneeball erstickt, der ihm vor den Mund klatschte.

Er spuckte das nasse Zeug aus. »Kindsköpfe!«

»*Scusi,* Tasso.« Mara konnte sich das Lachen kaum verbeißen.

Er schüttelte tadelnd den Kopf.

Sie wischte sich nasse Flocken von den Schultern. »Ganz so schlimm scheinen Sie den Schnee doch nicht zu finden.«

Er blies die Backen auf und hauchte sich Atemluft in die rot gefrorenen Hände. »Ich wollte mich nur ein wenig abreagieren. Bevor wir wieder stundenlang bei Marschmusik ins Auto gepfercht werden.« Er fragte sich insgeheim selbst, was in ihn gefahren war. So etwas gehörte sich nicht, schon gar nicht mit diesen beiden jungen Frauen. Offenbar war ihm in der letzten Nacht doch ein Teil seines Verstandes eingefroren. Eine kleine Katze, ein paar Erinnerungen an seine Kindheit, und schon benahm er sich wie ein *bambino?*

»Geben Sie es zu, es hat Ihnen Spaß gemacht.«

Er antwortete nicht, sondern stapfte an Mara und Petra vorbei ins Hotel.

»Mein Vater war dabei, auszuchecken. Er müsste jeden Moment kommen«, rief Petra ihm nach.

Das hieß, kein Milchkaffee mehr. Wie schade. Immerhin hatte er heute Morgen von der Wirtin einen Schwarzen bekommen, dazu ein paar trockene Kekse und die entschuldigende Erklärung, dass sie kein Frühstück anbot. Wie sich herausstellte, war er der einzige Gast gewesen, so dass Tasso inzwischen daran zweifelte, ob es sich überhaupt um eine Pension handelte. Er hatte ihr ein paar Lire in bar in die Hand gedrückt und keine Rechnung erhalten. Die Summe, die sie verlangt hatte, war so lächerlich gering, dass er es nicht einmal als Steuerhinterziehung empfand. Für das Geld hätte er in Bozen oder Meran keinen Teller Minestrone bekommen.

Von Kotzian grüßte ihn gutgelaunt in der Hotellobby und ging dann sofort an ihm vorbei zum Auto.

Tasso ließ sich von dem Concierge des Hotels den Weg zur Carabinieri-Station erklären. Eine Viertelstunde später betrat er einen kahlen Büroraum, in dem eine elektrische Heizung vergeblich gegen die Kälte anschnaufte. Ein sehr junger und ein ziemlich betagter Mann mit grauer Mähne, beide in blau-weißen Uniformen, empfingen ihn mit neugierigen und leicht verwirrten Gesichtern, weshalb Tasso vermutete, dass diese Station nicht oft Besuch bekam.

Doch in dem Moment, da Tasso in die zerknirschte Miene des älteren Carabiniere blickte, kippte der Tag und damit Tassos Laune.

»Kein Durchkommen.« Der Grauhaarige hob bedauernd die Schultern.

»Wieso nicht? Die Straßen werden geräumt. Das kann doch nicht so lange dauern.«

»Nein, die Straßen sind spätestens in ein paar Stunden wieder frei. Also alle Straßen im Ort, ins Pustertal und Richtung Innichen. Aber durch die Lawine gestern Nachmittag ist die SS51 nach Cortina nach wie vor nicht passierbar.«

»Und die Abzweigung nach Misurina? Genau gesagt ist das nämlich unser Ziel.«

»Keine Chance. Das wird vermutlich noch länger dauern. Zurzeit könnten Sie Misurina nur aus dem Süden, aus Richtung Cortina erreichen.«

Tasso stützte sich schwer auf die Theke, die das mit Akten, Kisten und Papierstapeln überfüllte Büro der Beamten vom öffentlich zugänglichen Bereich abtrennte.

Der jüngere Carabiniere trat neben seinen älteren Kollegen. »Um was geht es denn? Ist es eine sehr wichtige Angelegenheit?«

»Ich ermittle in einem Mordfall. Commissario Tasso aus Bozen«, erklärte er matt. Er hatte sich bis dahin nicht offiziell vorgestellt. Das Verhältnis zwischen den beiden Polizeiorganen Italiens, den Carabinieri und der Polizia di Stato, war kompliziert. Einander überschneidende Kompetenzen und Machtgerangel waren an der Tagesordnung. Manchmal machte Tasso es sich bei Begegnungen mit der anderen Fraktion zunutze, dass er in Zivil ermittelte und ihm nicht anzusehen war, dass er der Staatspolizei angehörte.

Doch bei dem Wort *Mordfall* leuchteten die Augen des jungen Mannes auf. »Dann suchen Sie den Täter? Könnte er in Cortina sein? Ist Gefahr im Verzug?«

»Rocco, mach dich nicht lächerlich«, raunzte der Alte.

»Gefahr im … Eigentlich … Doch! Es ist absolut dringend notwendig, dass meine Assistentin und ich nach Misurina kommen. Wenigstens nach Cortina. Heute noch.« Nachdrücklich hieb Tasso mit der Faust auf die Theke und fragte sich in der gleichen Sekunde, ob er nicht etwas übertrieb. Der Ältere starrte ihn abweisend an, als könnte er ihn allein mit der Macht seines finsteren Blickes vertreiben.

Rocco dagegen salutierte zackig. »Dann bringen wir Sie dahin, Signor Commissario!«

Sein Kollege fuhr herum. »Wir werden nichts dergleichen tun, hast du mich verstanden?«

»Aber genau dafür haben Sie uns den Wagen doch überlassen.«

»Und was, wenn wir ihn dann für etwas wirklich Dringendes brauchen?«

»Was könnte dringender sein?«

»*Oddio*, Rocco!« Der Alte packte den Jüngeren und zog ihn mit einigen Seitenblicken auf Tasso in den hinteren Bereich des Büros. Eine Weile diskutierten sie leise. Tasso wartete und versuchte, sich in Geduld zu fassen. Er vermutete, dass es Rocco vor allem um einen Ausflug mit dem Geländefahrzeug ging. Falls dem so war, würde es sein Schaden nicht sein.

Dann winkte der Grauhaarige mit einer wütenden Geste ab und lief mit polternden Schritten bis zu einer Seitentür, die er aufstieß und hinter sich wieder zuknallte, dass im ganzen Raum die Scheiben erzitterten.

Rocco griff derweil in ein Fach und zog einen Bogen Papier heraus. Mit einem triumphierenden Grinsen kehrte er zurück an die Theke. Er legte das Blatt vor Tasso hin und wedelte mit einem Bund Autoschlüsseln.

»Wenn Sie mir das hier bitte ausfüllen würden, dann fahre

ich Sie nach Cortina. Von dort werden Sie schon weiterkommen. Wir haben extra für solche Zwecke einen zusätzlichen Fiat Campagnola zur Verfügung gestellt bekommen. Sind Sie schon mal einen gefahren? Ganz großartig, Allradantrieb, voll geländegängig. Die Straße ist mit so einem Fahrzeug und in Notfällen nämlich durchaus passierbar. Ich finde, das ist ein solcher Notfall. Wir können nur nicht riskieren, dass die dämlichen Touristen die ungesicherte Böschung hinunterpurzeln. Verstehen Sie, was ich meine?«

»Ich verstehe, dass Sie mich und meine Begleiterin nach Cortina fahren. Wo soll ich unterschreiben?«

Beschwingt zeichnete Tasso das Formular ab, ohne einen zweiten Blick darauf zu verschwenden. Ihm war soeben aufgefallen, dass sich das vermeintliche Pech in einen Glücksfall verwandelt hatte. Er und Mara würden am Lago di Misurina nicht nur wieder ihre Ermittlungen aufnehmen. Besser, in wenigen Minuten waren sie den verdammten Bonzen mit seinem Angeberauto los. Der Mercedes war unbestreitbar eine Schönheit, aber gegen einen geländegängigen Fiat hatte er eben keine Chance.

Wenig später stiegen Tasso und Mara in das Militärfahrzeug und winkten von Kotzian zum Abschied. Der schien sich nicht entscheiden zu können, ob er enttäuscht oder wütend sein sollte. Vermutlich dachte er außerdem verzweifelt darüber nach, wie er die Schneeketten von seinen Reifen bekam, ohne sich die Finger schmutzig zu machen. Waren die Straßen erst einmal geräumt, war es verboten, damit zu fahren. Spätestens auf den Straßen in Meran, vermutlich schon im Eisacktal, würde das der Fall sein.

»Warum lächeln Sie so fröhlich, Tasso?«, raunte Mara ihm hinter ihrem Schal zu, den sie bis über die Nase gezogen hatte. Der Nachteil des geländegängigen Fiats war, dass sie im Inneren weder besonders warm noch windgeschützt saßen.

»Ich habe mich gerade gefragt, ob von Kotzian einen freundlichen Tankwart findet, der ihm die Schneeketten abmontiert.«

»Der soll nicht so herummäkeln.« Sie verdrehte die Augen. »Petra hat gestern Abend, bis wir auf dem Zimmer waren, kein Wort mehr gesagt. Wenn ich mir vorstelle, ich würde in solcher Angst vor meinem Vater oder Großvater leben ...« Sie atmete tief durch.

Die Gesellschaft von Kotzians war ihr demnach auch nicht angenehm. Er hielt es für klüger, nichts weiter dazu zu sagen. Nicht dass Mara am Ende dachte, sie beide hätten etwas gemeinsam.

»Wenn ich geahnt hätte, dass der Kerl einem allein durch sein selbstherrliches Gerede den Abend versauen kann, wäre ich mit Freuden mit Ihnen gekommen. Lieber hätte ich in einer einfachen Pension übernachtet.«

»Glauben Sie mir, Mara, hätten Sie nicht. Ich bin mit zentimeterdicken Eisblumen auf der Fensterscheibe aufgewacht.«

»Sie übertreiben.«

»Keineswegs.«

»Festhalten, jetzt!«, rief Rocco von vorn.

Der Fiat rumpelte und hoppelte wie ein widerspenstiger Bollerwagen vorwärts. Erwartungsvoll sahen Tasso und Mara aus den Seitenfenstern.

»Also das habe ich mir spektakulärer vorgestellt, wenn ich ehrlich sein soll«, murmelte Mara bei sich.

Tasso gab ihr recht. Im Grunde sah es harmlos aus: Ein Steilhang war samt Bäumen und einigen Felsbrocken wie sämiger Knödelteig auf die Straße gerutscht. Eine Böschung, die unachtsame Touristen laut Rocco hätten hinabstürzen können, gab es gar nicht. Dennoch wäre mit einem normalen Auto kein Durchkommen gewesen.

An den Straßenrändern parkten Militärfahrzeuge, ein Bagger sowie ein dreirädriger Moto Guzzi Mulo, ein bergtaugliches Motorrad. Männer in den Uniformen der Alpini und Bauern mit Schaufeln standen herum oder arbeiteten, legten Felsbrocken und Baumstämme frei und zogen sie mithilfe von Seilen auf die Ladeflächen von Lastwagen. Zwei weitere Bagger schaufelten Eisbrocken, Steine und Dreck von der Straße. Ein Mann mit einer Kelle wollte Rocco erst zur Seite winken, erkannte dann aber seine Uniform und winkte ihn durch. Im Schritttempo fuhren sie um eine Haarnadelkurve. Geradeaus führte der Blick ins Nichts. Mit einem Flattern im Magen schielte Tasso die Böschung linker Hand hinab. Er hatte sich geirrt, dort ging es steil abwärts. Doch der Fiat pflügte stoisch durch das Geröll, verlor nicht ein Mal die Spur. Und dann hatten sie die Unglücksstelle passiert. Sie verließen das Waldstück und kamen endlich schneller voran. In der Ferne zogen dunkle Schneewolken am Himmel auf.

Schlag Mittag setzte Rocco sie nahe dem Marktplatz von Cortina ab und erklärte ihnen, wo sie einen Taxistand fänden. Um dreizehn Uhr, genau dreiundzwanzig Stunden nach ihrem Aufbruch zu einer Fahrt, die im Normalfall zwei Stunden gedauert hätte, stiegen sie endlich vor dem Grand Hotel Misurina aus und sahen sich um.

Tasso war durchgefroren und mürrisch, hatte keinen Blick für die Kulisse, von der Mara in atemlosen »Oh!« und »Ah!« und »Schauen Sie mal!« schwärmte. Er hielt schnurstracks auf den Eingang des Hotels zu und sammelte sich einen Moment lang, um seine Abneigung gegen den nächsten Nobelschuppen in den Griff zu bekommen. Dann betrat er schwungvoll das Foyer.

Ein dicker dunkelroter Teppich schien jegliches Geräusch zu verschlucken. Überflüssig zu bemerken, dass diese Lobby wie die der anderen Hotels, die er in den letzten Tagen betreten hatte, nicht mit weihnachtlicher Dekoration geizte. Tasso ignorierte das ganze bunte Zeug an den Tannen- und Kiefernzweigen. Er hielt auf den Empfangstresen zu, hinter dem eine Frau, um die fünfzig Jahre alt, Papiere sortierte. Als er nahe genug war, blickte die in eine schwarze Uniform gekleidete Dame auf und begrüßte ihn mit einem strahlenden Lächeln. Ein silberfarbenes Schild an ihrer Brust verriet ihren Namen: *Marta Alfonso*.

Tasso hielt sich nicht mit Höflichkeiten auf, sondern zückte direkt seinen Dienstausweis. »*Buongiorno*, Signora Alfonso. Ich ermittle in einem Mordfall in einem Hotel in Meran. Es gibt Grund zu der Annahme, dass der oder die Täter sich hier in der Gegend, vielleicht sogar in Ihrem Haus, aufgehalten haben. Dürfen wir Ihnen einige Fragen stellen?«

»Selbstverständlich«, stotterte die Empfangsdame überrumpelt. »Darf ich Ihnen etwas zu trinken anbieten, bevor Sie anfangen? *Caffè?* Einen Veneziano?«

»Sehr gern einen Milchkaffee, danke.«

Marta Alfonso nickte und bat Tasso, in einer Sitzecke unweit des Tresens Platz zu nehmen. Er setzte sich und entdeckte von einem Raumtrenner verborgen einen Gepäckwagen. Hier warteten vermutlich normalerweise die Gäste, um einzuchecken.

Erst jetzt fiel ihm auf, dass Mara zwischen dem Empfangsbereich und dem Aufzug stehen geblieben und völlig in den Anblick eines Gemäldes versunken war. Aus der Ferne schien das Bild denen zu ähneln, die Carlo Colori nachgeahmt hatte. Dieses hier war nur nicht so düster, sondern überwiegend in Blau- und Türkistönen gehalten.

»Mara?«

Keine Reaktion.

»Signorina Oberhöller!«

Erschrocken zuckte sie zusammen. Ihr Kopf flog herum, zugleich zeigte sie aufgeregt auf das Bild. »Das ist ein echter, es sieht zumindest aus wie ein echter ...«

»Es handelt sich um das Werk *Tavola Strozzi* und wird Francesco Rosselli zugeschrieben«, erklärte Marta Alfonso. Sie brachte ein Tablett mit einem Milchkaffee und einem Espresso, einer Zuckerschale sowie zwei Wassergläsern und servierte es Tasso auf dem niedrigen Tisch.

Sie lächelte stolz. »Und ja, es handelt sich um ein Original, Signorina. Leider ist es nur eine Leihgabe für ein Jahr, während das Museum restauriert wird, in dem es üblicherweise ausgestellt ist. Unser Direktor ist ein enthusiastischer Förderer der Kunst und hat einen ordentlichen Betrag dafür hingeblättert, dass das Bild hier hängen darf.«

Mara schaute mehrmals zurück, bevor sie zögerlich zu ihnen kam. Tasso sah ihr an, wie schwer es ihr fiel, nicht sofort ihre Leica aus der Tasche zu holen und Fotos zu schießen – zumindest nahm er an, dass sie die Kamera dabeihatte. Alles andere würde ihn wundern.

Das Gespräch mit der Empfangsdame erwies sich als so angenehm, wie es fruchtlos war. Marta Alfonso erinnerte sich weder an Carlo Colori noch an Männer, auf die die Beschreibung passte. Tasso hatte so präzise wie möglich wiedergegeben, was er am Vortag mitangehört hatte, als Rosa Marthaler die Fragen des polizeilichen Zeichners beantwortet hatte. Das Foto aus Coloris Führerschein hatte Tasso vorsorglich kopiert. Er zeigte es der Empfangsdame, vergeblich. Darüber hinaus fiel ihr auch nichts ein, was ihr in den letzten Monaten verdächtig vorgekommen wäre. Das Hotel beherbergte im Sommer überwiegend Gäste aus dem Süden, die sich an der Schönheit der Dolomitengipfel erfreuten. Gut betuchte Geschäftsleute und manche Prominente gingen hier ein und aus, daran war nichts Außergewöhnliches.

Nach dem Gespräch holte Marta Alfonso auf Tassos Wunsch verschiedene Angestellte hinzu. Sie sprachen mit dem Oberkellner, der Hausdame und einem Zimmermädchen, das ganzjährig im Haus tätig war. Niemand konnte etwas Hilfreiches beitragen oder erkannte Colori wieder.

Tasso und Mara schwiegen sich ratlos an. Marta Alfonso verabschiedete sich, um sich neu ankommenden Gästen zu widmen.

»Wonach suchen wir eigentlich?«, wagte Mara zu fragen.

»Ich weiß es nicht«, gab Tasso zu. »Es war ein Schuss ins Blaue. Die Männer haben den Misurinasee erwähnt, und wir haben Carlo Colori in einem Hotel gleichwertiger Kategorie gefunden. Es erschien mir naheliegend, hier im Grand Hotel mit den Fragen zu beginnen. Als Nächstes müssen wir unsere Nachforschungen auf die anderen Hotels hier am See ausweiten.«

»Das wird ja eine Suche nach der Nadel im Heuhaufen.«

Er lächelte gequält. »Was haben Sie erwartet? Aufregende Verfolgungsjagden und Schießereien? So wie in einem amerikanischen Film?«

»Keineswegs. Nur erscheinen Sie mir gerade so … mutlos.«

Tasso brummte nur. Planlos hätte es besser getroffen. Er hatte nicht die geringste Idee, wie er weiter vorgehen sollte. Dieser ganze Ausflug zum Lago di Misurina war eine

Schnapsidee gewesen. Sie waren nicht nur keinen Schritt vorwärtsgekommen, sondern hatten stattdessen gehörig Zeit vergeudet.

Mara packte ihre Kamera aus. »Ziehen Sie nicht so ein Gesicht. Ich glaube, dass wir auf der richtigen Spur sind.«

»Was veranlasst Sie zu dieser Vermutung?«

»Na, das Bild! Kommen Sie. Zugegeben, es ist kein flämischer Maler, aber die Epoche, der Stil, das ist alles ähnlich. Und es gab ja Verbindungen zwischen den damaligen Künstlern, sie haben sich gegenseitig beeinflusst.«

»Wenn Sie es sagen.«

Tasso folgte Mara, die damit begann, das Bild aus verschiedenen Blickwinkeln zu fotografieren. Die Empfangsdame beäugte sie zunächst skeptisch vom Tresen aus. Nachdem sie erkannt hatte, dass die beiden keinen Schaden anrichteten, wandte sie sich wieder ihren Gästen zu.

Tasso stellte sich in einem Abstand von etwa zwei Metern vor das Bild und ließ es auf sich wirken. Es hing geschützt hinter einer Glasscheibe, wie er erst jetzt feststellte. Es war keine Heiligenszene, sondern die Ansicht des Hafens von Neapel mit der trutzigen Hafenburg und dem Castel Sant'Elmo auf dem Hügel dahinter. Die Häuser der Stadt waren detailreich ausgearbeitet. Auf dem türkisfarbenen Wasser tummelten sich unzählige Boote. Wie auf den Bildern in Carlo Coloris Atelier, vielmehr den originalen Vorlagen, wimmelte es vor Einzelheiten. Tasso erkannte bei der Farbgebung und dem Stil gewisse Übereinstimmungen, ganz wie Mara gesagt hatte. Aber wenn er ehrlich war, musste er ihr einfach glauben und darauf hoffen, dass es den Tatsachen entsprach. Falls diese Bilder nämlich im Gegenteil rein gar nichts miteinander zu tun hatten, stünden sie beide wie Trottel da. Was ihn betraf, fand er das eine so denkbar wie das andere. Ölfarbe auf Leinwand, Landschaft, viele kleine Szenen – das war alles, was er sah. Und alt, ja, die Gemälde wirkten alt. Aber das traf auch auf die nachgeahmten Werke in Coloris Atelier zu, und von denen wusste er, dass sie vor nicht allzu langer Zeit gemalt worden waren. Tasso hatte sogar die Farbe gerochen. Was nur bewies, dass er sich am besten zurückhielt, wenn es um eine kunsthistorische Einschätzung ging.

»Nehmen wir an, es stimmt, was Sie sagen, Mara«, sagte er laut. »Dieses Bild ist wie die anderen.«

»Ist es. Das hier ist ein italienischer Künstler und kein Niederländer, aber es ist dieselbe Epoche, derselbe künstlerische Einfluss. Außerdem haben wir im Atelier nicht alle Bilder durchgesehen. Vielleicht sollten wir das nachholen?«

»Schadet nicht.« Beim Gedanken an diese eiskalte Künstlerwerkstatt überlief Tasso ein Frösteln.

Aber hatten die Bilder überhaupt etwas mit dem Mord an Colori zu tun? Oder rannten sie in die völlig falsche Richtung? Am Ende war es die Vorliebe des Malers für maßgeschneiderte Anzüge und Hemden.

Tasso stierte auf das Bild, auf die winzigen Gestalten, die an der Hafenmole standen, und versuchte, seine Gedanken zu sortieren. Es gelang ihm nicht. Wenn er aufrichtig zu sich war, half jetzt nur zu beten, dass Dottore Agnelli im Labor etwas fand, das ihn weiterbrachte.

»Signore, verzeihen Sie, ich möchte Sie nicht bei Ihrer Arbeit unterbrechen.« Marta Alfonso tauchte neben ihm auf. »Möchten Sie beide vielleicht ein spätes Mittagessen einnehmen? Auf Kosten des Hauses, versteht sich.«

Tasso tauschte mit Mara einen Blick. Sie flehte ihn wortlos an, zuzusagen. Das wäre gar nicht nötig gewesen. Außer den Keksen in der Pension hatte er den ganzen Tag nichts gegessen.

»Sehr gern, Signora, das wissen wir sehr zu schätzen. Würden Sie uns dann für fünfzehn Uhr ein Taxi bestellen? Wir müssen allmählich aufbrechen, wenn wir rechtzeitig vor der Dunkelheit wieder in Meran sein wollen.«

»Selbstverständlich. Nehmen Sie dort drüben im Speisesaal Platz.«

***

Wären nicht die vortrefflichen Spaghetti allo Scoglio mit den frischen Venusmuscheln und Scampi gewesen, hätte Tasso vielleicht einen Wutanfall bekommen. Er spürte, wie es in seiner Brust schwelte, gleich einem Vulkan kurz vor dem Ausbruch. Sogar Maras Miene verzog sich zum ersten Mal, seit sie ihn begleitete, zu einer genervten Grimasse.

Dank der reichlichen Portion Nudeln, gefolgt von einem frisch zubereiteten *tiramisù* mit einer zarten Mokkanote, fühlte er sich nur müde. Träge und besiegt.

»Bitte sagen Sie das noch einmal, Signora Alfonso«, bat er die Empfangsdame, die mit auf dem Rücken gefalteten Händen und zerknirschter Miene vor dem Tisch stand, von dem gerade erst die Dessertschüsseln abgeräumt worden waren.

»Laut dem Straßenbericht ist der Weg durch die Dolomiten über das Grödnertal immer noch aufgrund starken Schneefalls gesperrt. Die Aufräumarbeiten wegen der Lawine auf der SS51 dauern an. Mir wurde gesagt, dass ich Ihnen dringend raten soll, bis morgen zu warten.«

Hilflos hob Tasso den Löffel und stach damit in die Luft. »Was ist mit der Strecke durchs Fassatal? Irgendwo muss es ein Durchkommen geben.«

»Bedaure. Der Taxifahrer meinte, er könne sie bis Arabba

bringen. Entweder finden Sie dort eine weitere Mitfahrgelegenheit oder Sie übernachten dort. Er selbst wollte es nicht riskieren, den Rückweg nicht mehr zu schaffen, bevor es dunkel wird oder anfängt zu schneien. Oder beides.«

Tasso ließ den Löffel fallen. »Das kann doch nicht wahr sein!« Er warf Mara einen gequälten Blick zu. »Verstehen Sie jetzt, was ich gegen Schnee habe? Und die Tatsache, dass die Berge einem ständig im Weg stehen?«

Sie schüttelte erschöpft den Kopf. »So etwas habe ich auch schon lange nicht mehr erlebt.« Sie wandte sich an Signora Alfonso. »Haben Sie noch Zimmer frei?«

»Wozu?«, herrschte Tasso sie an.

Marta Alfonso ignorierte ihn. »Ich kann Ihnen zwei winzige Kammern im Angestelltentrakt anbieten. So wie ich das einschätze, wird dies auch das Beste an Unterkunft sein, das Sie bekommen können. Hier rund um den See und in Cortina ist alles seit Wochen ausgebucht. Die Italiener aus dem Süden kommen gern zum Wintersport hierher, besonders seit in Südtirol ... Na, Sie wissen schon.«

»Terroristische Anschläge auf die Infrastruktur die Touristen verunsichern«, vollendete Mara spitz. »Ich bin im Bilde. Ich versichere Ihnen, dass ich nicht mit den Separatisten sympathisiere.«

»Mara, *basta!*«

»Schon, gut, Commissario Tasso.« Marta Alfonso zwinkerte. »Die Ampezzaner haben zwar immer schon Italienisch gesprochen, doch sie waren bis zum Großen Krieg kaisertreu bis in die Haarspitzen. Mir ist das gleich, aber ich kenne genug, die sagen, dass früher unter Kaiser Franz alles besser gewesen wäre. Das wird weiter im Norden nicht anders sein. Ich lasse Ihnen die Zimmer herrichten.« Mit diesen Worten wandte sie sich ab.

»Was war das denn? Was meint die damit?« Mara schaute ratlos zu Tasso.

»Wenn Sie es nicht erklären können? Ich bin mit der Geschichte dieser gesamten Alpenregion weitaus weniger vertraut als Sie. Wir befinden uns im Veneto, Provinz Belluno, so viel weiß ich.«

»Wissen Sie was? Wir sollten uns Schlittschuhe besorgen und Eislaufen gehen!«

»Wie bitte?« Tasso war von diesem plötzlichen Themenwechsel völlig überrumpelt. Wobei er ihr zugleich dankbar war, die politisch heiklen Zusammenhänge nicht vertiefen zu müssen.

»Was sollen wir denn sonst hier tun? Bis morgen früh herumsitzen und an die Decke starren?«

»Wir könnten in den benachbarten Hotels nach unseren Verdächtigen suchen.«

»Meinetwegen tun Sie das. So, wie Sie vorhin reagiert haben, bekam ich den Eindruck, dass Sie keinen Sinn darin sehen.« Sie zwinkerte ihm verschwörerisch zu. »Ich habe darüber hinaus allmählich das Gefühl, dass wir nur hier sind, weil Sie keine andere Spur haben, die Sie verfolgen können. Sie befinden sich in einer Sackgasse.«

»Jetzt halten Sie mal die Luft an, *raggazzina*. Sie machen sich keine Vorstellung, was ich …«

»Ein bisschen Bewegung an der frischen Luft wird uns guttun. Das macht den Kopf frei. Sie werden sehen. Kommen Sie. Solange es noch hell genug ist. Morgen ist der kürzeste Tag des Jahres.«

»Ich kann überhaupt nicht Schlittschuh laufen!«

»Dann lernen Sie es eben. Seien Sie mal etwas spontan, so wie heute Morgen, als wir uns mit Schneebällen beworfen haben.«

Ja, das war ein Riesenfehler gewesen. Er hatte nicht nachgedacht, und prompt hatte diese junge Signorina jeglichen Respekt vor ihm verloren. Das hatte er davon.

Sie war aufgesprungen, jetzt packte sie ihn sogar am Arm und zupfte. »Wo bleibt Ihr Abenteuergeist?«

Seufzend ließ er sich mitziehen.

Zu seiner eigenen Verwunderung stand er etwas später auf dünnen Kufen mitten auf dem zugefrorenen Lago di Misurina. Vorsichtig, um bloß nicht das Gleichgewicht zu verlieren, schaute er sich um. Nachdem er eine Weile unter Maras Anleitung am Rand auf und ab gefahren war, hatte er sich ein wenig weiter hinaus auf die Eisfläche gewagt. Mara umkreiste ihn in großen Bögen.

Er gab es ungern zu, aber sie hatte in jeglicher Hinsicht recht behalten. Die Bewegung hatte gutgetan. Ihm war sogar einigermaßen warm. Und das Schlittschuhlaufen war wirklich kein Hexenwerk. Er musste ja nicht gleich einen doppelten Rittberger hinlegen. Und die Menschen um ihn herum stellten sich längst nicht alle geschickt an; zu fallen schien dazuzugehören. Familien, Paare, ganze Gruppen, die um die Wette liefen, einige Jugendliche, die am Rand Eishockey spielten – Hauptsache, es machte Spaß.

»Wie gefällt es Ihnen?« Mara fuhr mit einem eleganten Schlenker auf ihn zu. Vor ihrem Mund stieg der Atem in weißen Wölkchen auf. Sie strahlte voller Begeisterung und Lebenslust über das gesamte Gesicht, die Wangen rot von der Kälte.

Tasso reckte das Kinn und fuhr mit langen, vorsichtigen Zügen an. Wenn er nicht aufpasste, gewann er zu schnell an Geschwindigkeit und dann landete er mit dem Hintern auf dem Eis. Wenigstens war es mehr ein Rutschen als ein Fallen und hatte bisher kaum wehgetan.

Mara glitt mühelos neben ihm her. »Ist das nicht ein Traum? Vor dieser Kulisse? Ich weiß, Sie ärgern sich über die Berge, und ich würde heute Abend auch lieber im eigenen Bett schlafen, doch der Ausblick von hier ist wundervoll, oder nicht? Warten Sie. Bevor Sie etwas Falsches sagen, sagen Sie lieber gar nichts.«

Er lachte hilflos und ruderte kurz mit den Armen, weil er aus dem Takt geraten war. »Nein, Sie haben schon recht. Ist recht hübsch hier.« Er versuchte, sich an die Namen der Gipfel zu erinnern, die sie ihm genannt hatte. Das rechts von ihm musste der Monte Cristallo sein, und jetzt glitt er gerade auf die Sorapiss-Gruppe zu.

Sie hatten ordentlich Fahrt aufgenommen und näherten sich dem südlichen Ufer, an dem sich ein ehemaliges Grand Hotel erhob, das hübsch anzusehen, aber nicht mehr in Betrieb war. Wie wurde das Gebäude heutzutage genutzt? Mara hatte es vorhin erwähnt.

»Bremsen!«

Der Ruf weckte Tasso aus der Versunkenheit, mit der er dieses mühelose Dahingleiten genossen hatte.

»Bremsen, Tasso!«

Dieser blöde See war doch kleiner, als er von der Straße aus wirkte. Bremsen, gut und schön, aber wie?

»Tasso, da ist nicht geräumt. Fallen lassen! Lassen Sie sich fallen! Unter dem Schnee könnten Felsen sein!«

Fallen lassen? Freiwillig? Nein, sie hatte ihm erklärt, er solle einen Fuß quer stellen und hinter sich herschleifen. Er versuchte es. Doch er hatte zu viel Schwung, und die Bewegung riss ihn herum. Wie eine willenlose Puppe vollführte sein Körper von selbst eine Drehung, die Tasso vollends aus dem Gleichgewicht brachte. Er rauschte mitten zwischen mannshohe Schneehügel und krachte bäuchlings aufs Eis.

Einen entsetzlichen Augenblick lang hörte er es unter sich knirschen und ächzen. Die Eisdecke schien zu schwanken, doch sie hielt. Er blieb einige Atemzüge lang liegen, spuckte Schneeklumpen aus und wartete darauf, dass der Schwindel nachließ. Schwarze Punkte flimmerten vor seinen Augen.

Maras Schlittschuhkufen fauchten durchs Eis. Mit einem sanften Schwung blieb sie auf dem Punkt vor ihm stehen. Angeberin. Sie stützte die Hände auf die Knie und beugte sich zu ihm. »Geht es Ihnen gut?«

Es wäre ihm lieber gewesen, sie wäre nicht so schnell gefolgt. Verzweifelt dachte er darüber nach, wie er wieder auf die Füße kam, ohne dabei wie ein Käfer zu zappeln, der auf den Rücken gefallen war.

»Jetzt sagen Sie doch was! Tasso, Sie haben ja Blut an der Stirn.«

Er wischte sich über die Schläfe. Tatsächlich. »Nur ein Kratzer, nicht der Rede wert.« Er rappelte sich auf die Ellbogen und versuchte, die Knie unter den Körper zu ziehen. Sein Blick fiel auf die glitzernde Eisfläche. Reste von Wasserpflanzen ragten aus der Eisdecke. Darunter war der Seegrund zu sehen. Ein Stein hatte eine erstaunliche Form, wie ein menschlicher Kopf.

Er kam auf alle viere und kreiste mit den Schultern, bis es knackte. Mara näherte sich unschlüssig. Sie schien nicht recht zu wissen, wie sie ihm aufhelfen sollte. Tasso starrte abermals auf diesen merkwürdigen Stein. Dann glaubte er, eine metallene Reflexion zu sehen. Unter dem Eis? Er blieb auf den Knien, wischte den Schnee von der Oberfläche. Stockte. Wischte weiter.

»Tasso, ich bitte Sie, stehen Sie auf. Sie sind ganz blass. Ich bringe Sie zu einem Arzt. Kommen Sie.«

Er beachtete Mara nicht, sondern räumte weiter den

Schnee zur Seite. Immer wieder wanderte sein Blick zu dieser Stelle unter dem Eis.

Das durfte nicht wahr sein. Er irrte sich. Er hatte sich beim Fallen den Kopf gestoßen, das war Einbildung.

»Tasso, was … Heilige Mutter Gottes!« Maras Stimme versagte.

Er setzte sich aufrecht hin und bekreuzigte sich. Unter dem Eis starrte ihnen mit weit aufgerissenem Mund und Augen ein Mann entgegen.

9. Kapitel, in dem Tasso dafür sorgt, dass ein verschwundener Nachtportier wiederauftau(ch)t

Das alles konnte nur ein böser Traum sein. Tasso umklammerte den Becher mit heißer Milch und stierte in das Kaminfeuer zu seinen Füßen. Er trug wieder seine normalen Winterstiefel. Die Wärme und das leise Knacken der Holzscheite wirkten einschläfernd. Oder nein, er schlief noch, er stellte sich dieses prasselnde Kaminfeuer nur vor. Sicherlich müsste er nur einmal ganz bewusst die Augen aufmachen, und dann würde er feststellen, dass er hier vor dem Kamin, trotz des starken Espressos, eingeschlafen war. Heiße Milch mit Honig war demnach wirkungsvoller als Koffein. Zumindest in seinem Fall. Er war also in einen kurzen Schlummer gefallen und hatte von einem Mann geträumt, der ihn durch eine Eisdecke angesehen hatte. Allein die Idee war absurd. Warum sollte er sich auf einem zugefrorenen See befinden, er konnte nicht einmal Schlittschuh laufen.

»Pst, Signor Commissario.« Jemand zupfte an seinem rechten Arm.

Beinahe hätte er vor Schreck die Milch verschüttet. Die Wolldecke rutschte ihm von den Schultern. Hinter seinem hochlehnigen Sessel hüstelte jemand. Rasch setzte er sich auf und schaute sich in dem gemütlichen Kaminzimmer um.

Ein kleiner Mann in einem teuer aussehenden schwarzen Anzug stand hinter dem Sessel und blickte ihn erwartungsvoll an.

Tasso räusperte sich mehrfach, stellte den Becher auf einem verchromten Beistelltisch ab und wollte sich erheben. Da machte der Mann einen Satz auf ihn zu und wedelte abwehrend mit den Händen. »Bitte bleiben Sie sitzen, Signor Commissario. Mit Verlaub, Sie sehen mitgenommen aus. Ich bedauere den Vorfall zutiefst, bitte nehmen Sie meine aufrichtige Entschuldigung an.«

Tasso setzte an, um zu widersprechen, doch er hatte immer noch weiche Knie, daher nickte er nur. Er fragte sich, warum der Mann sich so ins Zeug legte. Er konnte weder etwas dafür, dass jemand im See einen Toten entsorgt hatte, noch dass ausgerechnet Tasso darüberstolperte – besser gesagt ausrutschte. Er und Mara Oberhöller waren genommen nicht einmal Gäste des Hotels.

Der Mann fuhr sich mit den Daumen übers Revers des Jacketts und wippte auf den Fersen. »Mein Name ist Filipe Donatelli, ich bin der Direktor des Hauses. Bitte bleiben Sie beide hier sitzen. Wir werden alles tun, damit es Ihnen wieder besser geht.«

»Bemühen Sie sich nicht, Direttore, das ist nicht meine erste Leiche. Ich bin als Ermittler in einem Mordfall hergekommen.« Wobei er sich eingestehen musste, dass der Anblick ihn zutiefst verstört hatte. Denn eine wahnsinnige Sekunde lang hatte er gedacht, dass der Mann unter dem Eis noch lebte. Vielleicht lag es daran, dass der Körper sich im Wasser befand und eine Strömung ihn bewegt hatte. Wahrscheinlicher hatte es sich jedoch um eine optische Täuschung gehandelt. Jedenfalls wurde Tasso dahingehend eines Besseren belehrt, dass der Moment, in dem Bruno unmittelbar neben ihm auf einen Blindgänger trat, der ihm das Bein abriss, nicht der schlimmste in seinem Leben gewesen war. Es gab Steigerungspotenzial. Oder er wurde sensibler.

»Wer ist der Mann? Wie kam er dorthin? Was wissen Sie über ihn?«, hörte er seine Stimme von selbst fragen. Zu seiner Verwunderung bekam er keine Antwort. Vielmehr wandte Filipe Donatelli sich Richtung Kamin und schaute dem Flammenspiel zu.

Gerade als Tasso ansetzen wollte, die Fragen zu wiederholen, atmete der Direttore tief durch. Er schien sich sammeln zu müssen. Tasso entschied, ihm noch etwas Zeit zu geben, und nutzte die Gelegenheit, sich Mara zuzuwenden. Sie hockte mit angezogenen Knien in mehrere Lagen Wolldecken gepackt auf einem weiteren Sessel rechts von ihm. Sie wirkte verloren, in sich gekehrt.

Santo Pietro, sah sie blass aus. Ob er den gleichen gespenstischen Eindruck machte? Falls ja, war es kein Wunder, dass sie beide so umsorgt wurden.

»Der Mann, den Sie da unter dem Eis gefunden haben, ist kein Unbekannter«, setzte Filipe Donatelli plötzlich zu sprechen an. »Es handelt sich um Marcello Villabona, unseren ehemaligen Nachtportier. Er verschwand Mitte Oktober mit dem gesamten Inhalt unseres Tresors. Ihre Kollegen aus Belluno haben in der Angelegenheit über viele Wochen ermittelt. Inzwischen war ich schon davon ausgegangen, dass sich die Sache nicht mehr aufklärt.« Er lächelte gequält. »Nun, der Nachtportier ist wiederaufgetaucht. Ich habe allerdings große Zweifel, dass er unser Geld und den Schmuck der Gäste noch bei sich hat.«

Tasso war mit jedem Satz ein wenig näher an die Kante des Sessels gerutscht. »Was sagen Sie da? Als ich Ihre Angestellte, Signora Alfonso vorhin gefragt habe, ob sie sich an einen außergewöhnlichen Vorfall erinnern kann, da hat sie das mit keinem Wort erwähnt!«

Der Direttore faltete reumütig die Hände. »Wir werden

nicht oft ausgeraubt, wenn Sie das meinen. Unsere Nachtportiers neigen auch nicht dazu, zu verschwinden. Und das ist alles schon ein Weilchen her.«

Tasso fühlte tiefe Erschöpfung wie eine Woge über sich hinwegschwappen. Am liebsten wäre er aufgesprungen und hätte sein Gegenüber kräftig durchgeschüttelt, damit der ihm alles erzählte. Da waren die stundenlangen Autofahrten, die Nacht in der Dachkammer, in der er vor Kälte kaum geschlafen hatte. Hinzu kamen die ungewohnten Bewegungsabläufe beim Schlittschuhlaufen – immerhin hatten er und Mara fast zwei Stunden auf dem Eis verbracht, bis der Spaß sein jähes Ende fand. Das alles forderte jetzt seinen Tribut.

»Bitte, Direttore Donatelli, erzählen Sie mir von dieser Sache. Ich mache Signora Alfonso keinen Vorwurf, sie war sehr bemüht. Jetzt muss ich aber alles wissen. Können wir das Zimmer des Nachtportiers sehen? Wissen Sie, wer die Ermittlung leitet? Questura Belluno, sagten Sie? Ist das weit?«

Filipe Donatelli schien erleichtert zu sein, dass er endlich eine Möglichkeit bekam, Tasso zufriedenzustellen. »Warten Sie, ich hole die Personalakte. Bin sofort zurück. Noch etwas heiße Milch?«

»Lieber einen *caffè*. Noch besser einen *doppio*.«

»Doppelter Espresso, bringe ich mit. Für Sie, Signorina?«

»Danke, nichts.«

»Es dauert nicht lange.«

»Was haben Sie vor, Tasso? Was hat das mit unserem Mord in Meran zu tun?«, fragte Mara. Sie war immer noch unfassbar blass.

Er lehnte sich zurück und trank die inzwischen nur noch lauwarme Milch aus. »Vielleicht nichts. Aber wir haben zwei tote Männer, beide in Luxushotels. Der eine hat alte Bilder nachgemalt, und im Hotel des anderen hängt ein altes Bild von derselben Machart, wie Sie sagten. Das mag alles ein blöder Zufall sein, aber bevor wir nicht mehr über diesen Nachtportier wissen, können wir nicht ausschließen, dass es einen Zusammenhang gibt. Wenn dieser Marcello Villabona eines gewaltsamen Todes gestorben ist, werden wir uns das hier ganz genau ansehen. Dann werde ich auch alles daransetzen, dass Dottore Agnelli die Leiche zu sehen bekommt und sein fachliches Urteil abgeben kann.« Das würde nicht leicht werden: verschiedene Provinzen, verschiedene Zuständigkeiten. Die italienische Bürokratie war diesbezüglich ein Monster. Wenigstens hatten in diesem Hotel nicht die Carabinieri ermittelt. Dann wäre die Hoffnung auf eine Kooperation aussichtslos. Mit der Polizia di Stato ließ sich arbeiten. Hoffte er.

»So, da bin ich wieder.« Filipe Donatelli eilte im Laufschritt herbei, eine braune Hängemappe in der einen, ein Tablett mit zwei Espressotassen in der anderen Hand.

Genussvoll trank Tasso den *caffè* in einem Zug aus, ließ die Flüssigkeit kurz auf der Zunge liegen, bis er das herbe Aroma schmeckte, schluckte und nickte dann anerkennend. »Feine Sorte, vielen Dank.«

Der Direttore hatte einen Kamelhocker herangezogen und sich daraufgesetzt. Mit konzentrierter Miene blätterte er in der Mappe.

»Ein Ispettore aus Belluno sollte übrigens jeden Moment eintreffen. Der muss dann entscheiden, wo wir den Toten hinbringen, sobald wir ihn geborgen haben. Ich werde den Kollegen zu Ihnen schicken, dann kann er Ihre Fragen selbst beantworten.«

»Sehr gut. Das Zimmer?«

»Welches Zimmer?« Filipe Donatellis Kopf ruckte hoch. Er hatte die Augen erschrocken aufgerissen.

»Das Zimmer, in dem Villabona gelebt hat.«

»Ach das.« Der Direttore schaute zerknirscht drein. »Das durften wir ungefähr vier Wochen lang nicht betreten. Ihre Kollegen haben alles mitgenommen, was ihnen wichtig erschien. Da keine Angehörigen ermittelt werden konnten, haben wir den Rest weggeworfen. Das war überwiegend Kleidung. In dem Zimmer wohnt längst jemand anders, einer unserer festangestellten Kellner. Die Unterkunftsmöglichkeiten für das Personal sind nicht unbegrenzt.«

Wäre auch zu schön gewesen. Tasso schwieg genervt. Mit allem Schwung, den das Koffein ihm verliehen hatte – was wenig genug war –, schlug er die Wolldecke zurück und stand auf. »Ich möchte mir den Toten ansehen, bevor er abtransportiert wird, wenn das möglich ist.«

Auch Mara regte sich. Er runzelte besorgt die Stirn. »Wollen Sie sich das wirklich antun? Sie müssen nicht.«

»Doch. Dafür bin ich doch hier. Ich will sehen, was Sie sehen.«

Der Direttore ließ seinen Blick irritiert von Tasso zu seiner Praktikantin wandern, schwieg jedoch höflich. Mara setzte sich auf und zog ihre Schuhe an.

»Direttore Donatelli, berichten Sie mir alles, woran Sie sich erinnern.«

Er rieb sich über die Schläfen. »Setzen Sie sich doch wieder, ich bekomme Bescheid, sobald die Leiche aus dem Eis geborgen wurde. Was ich weiß? Das ist herzlich wenig, muss ich gestehen. Villabona ist – war – neunundzwanzig Jahre alt. Keine Familie, keine Angehörigen, von denen wir wissen. Er arbeitete in diesem Jahr in der fünften Saison als Nachtportier bei uns, immer von Oktober bis April. Im Sommer macht er dasselbe in einem Hotel in Neapel, wo er gebürtig herkommt. Er war bis zu diesem Vorfall zuverlässig.

Es gab nur vereinzelte Beschwerden der Gäste.« Er stockte, es war ihm unangenehm, darüber zu sprechen.

»Was für Beschwerden? Und wie vereinzelt?«, half Tasso nach.

»Genauer gesagt gab es da zwei Vorfälle. Da behauptete jeweils eine Dame, er habe ihr unsittliche Avancen gemacht. Soweit ich weiß, ist es bei Worten geblieben. Ich vermutete daher, dass es sich wohl eher um Missverständnisse gehandelt hat, ein unglücklich ausgedrücktes Kompliment. Sie wissen ja, wie empfindlich manche Frauen sein können. Ist Ihnen doch sicher auch schon passiert.« Er lächelte um Verständnis heischend.

Von Mara kam ein leises, abfälliges Schnauben. Tasso hielt sich neutral. Nein, ihm war so etwas noch nie passiert. Was daran liegen mochte, dass er selten Gelegenheit hatte, einer Frau Komplimente zu machen, ganz gleich, wie er sie auszudrücken gedachte.

»Nun, jedenfalls gab es während Villabonas Schichten keine Diebstähle, keine Fälle von unerklärlich verschwundenem Schmuck oder dergleichen. Er hat sich in der ganzen Zeit nichts zuschulden lassen kommen. Rein gar nichts.«

»Bis auf zwei verunglückte Komplimente«, konnte Mara sich nicht verkneifen.

»*Bah*, genau. Bis auf das.« Er schien zu bereuen, es überhaupt erwähnt zu haben.

Tasso erkannte keinen möglichen Zusammenhang zwischen diesen Beschwerden und dem Diebstahl mitsamt dem darauffolgenden Verschwinden. Selbst wenn sie berechtigt waren, waren sie im Moment nicht relevant.

»Der Diebstahl.« Nachdenklich strich Tasso über sein Kinn und wurde sich bewusst, dass er sich gestern zum letzten Mal rasiert hatte. Ein paar Stunden länger und er würde aussehen wie ein Landstreicher. »Entweder hat Villabona all die Jahre auf eine gute Gelegenheit gewartet, oder da stimmt etwas nicht.«

»Eine so gute Gelegenheit war das gar nicht, die er da ergriffen hat.«

»Wie meinen Sie das?«

»Lassen Sie es mich so ausdrücken: Wenn ich meinen Tresor ausräumen wollte, dann würde ich das tun, wenn es sich lohnt. Nach Silvester zum Beispiel, oder wenn es auf Ostern zugeht. Aber nicht im Oktober. Da ist Zwischensaison. Wir sind nicht einmal ausgebucht gewesen. Villabona war gerade mal seit zwei Wochen wieder hier. Wirklich, der Zeitpunkt war schlecht gewählt.«

Oder es ging nicht um die Höhe der Summe, sondern um einen bestimmten Gegenstand, vielleicht ein Schmuckstück. Tasso fragte nicht nach. Es erschien ihm sinnvoller, den angekündigten Kollegen aus Belluno seine Sicht der Dinge schildern zu lassen.

»Hatte Villabona Zugang zu dem Tresor?«

»Ja, selbstverständlich. Es kommt vor, dass Gäste mitten in der Nacht etwas daraus haben oder darin verstauen wollen. Er war bis zu seinem Verschwinden stets zuverlässig und genoss unser Vertrauen.«

Tasso überlegte. Mit einem Schlag geisterte ihm ein ganzes Pandämonium an Möglichkeiten durch den Kopf. Villabona konnte auf eigene Rechnung gehandelt haben. Wenn es nicht um eine größere Summe Bares ging, um was dann? Genauso wäre es denkbar, dass ihn jemand beauftragt oder gezwungen hatte. Die Tatsache, dass er daraufhin tot im See trieb, sprach für Letzteres. Dass er mitten in der Nacht einen Spaziergang gemacht hatte und ins Wasser gestolpert war, erschien jedenfalls wenig wahrscheinlich.

In das Kaminzimmer drangen aufgeregte Stimmen. Direttore Donatelli hob den Kopf. Tasso und er erhoben sich gleichzeitig und blickten Richtung Tür.

Marta Alfonso winkte ihnen hektisch zu.

Der Direttore lief auf sie zu. »Ich habe doch gesagt: Zum Hintereingang! *Oddio*, die wollen doch nicht mit einer tropfnassen Leiche mitten durchs Hotel!«

Neben der Empfangsdame erschien ein stämmiger Mann um die fünfzig in einem fellbesetzten Ledermantel. Er tippte zum Gruß an seine Mütze mit Ohrenklappen.

»*Buongiorno*, Ispettore. Sie werden bereits erwartet.« Mit diesen Worten drängte sich der Direttore zwischen den beiden Neuankömmlingen durch und verließ den Raum.

Unschlüssig öffnete der Ispettore seinen Mantel und trat näher. Marta Alfonso bot ihm an, die Garderobe anzunehmen, doch er lehnte ab. Sie erklärte, vorn am Empfang zur Verfügung zu stehen, falls sie gebraucht würde, und verschwand. Inzwischen hatte Tasso seinen zerknitterten Anzug soweit möglich glatt gestrichen. Er ging auf seinen Kollegen zu und stellte sich und Mara vor.

»Nino Scandiffio, Questura Belluno«, nannte der Ispettore seinen Namen. »Ich hörte von Signora Alfonso, dass Sie wegen eines Mordes in Meran ermitteln? Und dass ich es Ihnen zu verdanken habe, dass der verschwundene Nachtportier wiederaufgetaucht ist?«

»Wortwörtlich aufgetaucht und hoffentlich bald aufgetaut. So ist es.«

»Ich würde sagen, das Eis ist gebrochen.« Scandiffio nickte grinsend.

Mara kicherte. Um Tassos Mundwinkel zuckte es. Sie wurden anscheinend allmählich hysterisch.

Der Ispettore steckte sich eine Zigarette an und hielt

Tasso das Päckchen hin, der dankend zugriff. Mara ignorierten sie beide.

Marta Alfonso erschien im Türrahmen und rang die Hände. »Sie haben den Mann, ich meine die Leiche, im Keller in einen Kühlraum geschafft. Sie wollten ihn sich ansehen, sagte der Direttore. Das ginge dann jetzt.« So schnell, wie sie erschienen war, verschwand sie wieder.

»Schauen wir uns den Toten an«, schlug Tasso vor.

»Ist denn schon sicher, dass es sich bei dem Toten um diesen Villabona handelt?«, fragte Scandiffio im Hinausgehen.

Ein Page des Hotels sah sie kommen, eilte fort, kam mit Maras und Tassos Mänteln zurück und half ihnen beim Anziehen.

»Der Direttore scheint keine Zweifel zu haben. Und er sollte es am besten wissen.«

Wie aus dem Nichts stand Signora Alfonso abermals neben ihnen und erklärte, wie sie zu den Kühlräumen gelangten.

Tasso dachte bei sich, dass es bei den Temperaturen auch genügen würde, ihn einfach draußen im Schnee liegen zu lassen. Nur wäre das ziemlich pietätlos. Den gekachelten Raum mit den stählernen Arbeitstischen, in den sie geführt wurden, fand er auch nicht gerade würdevoll, wiederum aber nicht großartig anders als die Räume, in denen Dottore Agnelli seine Leichen in Augenschein nahm. Es war eiskalt. Tasso war froh, dass der Page ihm seinen Mantel gegeben hatte.

Er, Scandiffio und Mara stellten sich nebeneinander vor den Tisch, als wollten sie beten. Und irgendwie kam Tasso das auch angemessen vor. Er begann ein Vaterunser zu murmeln und die anderen beiden fielen ein. Anschließend betrachteten sie den Toten in einträchtigem Schweigen.

Es war offensichtlich, weshalb der Direttore sicher war, dass es sich um einen seiner Angestellten handelte. Der Tote trug dieselbe schwarze Uniform mit den feinen Goldstreifen wie Signora Alfonso – nur mit Hose statt des Rocks, selbstverständlich. Sogar das kleine Schild auf der Brust war noch lesbar: *Marcello Villabona* stand dort, umrankt vom grünen Faden einer Wasserpflanze. Das Gesicht war nach all den Wochen im See verquollen, in den schwarzen Haaren hingen Schlick und weitere Pflanzenfasern. Auf den ersten Blick ließ sich nicht erkennen, woran er gestorben war.

»Scandiffio, würden Sie mir helfen, die Leiche auf den Bauch zu drehen?«

»Natürlich. Warum, wenn ich fragen darf?«

»Werden Sie gleich sehen. Oder auch nicht.«

»Ach, du Schande.« Mara schlug sich die Hand vor den Mund und wandte sich würgend ab, als das Hinterhaupt des Verstorbenen zu sehen war.

»Mara, wenn Sie kotzen müssen, raus!«

»Geht schon wieder«, stammelte sie.

»Was ist da passiert, Commissario? Sie wirken irgendwie … wie soll ich das sagen? Erfreut? Auf jeden Fall nicht überrascht.«

»Ich würde eine Wette darauf abschließen, dass diesem Mann der Schädel eingeschlagen wurde, und zwar mit einem Totschläger oder dergleichen.« Er wandte sich an Mara und ignorierte, dass sie ebenso weiß wie die Wand hinter ihr war. »Erinnern Sie sich, was ich Ihnen zum Thema Modus Operandi gesagt habe?«

»Die gleiche Tötungsmethode. Sowohl Colori als auch Villabona wurde der Schädel eingeschlagen. Es ist derselbe Täter.«

»Nicht so hastig. Noch reden wir über Eventualitäten.

Diese Wunde am Kopf ähnelt der unseres Opfers in Meran, Ispettore«, wandte Tasso sich erklärend an Scandiffio. »Es sieht nach derselben Methode aus. Gewissheit wird uns aber erst Dottore Agnellis wissenschaftliche Untersuchung verschaffen. Und falls dem so ist, steigt die Wahrscheinlichkeit, dass es sich um denselben Täter handeln *könnte*. Bevor wir diese Person – oder Personen – nicht ermittelt und vernommen haben, ist es eine Vermutung. Sind Sie damit einverstanden, dass wir die Leiche nach Bozen in die Rechtsmedizin bringen?«

Die Augen des Ispettore weiteten sich entsetzt. »*Bolzano? Alto Adige?* Wissen Sie, was das an Papierkram bedeutet?«

»Es bedeutet auch, dass Sie sich als Ermittler in einem Mordfall einen Namen machen könnten.«

Scandiffio zeigte auf die klaffende Kopfwunde des Toten. »Der kann auch an einen Felsen gestoßen sein, nachdem er im See gelandet ist.«

»Ich gebe zu, diese Möglichkeit besteht.«

»Welche Hinweise haben Sie denn, dass es einen Zusammenhang zwischen den beiden Toten gibt?«

Tasso zählte in Gedanken bis zehn. Das wurde komplizierter, als er erwartet hatte.

Mara kam ihm mit einer Antwort zuvor. »Wären wir sonst hier?« Sie schlug einen forschen Ton an. »Hier im Hotel hängt ein wertvolles altes Bild, und der Tote in Meran hat wertvolle alte Bilder nachgemalt.«

»Sie meinen gefälscht.«

»Ich meine kopiert. Wir wissen nicht, ob die Bilder zu dem Zweck angefertigt wurden, als Fälschungen mit den Originalen verwechselt zu werden. Es spricht aber einiges dagegen. Wie Commissario Tasso vorhin ausgeführt hat, befinden wir uns auch in Bezug auf diesen Aspekt noch nicht im Stadium der Gewissheit.«

Tasso unterdrückte ein Schmunzeln. Lernfähig war sie, diese Signorina Oberhöller. Leider auch ziemlich vorlaut. Bei Scandiffio kam diese Zurechtweisung – und um nichts anderes handelte es sich –, dem finsteren Blick nach zu urteilen, jedenfalls nicht gut an.

»Das ist richtig«, beeilte Tasso sich zu sagen, bevor die beiden auf die Idee kamen, das hier neben der Leiche auszudiskutieren. »Wenn Sie darauf bestehen, werde ich es mit Ihrem Chef klären.«

»Offen gestanden wäre mir das lieber. Ich weise den Direttore an, dass die Leiche bis morgen hier aufbewahrt wird, und dann nehme ich Sie mit nach Belluno. Dort können Sie die Akte über Villabona einsehen und sich selbst ein Bild machen, ob das Ganze etwas mit Ihrem Toten zu tun hat. Danach wird der Questore entscheiden, ob Sie diesen Wassermann mitnehmen dürfen.«

»Er kann auch gern mit Questore Visconti sprechen. Ich genieße sein vollstes Vertrauen.«

»Schon gut. Wir kriegen das hin, wenn Ihnen so viel daran liegt. Mir reicht es schon, die Ermittlung von Oktober weiterzuführen und hoffentlich zu einem Ende zu bringen.« Mit diesen Worten verließ er den Kühlraum, wobei offenblieb, ob es ihn freute oder nervte, einen alten Fall zu verfolgen. Seiner trockenen Formulierung nach war beides möglich. Tasso hoffte auf die freudige Aussicht. Das würde Scandiffio mehr motivieren.

Er warf Mara einen strafenden Blick zu. »Ich fahre allein, Sie bleiben hier.«

Sie öffnete den Mund, doch er hob die Hand. »Sie haben das alles gut beobachtet und richtig dargestellt. Das muss Ihnen erst einmal genügen. Ich will nicht riskieren, dass Sie einen der Kollegen noch mehr verärgern. Außerdem sehen

Sie wirklich müde aus. Ich möchte, dass Sie Ihren Platz vor dem Kamin wieder einnehmen und zur Ruhe kommen. Wollen Sie, dass Bruno mir den Hals umdreht, weil Ihnen was passiert? Oder Ihr Vater?«

Sie setzte an, um erneut zu widersprechen, doch er starrte sie so böse an, dass sie es nicht wagte, sondern gehorsam nickte. Sie wandten sich ab und ließen Villabona allein vor sich hin frieren.

***

Tasso hatte nicht damit gerechnet, dass die Fahrt nach Belluno fast eineinhalb Stunden in Anspruch nahm. Hatten er und Mara so lange vor dem Kamin gesessen, bis Scandiffio eingetroffen war?

Die meiste Zeit schwiegen sie einvernehmlich, rauchten und hörten ein wenig den *cantautori* zu, die im Autoradio von der Sehnsucht nach dem Süden sangen, die sie beide nachempfinden konnten – Scandiffio stammte aus der Basilicata. Irgendwann döste Tasso ein und wachte erst auf, als sein Fahrer vor einem zweckmäßigen Betonklotz hielt, in dem die Questura untergebracht war. Es war kurz nach fünf und schon stockfinster. Tasso hatte ohnehin das Gefühl, dass dieser Tag endlos war.

Beim Aussteigen kam es ihm vor, als würde er abermals mit dem Gesicht voran auf eine Eisschicht fallen, so kalt war die Luft. Sie prickelte auf den Wangen und brachte seine Augen zum Tränen. Wenigstens war er mit einem Schlag hellwach.

Er folgte Scandiffio ins Gebäude. Grelle Neonröhren empfingen sie, beleuchteten kahle blassgelbe Wände und grauen abgewetzten Linoleumboden. Aus offen stehenden Türen drangen die typischen Bürogeräusche auf den Flur.

»Ist viel los, das Wetter macht einen Haufen Arbeit«, erklärte Scandiffio, als wollte er sich dafür entschuldigen, dass noch gearbeitet wurde. »Am besten gehen wir direkt zu Questore Santini. Folgen Sie mir.«

»Warten Sie. Gibt es einen Bildtelegraphen?«

»Selbstverständlich. Warum fragen Sie?«

»Es gibt bei meinem Fall vier verdächtige Männer, von denen wir Phantombilder angefertigt haben. Die müssten inzwischen längst vorliegen.« Und Tasso fragte sich, warum er nicht gleich daran gedacht hatte zu warten, bis die Bilder fertig waren, um sie mit hierher zu nehmen und sie den Angestellten des Hotels Misurina zu zeigen. Vermutlich war er wegen dieser Sache mit den verunglückten Verhaftungen zu sehr damit beschäftigt gewesen, schnell aus Meran wegzukommen.

Tasso telefonierte mit der Questura in Bozen und erreichte zu seiner Erleichterung Signorina Rosso, die zwar auf dem Weg in den Feierabend war, sich aber sofort um sein Anliegen kümmerte. Ungeduldig wanderte er vor dem Bildtelegraphen auf und ab. Er warf dem Gerät fordernde Blicke zu, wie um es dazu zu bewegen, die Übermittlung zu beschleunigen.

Inzwischen hatte Scandiffio die Akte über Villabona und seinen mutmaßlichen Diebstahl besorgt. Mit gerunzelter Stirn blätterte er darin und reichte sie Tasso. »Es ist nicht viel. Die Sache schien klar zu sein: ein verschwundener Portier, ein leerer Tresor. Wir haben uns darauf konzentriert herauszufinden, wie Villabona in der Tatnacht aus Misurina weggekommen ist, denn er besaß weder Auto noch Motorrad oder dergleichen. Wir haben nichts gefunden, und jetzt wissen wir auch, warum: Er hat den Ort gar nicht verlassen.«

Tasso nickte und überflog die Einträge, hauptsächlich Protokolle zu den Vernehmungen der Angestellten. Niemand wollte etwas bemerkt oder einen Verdacht gehabt haben. Wie denn auch? Es war ja nicht so passiert, wie alle vermutet hatten.

Scandiffio zögerte. »Kann ich Ihnen vertrauen?«

»Kommt darauf an. Ich denke schon, was meinen Sie?«

»Wir hatten zwischenzeitlich einen weiteren Verdacht. Es gab Vermutungen, dass Villabona sich nebenberuflich als Erpresser versucht haben könnte. Der Questore wollte die Sache diskret behandelt haben, um die möglichen Erpressungsopfer zu schützen.« Er stockte kurz. »Es waren Leute darunter, die er kannte. Das Personal und Direttore Donatelli haben das nie erfahren. Im Laufe der Wochen verlief diese Spur ins Nichts. Daher gibt es dazu in den Akten auch nichts … Offizielles.«

Er lächelte verlegen. »Wir hatten zwischenzeitlich sogar den Verdacht, dass Donatelli seinen Nachtportier mit dem Tresorinhalt hat ziehen lassen, damit er selbst von der Versicherung abkassieren konnte. Dagegen sprach aber wiederum, dass es eine lächerlich geringe Summe für ein Haus dieser Größenordnung war, die gestohlen wurde. Wie auch immer, nichts davon ließ sich belegen.«

Tasso grübelte darüber nach, ob ihn diese Information weiterbrachte. Er sah keinerlei Zusammenhang und entschied sich, Scandiffios Ausführungen zu ignorieren. Das klang allzu sehr nach Verwicklungen auf lokaler politischer Ebene und sah nicht danach aus, dass Coloris Tod damit etwas zu tun haben könnte.

Er winkte ab. »Können Sie mir eine Liste der Personen im Hotel anfertigen, die Sie vernommen haben? Das würde mir Arbeit ersparen. Ich werde sie alle noch einmal befragen müssen und ihnen die Bilder zeigen.«

»Lasse ich machen, selbstverständlich. Sind das die Verdächtigen?«

Die Mechanik des Bildtelegraphen knisterte und hatte endlich das erste von fünf Bildern erstellt. Neben den Phantombildern der vier Männer aus der *Bunten Kuh* hatte Tasso Signorina Rosso gebeten, ein weiteres von Franz Gruber mitzusenden. Kaum weniger gestochen scharf als die Originale hielten sie die Bilder in der Größe von Postkarten in den Händen.

Scandiffio pfiff anerkennend durch die Zähne. »Ihr Zeichner hat wirklich ganze Arbeit geleistet.«

»Lombardi ist einer der Besten. Er zeichnet so realistisch, dass es mich manchmal gruselt. Sie erkennen nicht zufällig einen der Männer?«

»Bedaure, nein. Und wenn ich ehrlich sein darf: Das sind Allerweltsgesichter. Augen, Nase, Mund, alles ganz durchschnittlich.« Er hielt eines der Bilder neben sein Gesicht. »Sehen Sie? Der hier könnte fast ich sein. Besser gesagt, ich vor zwanzig Jahren. Keine markanten Züge, keine Narben oder sonstige Besonderheiten.«

Tasso nickte. Er hatte Ähnliches gedacht, während er Rosa Marthaler zugehört hatte, wie sie Lombardi die Männer beschrieb. Auch die Kleidung der Verdächtigen war in keiner Weise hervorstechend gewesen. Lediglich einen schwarzen Bakelitkoffer hatte die Wirtin als auffällig erwähnt.

Müde rieb er sich über die Augen. Da schwirrte noch etwas in seinem Hinterkopf, ein Gedanke, den er nicht zu fassen vermochte. Er wurde sich des Summens der Neonröhren und des Rauschens der Heizkörper bewusst, die auf Hochtouren liefen. Er knöpfte den Mantel auf. Ausnahmsweise war ihm zu warm. Er betastete seine Stirn. Hatte er etwa Fieber? War das ein Kratzen im Hals? Er räusperte sich. Es ging nicht weg.

»Dürfte ich um ein Glas Wasser bitten?«

»Ja, entschuldigen Sie, wo sind meine Manieren? Ich habe Ihnen gar nichts angeboten. Noch etwas Stärkeres? *Caffè?* Einen Obstbrand?«

»Wasser reicht.« Nur, um dieses Kratzen wegzuspülen. Es fehlte noch, dass er jetzt eine Erkältung bekam. Was ihn, wenn er es recht bedachte, nach der vorangegangenen lausig kalten Nacht und dem Ausflug aufs Eis wenig wundern würde.

Eineinhalb Stunden später ließ Tasso die Tür der Questura hinter sich zufallen und sandte ein kleines Dankgebet an seine Schutzheiligen. Das Glück hatte ihn doch nicht gänzlich verlassen. Scandiffio war auf Zack. Er hatte ihm die Ermittlungsakte Villabona kopieren lassen und die gewünschte Liste angefertigt. Der Questore, an dessen Namen Tasso sich in all dem Trubel nicht mehr erinnerte, hatte mit Bruno Visconti telefoniert. Dabei waren die üblichen Wörter wie *absolute Dringlichkeit, größte Kompetenz* gefallen und sowohl Commissario Aurelio Tasso als auch Dottore Simone Agnelli in höchsten Tönen gelobt worden. Am Ende war die Leiche von Marcello Villabona quasi schon auf dem Weg nach Bozen. Endlich kam etwas Bewegung in die Sache.

Vor der Questura wartete ein schwarzes Taxi auf ihn, ein Fiat 1500 mit laufendem Motor. Unterwegs würde er die Akte lesen. Wenn sein Glück etwas länger anhielt, wäre er gerade rechtzeitig zu einem späten Abendessen zurück im Hotel. Und dann würde er für den Rest des Tages noch einmal richtig ans Arbeiten kommen. Aber das war um Längen besser, als untätig vor einem Kaminfeuer herumzusitzen.

***

»Der da, der könnte hier gewesen sein. Aber schon lange, bevor Marcello verschwunden ist. Im Spätsommer, im August.« Roberto, ein Kellner aus dem Hotelrestaurant, wedelte triumphierend mit einem der Bilder.

Maras Füller kratzte eifrig über das Papier. Nur hin und wieder trank sie einen Schluck Wasser, ansonsten schrieb sie seit zwei Stunden ununterbrochen alles mit, was die Angestellten auf Tassos Fragen hin zu sagen hatten.

»An einen Namen können Sie sich nicht zufällig erinnern?«

»Nein, ich bedaure. Ich bin mir sogar relativ sicher, dass der Mann kein Gast des Hotels war, sondern nur hin und wieder im Restaurant gewartet hat.« Roberto legte die Stirn in Falten und schüttelte anschließend den Kopf. »Ich weiß aber nicht mehr, auf wen. Das ist alles so lange her.«

Tasso nickte. »Ich verstehe das vollkommen, machen Sie sich keine Gedanken. Sie sehen tagtäglich Dutzende, wenn nicht sogar Hunderte von Gesichtern. Herzlichen Dank, Sie haben uns dennoch sehr weitergeholfen.«

Tasso entließ den sichtlich erleichterten Kellner und lehnte sich zurück. Roberto verabschiedete sich und lief aus dem winzigen Büro, das Direttore Donatelli ihnen für die Gespräche zur Verfügung gestellt hatte.

Mit einem verstohlenen Gähnen verschloss Mara den Füller.

Tasso hatte ein Einsehen. »Machen wir Schluss für heute.«

»Sind Sie zufrieden?«

Er schloss die Augen und lächelte. Zugegeben, der Ausflug nach Misurina war der Griff nach dem berühmten Strohhalm. Aber ganz und gar ohne Substanz war die Vermutung auch wieder nicht gewesen. Und jetzt erwies sie sich sogar als Treffer. Manchmal wunderte Tasso sich selbst über seinen Instinkt.

»Sie sind zufrieden«, hörte er Maras Stimme belustigt die Antwort auf ihre eigene Frage geben.

Er öffnete die Augen und sah sie ernst an. »Wir sind noch sehr weit davon entfernt, einen Durchbruch zu erzielen. Wir haben zwei Zeugenaussagen: die von Roberto und die eines Gepäckjungen. Beide wollen diesen einen Verdächtigen erkannt haben. Das ist schon etwas. Es scheint, dass sie keine Gäste des Hotels gewesen sind. Damit sind wir der Identifikation der Männer aber noch keinen Schritt nähergekommen. Und ob sie mit Coloris Tod etwas zu tun gehabt haben oder mit dem unerwarteten Ableben des Nachtportiers, müssen wir erst rekonstruieren und beweisen. Für heute Abend bin ich zufrieden, das gebe ich gern zu. Aber es liegt noch ein weiter Weg vor uns. Ein Schritt nach dem anderen.« Er wischte sich müde übers Gesicht und stand von diesem höllisch unbequemen Schreibtischstuhl auf.

»Ich habe mir das nicht so anstrengend vorgestellt. Ich meine, wir sitzen herum und hören den Aussagen zu.« Mara schob die einzelnen Papiere zu einem ordentlichen Bündel zusammen.

»Vermutlich ist das eine gute Übung für Sie, sofern Sie Ihre Pläne in die Tat umsetzen und als Anwältin arbeiten möchten.«

»Das habe ich auch schon gedacht. Und ich bin mir nicht sicher, wie gut mir diese Aussicht gefällt.«

Als sie beide alles zusammengepackt hatten, ging Tasso voran und hielt ihr die Tür auf.

»Vielleicht kommen Sie bezüglich Ihrer Zukunftspläne morgen noch ein Stück weiter.« Er schmunzelte. »Immerhin haben wir ja noch eine Menge Leute vor uns, die wir befragen können.«

Maras Antwort beschränkte sich auf ein frustriertes Stöhnen.

Die Aussicht darauf verursachte Tasso selbst gleichzeitig sowohl ein nervöses Kribbeln als auch Erschöpfung. Zeugenbefragungen waren zweifelsohne wichtig und führten, penibel und beharrlich erledigt, zum Ziel. Doch sie erforderten ein Höchstmaß an Konzentration. Hinzu kam dieser winzige und fensterlose Raum, der sicher nicht nur bei ihm Beklemmungen erzeugte. Vielleicht ergab sich morgen die Möglichkeit, die Verhöre in der Lobby zu führen. Und er sollte darüber nachdenken, die Kollegen aus Belluno einzubeziehen. Das wurde allmählich zu viel für einen allein. Scandiffio und sein Chef dürften kaum ein geringeres Interesse an den Verhören aufbringen, schließlich war Villabona ihr Toter und ihr Fall.

Tasso und Mara folgten einem Flur in den Eingeweiden des Hotels. Sie kamen nach einem Treppenaufgang wieder neben dem Empfangstresen in der gediegenen rot-goldenen Herrlichkeit an, die Tasso dieses Mal willkommen hieß: als Zeichen, zurück in die Zivilisation zu gelangen.

Marta Alfonso erwartete sie.

»Signora Alfonso, ich bin überrascht, Sie hier anzutreffen. Machen Sie denn gar keinen Feierabend?«

»Doch, aber ich wollte Sie unbedingt noch sprechen. Es tut mir so leid, dass ich Ihnen heute Mittag keine Hilfe war und …«

Tasso hob die Hand. »Kein Wort mehr. Sie haben getan, was in Ihrer Macht lag. Sie konnten ja nicht ahnen, dass der Aufenthalt der Männer so lange zurückliegt.«

»Ja, aber ich hätte daran denken müssen, dass zum 1. Oktober ein Teil der Belegschaft wechselt. Sehen Sie, wir haben im Sommer viel weniger und teilweise ganz andere Leute.

Sie müssen wissen, dass ich selbst den gesamten August nicht hier bin, da ich die Wintersaison durcharbeite. Aber ich habe meinen Kollegen, der im August Dienst hatte, inzwischen erreicht. Er wird morgen früh um zehn Uhr hier sein.«

»Dann ist doch alles wunderbar. Das hilft mir sehr. Dank Ihnen werden wir alle Angestellten gezielter befragen können. Nochmals, regen Sie sich nicht auf und machen Sie sich bitte keine Gedanken.«

Sie nickte zögerlich und rang die Hände. »*Buonanotte*, Commissario, und auch Ihnen, Signorina Oberhöller.«

10. Kapitel, in dem Mara am Freitag auf eigene Faust nach Cortina fährt – sie kann das, wozu ist sie schließlich die Tochter eines Bürgermeisters?

Um halb neun Uhr hielt Mara es kaum noch aus. Unruhig rutschte sie auf dem Stuhl hin und her. Sie hatte an einem kleinen Ecktisch im Speisesaal des Hotels ein annehmbares Frühstück bekommen – das in Toblach war allerdings eindeutig besser gewesen. Hier gab es nur diese seltsam pappigen Brötchen, ganz nach dem Geschmack der Gäste aus dem Süden, aber so gar nicht der ihre. Sie bevorzugte Backwaren aus Roggen, Buchweizen oder Dinkel, dazu Speck und Käse. Immerhin, der Honig war sehr gut. Und über den Cappuccino konnte sie wirklich nicht meckern. Jedenfalls waren die Teller vor ihr bis auf letzte Krümel leer.

Mara langweilte sich.

Nun war es nicht das erste Mal, dass sie auf Commissario Murmeltier wartete. Und er mochte an den beiden Tagen in der Questura durchaus seine guten Gründe gehabt haben. Aber hier und heute? Wollte er allen Ernstes bis kurz vor zehn schlafen und dann erst mit den Zeugenvernehmungen weitermachen? Er hatte gestern, bevor sie sich beide in die kleinen Schlafkammern im Angestelltentrakt zurückgezogen hatten, erwähnt, dass er beabsichtigte, gegen Mittag zurück nach Bozen zu fahren. Auf der Liste der zu befragenden Personen standen noch zehn Namen. Wie wollte er das schaffen?

Sie blinzelte auf ihre Armbanduhr. Acht Uhr vierunddreißig. So wurde das nichts.

Sie nahm ihre Tasche und verließ den Speisesaal. In der Lobby überlegte sie unschlüssig, wie sie die Zeit nutzen könnte. Ein Spaziergang um den See? Es war zwar bitterkalt und die Sonne lugte gerade erst zwischen den umliegenden Gipfeln hervor, doch ihre Stiefel und der Mantel waren warm genug. Einzig in ihrem Wollpullover fühlte sie sich nach nunmehr drei Tagen nicht mehr wohl. Unterwäsche und Strümpfe hatte sie am Vorabend ausgewaschen und zum Trocknen auf dem Heizkörper ausgebreitet. Es hatte sich heute Morgen alles ein wenig klamm angefühlt, aber sauber.

Sie nickte bei sich. Ja, auf jeden Fall raus an die frische Luft. So würde sie den Kopf freibekommen. Sie könnte die Kamera mitnehmen und ein paar hübsche Fotos von der überwältigenden Natur machen.

Bei diesem Gedanken schoss ihr eine bessere Idee durch den Kopf. Hastig trat sie an den Tresen und rief den diensthabenden Concierge zu sich.

»Signor Ferrara, könnten Sie mir bitte ein Taxi bestellen? Ich möchte nach Cortina.«

»Ich habe ein besseres Angebot, Signorina. Wir haben einen hoteleigenen Fahrdienst, den Sie gern nutzen dürfen. Üblicherweise dauert das circa zehn Minuten. Wenn Sie bitte warten wollen.«

»Vielen Dank. Ich bin sofort zurück.« Sie machte auf dem Absatz kehrt, um ihre Sachen aus dem Zimmer zu holen. Exakt achteinhalb Minuten später war sie unterwegs nach Cortina.

***

Als der freundliche Carabiniere aus Toblach sie am Vortag nahe dem Marktplatz abgesetzt hatte, war zu wenig Zeit gewesen, um einen Eindruck von dem mondänen Wintersportort zu gewinnen. An diesem Morgen war es ruhig auf den Straßen. Die meisten Gäste saßen vermutlich noch bei ihrer Tasse Morgenkaffee. Schnee türmte sich an den Hauswänden, die Wege waren geräumt und mit Sand oder Salz gestreut. Mara hatte als Sechzehnjährige mit ihren Eltern und Brüdern einige Wettbewerbe der Olympischen Spiele besucht. Damals war kaum ein Durchkommen durch die Straßen möglich, so voll war es überall gewesen. Jetzt kam ihr der Corso Italia, der durch den Ort auf die Pfarrkirche zuführte, viel weitläufiger vor. Zahllose Geschäfte in modernen Lokalen lockten mit der neuesten Mode oder alpenländischem Kunsthandwerk. Mara erinnerte sich, dass ihr Vater sich neben den Skiabfahrtsrennen vor allem für *La Cooperativa* interessiert hatte. Es handelte sich um ein genossenschaftlich organisiertes Einkaufszentrum im Herzen des Ortes. Bürgermeister Oberhöller wollte vergleichbare Initiativen in Meran vorantreiben und ausbauen und nutzte die Gelegenheit, von einer der ältesten Einrichtungen dieser Art zu lernen. Schon Ende des neunzehnten Jahrhunderts war der *Konsumverein Ampezzo* gegründet worden. Die junge Mara fand das Sortiment an bunten Stoffen und Kurzwaren aus aller Welt wesentlich spannender.

Die *Cooperativa* öffnete gerade ihre Türen, und Mara überlegte, ob sie hineingehen und sich umschauen sollte, entschied sich aber dagegen. Erst die Arbeit, dann das Vergnügen. Am östlichen Ende des Corso Italia, schräg gegenüber dem Hotel Victoria, wurde sie fündig. Schon von Weitem wies ihr eine blaurote Leuchtreklame mit dem Agfa-Logo den Weg zu einem hochmodernen Fotogeschäft.

Mara blieb vor dem Schaufenster stehen und musste sich beherrschen, sich nicht wie ein kleines Mädchen begeistert die Nase platt zu drücken. Packungen mit Blitzwürfeln, die aktuelle Sofortbildkamera J33 von Polaroid, Teleobjektive und Belichtungsmesser, dazu eine ganze Armee von bunten Fotoalben. Dann fiel ihr Blick auf eine Nikon F mit Wechselobjektiven. Mara liebte ihre Leica, aber diese Kamera war eine andere Liga. Japanische Hochtechnologie, erst seit Kurzem auf dem europäischen Markt zu haben. Falls Mara Zweifel gehabt hätte, dass in Cortina zahlungskräftiges internationales Publikum unterwegs war, wären die spätestens jetzt zerstreut worden.

Beschwingt und überzeugt, am richtigen Ort zu sein, drückte Mara die Eingangstür auf und betrat den Laden. Ein vager Geruch nach Chemikalien empfing sie. Zu beiden Seiten waren in Vitrinen verschiedenste Fotoutensilien zur Schau gestellt. Geradeaus wurde der Kundenbereich von einer hölzernen Theke mit Schaufenstern begrenzt. Dahinter waren beispielhafte Schwarz-Weiß- und Farbabzüge samt Preisen zu sehen. Mara schluckte beklommen, als sie die vielen Nullen der Lirebeträge hinter *Expressentwicklung* las, aber jetzt hatte sie es einmal so weit geschafft, dass es undenkbar war, mit leeren Händen zu Tasso zurückkehren. Der würde um diese Zeit mit seinen Vernehmungen beginnen und sich ohnehin wundern, wo sie war. Besser, sie kam nicht ohne eine neue Erkenntnis zurück.

»*Buongiorno*, Signorina, wie kann ich Ihnen behilflich sein?«

Mara erschrak ein wenig. Sie hatte die Frau mit den grauweiß gesprenkelten und zu einem strengen Knoten aufgesteckten Haaren glatt übersehen. Ihre Miene war freundlich, wenn auch ein wenig lustlos, als erwarte sie von dieser jungen Kundin kein allzu lukratives Geschäft.

Rasch hob Mara ihre Tasche. »Ich möchte einen Film entwickeln lassen. Ich muss ihn aber noch zurückspulen, Moment. Expressentwicklung, wie lange dauert die?«

»Schwarz-weiß oder in Farbe?«

»Farbe, bitte.« Sie legte die Tasche ab und holte die Leica aus dem Etui. Rasch zog sie einen Pin heraus und spulte unter leisem Surren den Film zurück.

»Ich könnte das bis vierzehn Uhr schaffen. Das wird aber nicht billig.«

»Das macht nichts. Und fertigen Sie bitte ausnahmslos von allen Negativen Abzüge an, auch von den verwackelten oder falsch belichteten.«

»Sind Sie sicher? Sie können doch auf den Negativen sehen, was drauf ist, und später immer noch Fotos entwickeln lassen.«

»Nein, bitte alles.«

»Ganz wie Sie wünschen.« Die Frau schien schon einige merkwürdige Kundenwünsche gehört zu haben und fragte nicht weiter nach. Mara gab ihr die Spule aus der Kamera und eine zweite dazu. Darauf waren die Fotos von Carlo Coloris Leiche sowie von dessen Werken aus dem Atelier. Sie hatte es bisher nicht geschafft, den Film zum Entwickeln zu bringen, ihn aber zum Glück nicht aus der Tasche genommen. Ob sie die Frau warnen sollte, dass auf den Bildern ein Toter zu sehen war? Mara entschied sich dagegen. Auch in Bezug auf Motive hatten die Frau und ihre Angestellten sicherlich schon alles gesehen, was es zu sehen gab. Heutzutage war es doch wichtiger, dass Leute, die in einem Fotolabor arbeiteten, verschwiegen waren, als dass ein Priester sein Beichtgeheimnis wahrte.

Mit dem Abholschein und um eine ordentliche Anzahlung ärmer verließ Mara das Geschäft. Sie musste sich auf die Suche nach einer Bank machen und Geld abheben. Mit den übriggebliebenen paar Lire würde sie nicht mehr weit kommen. Und sie sollte sich besser eine gute Erklärung für diese ganzen Ausgaben überlegen. Ihr Vater erlaubte ihr zwar ein eigenes Konto, seitdem sie großjährig war, bestand jedoch noch auf der Kontrolle aller Kontoauszüge.

Die Straßen waren inzwischen belebter, Gruppen von jungen Männern mit bunten Skiern über den Schultern waren auf dem Weg zu den Talstationen. Ältere Ehepaare in teuren Pelzmänteln flanierten gemütlich umher und blieben vor den Schaufenstern stehen, Kinder in bunten Overalls bewarfen einander mit Schnee. Holzbuden zwischen den geschmückten Weihnachtsbäumen öffneten ihre Läden.

Mara stieg der Geruch von gebrannten Mandeln in die Nase. Ob es eine Bude mit gerösteten Kastanien gab? In Meran standen die an jeder Ecke, aber hier schienen sie nicht üblich zu sein. Mara schlenderte die Straße zurück Richtung *Cooperativa*, wobei sie immer wieder stehen blieb und das Bergpanorama genoss, das sich zwischen den Häusern in der Ferne präsentierte. Sie kannte die Namen der Gipfel hier im Süden nicht, aber der Anblick löste das gleiche vertraute Gefühl von Heimat und Zugehörigkeit aus wie zu Hause. Sie konnte gar nicht begreifen, dass diese Jahrmillionen alten steinernen Riesen Tasso nicht im Mindesten berührten.

Erwartungsvoll betrat sie das Einkaufszentrum. Es schien sich seit der Olympiade vergrößert zu haben. Beim Anblick der Auslage in der Käsetheke bekam Mara schon wieder Hunger. Sie zögerte kurz, dann trat sie heran und kaufte einige dicke Scheiben würzigen Bergkäse sowie ein Stück Parmesan. Letzteres wollte sie mitnehmen. Die Scheiben hingegen würden mit etwas Brot ein ordentliches Mittagessen abgeben. Schließlich musste sie bis zwei Uhr warten und sich die Zeit vertreiben.

In der Abteilung für Stoffe und Kurzwaren schwelgte sie in den bunten südlichen Mustern. Die Ballen kamen angeblich direkt aus Venedig. Dazu echte Seide aus Como. Bei den Preisen mochte das sogar stimmen. Standhaft hielt Mara sich davon ab, einen knallpinken Seidenstoff zu kaufen, aus dem sich ein herrliches Sommerkleid schneidern ließe. Sehnsüchtig schweifte ihr Blick über die präsentierte Ware. So entdeckte sie Schurwolle aus der Lombardei und kaufte einige Knäuel, die für einen Pullover reichen würden. Sie liebte das Handarbeiten, egal, ob Stricken oder Nähen.

Ihre beste Freundin Veronika empörte sich regelmäßig darüber und hielt ihr entgegen, eine moderne Frau solle sich nicht mit solchen weibischen Hobbys abgeben. Mara ließ sich davon nicht beeindrucken. Ging es im Kampf um Gleichberechtigung nicht genau darum, dass sie alle frei entscheiden konnten, was sie tun und lassen wollten, ohne sich nach gesellschaftlichen Vorgaben richten zu müssen? Sie strickte, weil es ihr Freude bereitete, nicht, weil ihre Mutter oder Großmutter sie dazu zwangen. Im Gegenteil, ihre Mutter konnte nicht im Mindesten nachvollziehen, warum ihre Tochter freiwillig strickte. Oma lächelte dann stets mit der Bemerkung, dass sich die Zeiten eben änderten. Und seit Mara eine elektrische Nähmaschine besaß, nähte sie auch voller Begeisterung. Die Geschwindigkeit war atemberaubend und die Ergebnisse konnten sich sehen lassen.

Eines war Mara wichtig: Selbständigkeit. Sie konnte Schneeketten an ihrem Fiat anlegen. Ebenso hatte sie mit dem Feinmechanikerwerkzeug, das sie für diese Zwecke von ihrem Bruder Friedrich borgte, jeden Defekt in der

Mechanik der Nähmaschine selbst behoben. Sollte Veronika also reden. Wenn die fand, Mara wäre nicht emanzipiert, nur weil sie Socken strickte, dann war das eben so. Versonnen lächelnd langte sie in die Tüte und streichelte die Wolle. Hoffentlich kratzte sie ordentlich. Mara fand das angenehm, da war sie recht eigen. Sie mochte darüber hinaus Haut auf heißem Kakao und Geleebananen.

Auf dem Rückweg zum Ausgang konnte sie zuletzt zwei Flaschen Wein vom Gardasee nicht widerstehen. Die waren genau die richtige Kleinigkeit, die ihr als Weihnachtsgeschenk für ihre Brüder fehlte. Siedend heiß fiel ihr ein, dass sie noch nichts für ihre Großmutter hatte. Und übermorgen war schon Heiligabend. Über die ganze Mordermittlung und die vielen neuen Eindrücke war ihr in den letzten Tagen gar nicht weihnachtlich zumute gewesen. Jetzt erst fiel ihr auf, dass das Einkaufszentrum mit stimmungsvoller Instrumentalmusik beschallt wurde. Rasch machte sie sich auf den Weg nach draußen.

Am liebsten wäre sie mit der Seilbahn auf einen der Berggipfel hinaufgefahren. Zum Wandern hatte sie nicht die richtigen Schuhe an, aber sie könnte die Aussicht von der Bergstation aus genießen. Sie blieb stehen und betrachtete die Menge an Leuten, die unterwegs waren. Sicherlich hatten sich vor den Gondelbahnen und Sesselliften inzwischen Schlangen gebildet. Außerdem war fraglich, wie lange die Fernsicht so blieb. Ringsum zogen Wolken auf, die neuen Schnee versprachen.

Daher verzichtete Mara auf Ausflüge mit dem Lift und schlenderte lieber gemütlich den gesamten Corso Italia entlang bis zum Ende, wo er auf die SS 51 traf, die Tasso und sie am Morgen zuvor aus Toblach gekommen waren. Dort entdeckte sie die alteingesessene Pasticceria Alverà. So manche

Häuserfassade in Cortina sowie das Warenangebot waren südländischer angehaucht. Die helle Holzfassade dieses Geschäfts strahlte dagegen rustikalen Habsburger Charme aus. Lediglich die Klappmarkisen erinnerten an Venedig oder Florenz.

Mara betrat die Pasticceria, setzte sich an einen der winzigen Tische und bestellte einen Kakao mit Sahne. Das ungeschriebene Gesetz von Winter und Kälte lautete, dass Fett und Zucker nach einem ordentlichen Spaziergang erlaubt waren. Vergnügt vor sich hin kichernd löffelte Mara die Sahnehaube genüsslich ab, bevor sie den Kakao trank. Dabei stellte sie sich vor, wie ihre Mutter peinlich berührt mit den Augen rollte und vergeblich versuchte, ihrer Tochter klarzumachen, dass sie inzwischen zu alt für so ein unschickliches Benehmen sei. Vielleicht stimmte das sogar, aber in Cortina kannte sie niemand. Sollte die Frau hinter der Kuchentheke sie doch für kindisch halten, Mara war es herzlich egal. Wenn sie erst zurück in Misurina beim Commissario wäre, würde sie sich wieder zusammenreißen. Wobei dies eher ihre voreiligen Kommentare betraf und weniger das Benehmen. Vor allem sollte sie nicht mehr so viele Fragen stellen. Schließlich wusste sie, was sich gehörte.

Seit sie sich etwas zurückhielt, war Aurelio Tasso um einiges umgänglicher geworden. Manches Mal schien er sogar mit ihr zufrieden zu sein, was ihre Aufmerksamkeit und Mitarbeit anging. Zugegeben, Petras Großvater als Chauffeur anzuheuern war nicht der klügste Einfall gewesen. Doch dafür waren sie jetzt dort, wo wie hinmussten. Der Commissario schien eine gute Nase für die Zusammenhänge zu haben. Und wie zielstrebig er dieses Hotel Misurina recherchiert hatte, das verlangte ihr Respekt ab.

In vielen anderen Punkten wurde sie aus Aurelio Tasso

nicht schlau. Manchmal erschien es ihr, als würde er sich mit Absicht so grantig, wenn nicht gar feindlich aufführen, damit sie ihm nur nicht zu nahekam. Und wie passte da sein Verhalten gestern Morgen in Toblach hinein? Diese Schneeballschlacht? Ehrlich, es war eh nur ein kleines Gefecht gewesen. Aber dennoch. Er hatte sich kurz gehen lassen. Dieser unbeschwerte Tasso hatte Mara entschieden besser gefallen.

Von Bruno wusste sie, dass der Mann weder viele Freunde noch die Familie in der Nähe hatte. Irgendeine Tante lebte in Bozen, die er hin und wieder besuchte. Das klang einsam. Aber wenn dem so war, warum kehrte er nicht zurück in den Süden, besser gesagt nach Rom? Was hielt ihn hier in diesen ach so fürchterlichen Bergen mit ihren kalten Wintern? Seine Karriere?

Mara kam es nicht so vor, als strebte Tasso um jeden Preis weitere Schritte auf der Karriereleiter an. Er schien kein schlechter Ermittler zu sein und wirkte sehr pedantisch, ehe er sich auf eine Schlussfolgerung einließ. Seine Vermutung bezüglich dieser Männer aus der *Bunten Kuh* hatte sich bisher als richtig erwiesen. Und Mara war sicher, dass er das auch irgendwann würde beweisen können. Für sie war die Sache klar. Die waren es, die hatten den Maler umgebracht. Vielleicht hatten die Männer sich gestritten. Sicherlich war das Motiv Geld. Oder eine Frau? Eifersucht? Oder ging da ihre romantische Fantasie mit ihr durch?

Mara kratzte die letzten Reste Kakao aus dem Becher und leckte den Löffel ab.

Sie konnte es kaum erwarten, bis sie ihre Fotos in die Hand bekam. Wenn Sie recht hatte, würde sie dem Commissario ein weiteres Puzzleteil liefern: den Beweis, dass Carlo Colori in Misurina gewesen war.

Halt, nein, sie zog schon wieder voreilige Schlüsse. Wie

sagte Tasso noch? Sie sollte immer den Zufall in Erwägung ziehen. Also gut. Sie könnte vielleicht beweisen, dass sich ein Bild von Carlo Colori im Hotel am Misurinasee befand. Und ab diesem Punkt galt es dann, die weiteren Zusammenhänge zu ermitteln. Wie es dorthin gelangt und ob sein Schöpfer persönlich vor Ort gewesen war.

Immer wieder musste Mara sich innerlich zur Ordnung rufen, sich nicht allzu sehr zu begeistern. Schließlich waren zwei Menschen umgekommen. Aber wenn sie tief in sich hineinhorchte, empfand sie eher kribbelnde Aufregung als Trauer. Sicher, ein vages Bedauern war dabei. Nur hatte sie die beiden Männer nicht gekannt. War es da nicht normal, dass sie kaum betroffen war? Und war das nicht sogar ein Stück weit besser so? Wie könnte ein Ermittler wie Tasso in solchen Fällen arbeiten, wenn ihn der Schmerz um den Tod eines Menschen zerriss? Nein, es war klüger, nüchtern an die Sache heranzugehen und sie als das anzunehmen, was sie war: ein komplexes Rätsel, das es zu knacken galt.

11. Kapitel, in dem sich Tasso gewiss keine Sorgen um Mara macht und eine ausgezeichnete Polenta mit Steinpilzen isst

Tasso hatte es doch gewusst. Diese Oberhöller war nichts als Ballast.

Es war inzwischen kurz vor dreizehn Uhr. Die Vernehmungen waren erfolgreich verlaufen und Tasso entsprechend hochzufrieden. Er könnte jetzt zurück nach Bozen aufbrechen und die weiteren Ermittlungen in die Wege leiten. Wenn sie gut durchkamen, würde er es vor Feierabend schaffen, die Untersuchung von Villabonas Leiche mit Dottore Agnelli zu besprechen. Er könnte alle erforderlichen bürokratischen Schritte mit dem Staatsanwalt verhandeln, um die vier Männer aus der *Bunten Kuh* zur Fahndung auszuschreiben. Der Verdacht, dass sie mit dem Ableben des Künstlers Carlo Colori in Zusammenhang standen, gar verantwortlich dafür waren, hatte sich erhärtet. Marta Alfonsos Kollege, der im August am Empfang gearbeitet hatte, konnte sich an zwei der Männer erinnern. Dazu glaubte er, Carlo Colori wiedererkannt zu haben. Es wurde dringend Zeit, diese Signori zu finden und zu vernehmen.

Stattdessen saß er hier in diesem mondänen Hotel, das so gar nicht seiner Welt entsprach, trank *caffè* und drehte Däumchen. Vielmehr zupfte er leere Zuckertütchen in kleine Fetzen.

Weil diese *raggazzina* wie vom Erdboden verschluckt war. Der Concierge Ernesto Ferrara hatte ihm gesagt, dass sie sich morgens nach Cortina hatte fahren lassen. Seitdem hatte niemand etwas von ihr gehört. Warum hatte sie nicht wenigstens eine Nachricht hinterlassen? Was machte sie in Cortina? Eine ausgedehnte Shoppingtour? Weihnachtseinkäufe? Mitten in der Ermittlung? Die hatte doch nicht mehr alle Tassen im Schrank.

Ruckartig stand er auf und stieß sich das Knie am Beistelltisch neben dem Sessel. Die Espressotassen klirrten, fielen immerhin nicht herunter.

Mürrisch warf Tasso die Reste der Zuckertütchen in den Kamin. Obwohl kein Feuer brannte, hielt sich der harzige Geruch nach Holz und Hitze in dem Zimmer. Besser, er ging ein paar Schritte ins Freie und schnappte frische Luft, bevor er hier durchdrehte.

Tasso hatte seine wenigen Habseligkeiten beim Empfang hinterlassen, damit das Hotel die Kammer, in der er geschlafen hatte, wieder nutzen konnte. Das war ihm auch peinlich: In Maras Zimmer lagen ihre Sachen noch bunt verstreut, sie hatte nicht einmal das Bett gemacht. Aber daran konnte er nichts ändern. Bei ihr aufräumen würde er ganz sicher nicht.

Stattdessen ließ er sich vom Concierge Hut und Mantel aushändigen, stellte den Kragen auf und verließ das Hotel – nicht ohne Bescheid zu geben. Er plante, gegen zwei Uhr zurück zu sein. Falls es der Signorina genehm war, sich bis dahin blicken zu lassen, würde ihr dies ausgerichtet.

Draußen hatten sich wieder erste Wolken vor die Sonne geschoben und tauchten die Landschaft in ein diffus trübes Licht, das einer Nebelwelt glich. Kaum hatte Tasso die Hände tief in die Manteltaschen vergraben und war losmarschiert, fing es sanft an zu schneien. Das fehlte noch. Falls die Oberhöller erst auftauchte, wenn der direkte Weg nach

Bozen wieder zugeschneit war, konnte sie was erleben. Er würde sie vor einen Schlitten spannen. Dann konnte sie ihn eigenhändig über die Berge ziehen.

Tasso folgte dem Weg um den See. Marta Alfonso hatte ihm gesagt, dass er eine Stunde dafür benötigen würde, wenn er langsam ging. Über das Eis wollte er nicht. Ihm war es lieber, festen Boden unter den Füßen zu haben. Und den vielen Spuren im Schnee nach zu urteilen, war er nicht der Einzige, der den See umrundete. Jetzt war allerdings kaum jemand unterwegs, es war Essenszeit. Nur einige Dutzend Kinder tummelten sich auf dem Eis.

Eine Weile schritt Tasso in gleichmäßigem Tempo aus und horchte auf seine Umgebung. Vom Knirschen des Schnees unter seinen Stiefeln abgesehen war es still, gelegentlich scholl eine Kinderstimme übers Eis. Irgendwann war er zu weit weg, um sie zu hören; sie hielten sich nahe der Straße am westlichen Ufer auf.

Er kam zu dem Abschnitt, wo die Bediensteten des Hotels Marcello Villabona aus dem Eis gefischt hatten. Tasso blieb stehen und betrachtete die Stelle. Wie eine hässliche Wunde klaffte ein Loch im Eis, am Rand weiß ausgefranst, drum herum faustgroße Eisbrocken und kleine Schollen. In der Nacht war alles zusammengefroren. Auf dem Wasser hatte sich bereits eine frische Eisschicht gebildet. Irgendwer hatte eine notdürftige Barrikade aus Holzstöcken errichtet, damit niemand beim Eislaufen in die Nähe des Lochs geriet.

Mit einem letzten Blick zog Tasso schaudernd die Schultern hoch und spazierte weiter. Von Villabona hatte er sich immer noch kein Bild gemacht. Es war möglich, dass er zufällig zur falschen Zeit am falschen Ort gewesen war. Sein Tod musste nicht im Zusammenhang mit dem Mord an Colori stehen. Tasso hatte inzwischen erhebliche Zweifel an dieser Art von Zufall, aber das Bindeglied zwischen beiden Ereignissen fehlte. Hinzu kam, dass er beständig das Gefühl hatte, in der Questura von Belluno etwas Entscheidendes übersehen oder vergessen zu haben. Aber was? Da war nicht mehr als diese vage Ungewissheit, den Schritt zur erlösenden Erkenntnis wollte sein Verstand nicht gehen.

Gedankenverloren marschierte Tasso voran. Er kam schneller vorwärts, als er erwartet hatte. Nach einer guten halben Stunde stand er am südwestlichen Ufer des Sees und traf wieder auf die Durchgangsstraße. Hier waren ein paar mehr Menschen unterwegs, ab und zu fuhr ein Auto vorbei und spritzte Fontänen aus Schneematsch zu allen Seiten.

Tasso entdeckte eine kaum leserliche Schrift unter den tiefhängenden Dachbalken eines der Häuser. *Trattoria* stand dort in verheißungsvoll verschnörkelten Buchstaben. Er überlegte nicht lange, suchte die Eingangstür und trat ein. Eine dunkle verrauchte Gaststube mit niedriger Decke und blau-weiß karierten Vorhängen empfing ihn. Es war brechend voll, die ganzen eng beieinanderstehenden Tische bis auf den letzten Platz besetzt. Bis dahin hatte Tasso keinen Hunger gehabt, doch bei dem Geruch nach Fett und gebratenem Fleisch knurrte sein Magen.

Eine Kellnerin mit einem fleckigen blauen Schurz und einem Tablett voller Bierkrüge drängte sich an ihm vorbei. »Drüben unterm Fenster wird frei. Stell dich so lange an die Theke.«

Das war leichter gesagt als getan. Bevor Tasso sich bis zum Tresen durchgearbeitet hatte, winkte die Frau ihn bereits an einen winzigen Tisch in einer Nische, den sie gerade sauber wischte.

Tasso schälte sich aus dem Mantel und setzte sich. Zu

dem Geruch aus der Küche gesellte sich der nach Schweiß und Toilette. Er saß direkt neben dem Durchgang zu den Örtlichkeiten. Aber was sollte es. Das hier war allemal besser, als im Hotel zu sitzen und sich zu fragen, wo Mara Oberhöller steckte. Es war ja nicht so, dass er sich um sie sorgte. Sie war eine erwachsene und höchst selbständige junge Frau. Musste sie ja sein, wenn sie ernsthaft Jura studieren wollte. Er ärgerte sich vielmehr, weil sie auf eigene Faust Ausflüge machte. Er konnte ihr das schlecht verbieten, schließlich war er nicht ihr Vater. Und nicht ihr Vorgesetzter. Zumindest hatte er seine Rolle nicht so verstanden, als Bruno ihm eröffnet hatte, sie würde ihn für ein paar Wochen begleiten. Trotzdem war es doch eine Frage des Respekts und nicht zu viel verlangt, dass er von ihr erwartete, nicht eigenmächtig zu handeln? Oder ihm wenigstens darüber Bescheid gab. Was, wenn sie einfach keine Lust mehr gehabt hatte und nach Hause gefahren war? Ohne ihn? Nein, das traute er ihr nicht zu. So einen gedankenlosen und sprunghaften Eindruck hatte sie nicht gemacht. Eher im Gegenteil. Sie war doch so begierig gewesen, immer mit der Nase voran dabei zu sein? Wieso also hatte sie sich die Befragung um zehn Uhr entgehen lassen? Es musste wichtig sein. Warum hatte sie ihm dann nichts gesagt?

»*Menù del giorno?*«, rief die Kellnerin ihm im Vorbeigehen zu.

»*Perfetto.* Und ein Glas Roten.« Das Tagesgericht war nie verkehrt. Der Menge der Anwesenden nach zu urteilen, konnte das Essen nicht so schlecht sein.

Tasso ließ seinen Blick durch den Raum schweifen, ohne bewusst etwas wahrzunehmen. Seine Gedanken blieben beharrlich bei der Frage, wo Mara Oberhöller steckte. Er war inzwischen so weit, dass er sie am liebsten übers Knie legen würde, sobald sie wieder auftauchte. Denn eines war sicher: Falls ihr etwas zugestoßen sein sollte, brauchte er Bruno nicht mehr unter die Augen treten, sondern beantragte besser die Versetzung an den äußersten Zipfel Siziliens. Und das würde sie ihm doch nicht antun. Das würde sie nicht wagen, oder? Was war da los?

»Ein Glas Tischwein und Polenta mit Steinpilzen. *Buon appetito.*« Die Kellnerin setzte den Teller im Vorbeigehen ab, was ihr trotz der Drehbewegung elegant gelang. Rotwein und Besteck folgten. Verzückt betrachtete Tasso die zartbraun gebratenen Polentascheiben an der sämigen Soße. Dazwischen hatte zerlassene Butter kleine Fettaugen gebildet. Große Steinpilzstücke harmonierten fein mit Kräutern.

Er probierte. Es war großartig. Polenta hatte er ebenso wie Knödel erst kennen und lieben gelernt, nachdem er in den Norden gezogen war. Und beides tröstete ihn darüber hinweg, dass es sogar in Bozen nach wie vor eine Herausforderung war, eine vernünftige Portion *Spaghetti al ragù* zu bekommen.

Tasso ließ sich Zeit, genoss jeden Bissen und nickte begeistert, als die Kellnerin ihn im Vorbeigehen fragte, ob es schmecke. So zufrieden, wie sie lächelte, war ihm das von der Nasenspitze abzulesen. Für ein paar Minuten vergaß er sogar Mara, ihr Verschwinden, die gesamte Ermittlung. Erst als die Bedienung an den Tisch trat und den Teller abräumte, kaum dass er das Besteck zusammengelegt hatte, fiel ihm wieder ein, wo er war und warum.

»Warten Sie, Signora, haben Sie einen kurzen Augenblick Zeit?«

»*Momento*, ich bringe nur das Geschirr weg. Bin sofort wieder da.«

»Bitte bringen Sie noch einen *caffè* mit.«

Sie lachte und machte eine zustimmende Geste, ohne sich umzudrehen.

Tasso zündete sich eine Zigarette an und angelte mit der freien Hand den Umschlag mit den Phantombildern aus der Innentasche seines Mantels. Es war inzwischen leerer geworden. Er musste allmählich auch wieder los. Vielleicht war Mara im Hotel eingetroffen. Ach, und wenn, musste sie eben warten. Das geschähe ihr recht.

»So, da bin ich.« Die Kellnerin schob ihm eine Espressotasse zu und stellte eine Plastikschale mit Zuckertütchen daneben. Sie zog einen Stuhl vom Nebentisch heran, ließ sich vor einer zweiten Tasse nieder und blinzelte ihn erwartungsvoll an.

Tasso wedelte den Zigarettenqualm weg und erklärte ihr kurz, wer er war und warum es ihn an den Lago di Misurina verschlagen hatte.

»Wegen dem Villabona? Dem Nachtportier, den sie gestern aus dem See gefischt haben?«

»Woher wissen Sie das?«

Sie lachte gutmütig. »Schauen Sie doch mal aus dem Fenster. Die Stelle ist genau gegenüber von meinem Haus. Außerdem ist das hier ein winziger Ort, so was spricht sich in Windeseile herum.«

»Also dann ein klares Vielleicht. Ich bin ursprünglich wegen einer Ermittlung in Meran hergekommen. Es wäre möglich, dass beide Fälle miteinander verwoben sind. Mehr kann ich Ihnen dazu leider nicht sagen. Ich versuche, diese Männer hier zu identifizieren.«

Sie nickte aufmerksam und beugte sich nacheinander über die Bilder der Verdächtigen und Carlo Colori. Sie zögerte nicht lange.

»Der hier.« Sie tippte auf Coloris Bild. »Der war ein paar

Wochen im Sommer hier. Das müsste so ab Juli gewesen sein. Franz hieß er. Franz Gruber, genau.«

»Franz?«, fragte Tasso irritiert, bis ihm einfiel, dass der richtige Name des Mannes so lautete. Er nickte hocherfreut. Die Frau bemerkte das gar nicht, weil sie ein Phantombild in Kopfhöhe hielt und es eingehend mit halb geschlossenen Augen studierte.

»Ich müsste mich schon sehr täuschen, wenn der hier nicht auch bei uns gegessen hat«, sagte sie endlich und legte das Bild zu den anderen. »Das müsste am ersten Montag im September gewesen sein. Ich weiß das so genau, weil am Wochenende zuvor die große Abreisewelle war. Und meine Schwester und ich haben noch herumgescherzt, ob seine Familie den vergessen hätte. Er kam in der Woche mehrmals zum Mittagessen und danach nicht mehr. Und ein paar Wochen später war er noch einmal hier, im Frühherbst. Glaub ich jedenfalls, ganz sicher bin ich mir nicht.«

»Sie wissen nicht zufällig, wie er hieß?«

Sie neigte bedauernd den Kopf. »Giovanni. Aber so heißt ja jeder zweite Kerl.«

Tasso versuchte, sich seine Enttäuschung darüber nicht anmerken zu lassen. Sie hatte recht, der Name kam häufig vor. Und dass dieser Mann hier gesehen worden war, wusste er schon aus den Gesprächen im Hotel heute Morgen.

»Das ist immer noch mehr als nichts. Jetzt kann ich alle Männer, die nicht Giovanni heißen, ausschließen«, erklärte er jovial und brachte sie damit erneut zum Lachen.

»Dazu bestätigen Sie Aussagen des Hotelpersonals. Haben Sie ganz herzlichen Dank!«

Er bezahlte, steckte die Fotos sorgfältig zurück in den Umschlag und verließ die *Trattoria*. Beim Hinausgehen dachte er zufrieden bei sich, wie harmonisch sich seine Leidenschaft für leckeres Essen mit dieser Ermittlung doch verbinden ließ. Knödel hatten ihn zu den Verdächtigen geführt und die Polenta nun zur möglichen Identifizierung des einen. Dass es weniger das Essen gewesen war, das ihn in die Gaststätten geführt hatte, sondern eher Rosa Marthalers Aussage und die Essenszeit zum Mittag, übersah er bei seinen Überlegungen großzügig.

Kaum stand er draußen, kam es ihm vor, als wäre die Dämmerung hereingebrochen. Der Himmel hatte sich komplett zugezogen, und es nieselte feinste Schneeflocken, so dicht, dass er kaum die Hand vor Augen sah. War die Luft bei seinem Aufbruch eher dunstig gewesen, so lag jetzt ein immer dichter werdender Nebel über dem See. Wenn das so weiterging, konnte er die Fahrt nach Bozen vergessen und er würde eine weitere Nacht hier festhängen.

Bis auf drei Burschen, die am Seeufer ihre Eishockeyschläger schulterten und sich die Schlittschuhe über die Schultern warfen, war niemand mehr unterwegs. Die Stille war vollkommen.

Tasso zog den Hut tiefer in die Stirn und band den Schal fester um den Kragen. Dann stapfte er los in eine märchenhaft weiße Winterwelt. Im Grunde war er gern in der freien Natur unterwegs, ein Fußmarsch machte ihm selten etwas aus. Aber jetzt konnte er es kaum noch erwarten, im Hotel einen letzten *caffè* zu trinken. Oder einen Grappa, der würde ihn wärmen. Hoffentlich war Signorina Mara wenigstens inzwischen aufgetaucht.

12. Kapitel, in dem Mara ihren Kunstverstand einsetzt

Nervös kaute Mara auf ihrer Unterlippe und ignorierte stoisch jegliche Versuche des Taxifahrers, sie in ein Gespräch zu verwickeln. Die Euphorie, die sie beim Anblick ihrer Fotos ergriffen hatte, war längst verpufft, begraben unter einer beständig größer werdenden Menge Neuschnee. Der direkte Weg nach Meran mitten durch die Dolomiten war bereits vorsorglich gesperrt worden. Dies hatte ihr der Taxifahrer so fröhlich verkündet, als wäre er persönlich dafür verantwortlich gewesen.

Mara dagegen dachte an das bevorstehende Wiedersehen mit Commissario Tasso und verspürte prompt das Bedürfnis, sich in einen Schneehaufen einzubuddeln, damit er sie nicht fand. Ihr war schon auf der Hinfahrt klar gewesen, dass er von ihrem eigenmächtigen Ausflug nicht gerade begeistert sein würde. Jetzt mit dem Schnee und den ersten Straßensperrungen wettete sie darauf, dass seine Laune mindestens bis auf den Grund des Misurinasees gesunken war.

Dazu war ihr inzwischen eingefallen, dass sie vergessen hatte, im Hotel eine Nachricht zu hinterlassen. Sie hatte versucht, in Cortina einen öffentlichen Münzfernsprecher zu finden, war aber zunächst an fehlendem Kleingeld und dann daran gescheitert, dass sie die Nummer des Hotels nicht kannte. Statt zu versuchen, diese herauszufinden, hatte sie sich lieber dazu entschieden, das Fotogeschäft früher aufzusuchen. Wenigstens dort hatte sie Glück gehabt und ihre Abzüge bekommen. Gegen zwei Uhr würde sie wieder im

Hotel eintreffen – sofern das Taxi nicht unterwegs stecken blieb. Das Auto schlingerte auf der frischen Schneedecke bedenklich hin und her. Wenigstens konnten sie nirgendwo hinunterstürzen; sie hatten den Pass Tre Croci, der zwischen Cortina und dem Misurinasee lag, bereits hinter sich.

Kurz vor dem Hotel überholten sie einen einsamen Spaziergänger, der mit eingezogenem Kopf, den Hut mit der einen Hand festhaltend, das Ufer entlangmarschierte.

»Na, der hat ja Nerven.« Der Taxifahrer tippte sich an die Schläfe. »War doch deutlich abzusehen, dass es wieder anfängt zu schneien. Da geht niemand weiter als nötig.«

»Vielleicht nur ein Hotelgast, der in einer der umliegenden Gasthäuser ein wenig die Zeit vergessen hat. Der hat es nicht weit.«

»Na klar, kann sein. Oder ein Angestellter auf einem Botengang für so einen hochwohlgeborenen Gast. Manche Leute haben ja heutzutage die sonderbarsten Wünsche. Nichts für ungut, Signorina. Anwesende natürlich ausgenommen.«

Mara ignorierte das Geschwafel. Sie drehte sich noch einmal nach der Gestalt um, die im Schneegestöber kaum zu erkennen war. Sie wurde den Eindruck nicht los, dass es sich um Tasso handeln könnte. Was machte er da? Sie hatte ihn nicht als großen Naturliebhaber kennengelernt. Hoffentlich war er nicht unterwegs, um sie zu suchen.

Mit einem schlechten Gewissen bezahlte sie und stieg aus. Unter dem Vordach blieb sie stehen und versuchte, den Spaziergänger zu entdecken, aber es schneite zu stark. Der Page, der ihr die Tür aufhalten wollte, wippte ungeduldig auf den Zehen. Sie erbarmte sich, lächelte ihm entschuldigend zu und betrat die Lobby. Wohltuende Wärme empfing sie, neben Zigarettenrauch lag das Aroma von feuchter

Wolle in der Luft. Bevor der Page die gläserne Eingangstür geschlossen hatte, kam der Concierge Ernesto Ferrara auf sie zugelaufen.

Er rang mit besorgter Miene die Hände. »Endlich, Signorina Oberhöller. Signor Commissario Tasso müsste jeden Augenblick zurückkehren.«

»Das ist gut. Er ist also noch hier. Ich hatte mir schon Sorgen gemacht, er würde ohne mich zurück nach Bozen fahren.« Was sie ihm nicht einmal hätte verdenken können. Sie zog die Mütze vom Kopf und schüttelte den Schnee ab. Dann knöpfte sie den Mantel auf.

Hinter ihr fegte ein eiskalter Windstoß in den Raum, weil der Page die Tür für einen weiteren Gast geöffnet hatte.

»Aber nein, das hätte er sicher nicht getan. Er hat sich große Sorgen um Sie gemacht.«

»Wirklich?«

»Wer hat sich Sorgen um Sie gemacht, Signorina Oberhöller?«, grollte es hinter ihr.

Mara fuhr herum.

Tasso klopfte den Schnee von seinem Hut. Sein Mantel war an den Schultern völlig durchnässt, Flocken schmolzen und hinterließen nasse Stellen auf dem Stoff. Seine Hände und das Gesicht waren rot gefroren. Und warum trug der Mann keine Handschuhe?

Ernesto Ferrara war schon zu lange Concierge, um die Situation nicht mit einem Blick zu erfassen. Er reckte die Arme und stürmte an Mara vorbei. »Bitte lassen Sie mich Ihnen helfen, Signor Commissario. Geben Sie mir Ihren Mantel und den Hut. Den Schal auch. Ich werde das hinter der Rezeption in unseren Trockenraum hängen. Sie werden sehen, das ist alles im Nu wieder getrocknet.« Bevor Tasso wusste, wie ihm geschah, hielt Ferrara Hut und Mantel in der einen Hand und winkte ungeduldig mit der anderen, bis Tasso den Schal von seinem Hals gewunden hatte und ihm reichte. Er warf alles über einen Arm, lief wie eine hektische Aufziehfigur zu Mara und ließ sich mit derselben Ungeduld ihre Sachen geben.

Kurz bevor er sich abwandte, legte er ihr beschwichtigend die Hand auf den Unterarm. »Das wird schon«, und war mit einem letzten Rascheln der Kleidungsstücke verschwunden.

Tasso pustete sich warmen Atem in die Hände und massierte seine Fingerkuppen. »Ich habe meine Handschuhe bei von Kotzian im Auto liegen lassen«, erklärte er auf ihre unausgesprochene Frage. »Ich hoffe, er wirft sie nicht weg. Für ihn sind die sicherlich billiges Zeug. Aber sie sind warm. Und selbstgemacht. Von meiner Tante.«

»Was … warum erzählen Sie mir das?«

Er zeigte auf die Tüte mit ihren Einkäufen. »Das ist doch Strickwolle, oder? Schön, dass Sie sich auch für Dinge interessieren, für die Frauen besser geeignet sind als für Mordermittlungen.«

»Wie bitte?« Mara stand da wie vor den Kopf geschlagen.

Tasso trat dicht an sie heran, seine Miene hatte sich nach der kurzen Entspannung, als er von seinen Handschuhen erzählt hatte, wieder verdüstert. »Wo? Wo waren Sie, Signorina Mara Oberhöller, Tochter des Bürgermeisters?«

»So, wie Sie das jetzt sagen, klingt es wie eine Beleidigung. Ich kann doch nichts für den Beruf meines Vaters.«

»Aber Sie können was dafür, dass Sie mir auf die Nerven gehen! Jetzt sitze ich hier am Arsch der Welt, weil es dem privilegierten Töchterlein einfällt, einfach mal loszuziehen und ein bisschen einkaufen zu gehen. Haben Sie wenigstens alle Weihnachtsgeschenke beisammen?«

»Das … nein … ich …«

»Was denken Sie sich eigentlich dabei, einfach ohne eine Nachricht abzuhauen?«

Zerknirscht senkte sie den Kopf und starrte zu Boden. Ihre Stiefel hatten feuchte Spuren auf dem dicken Teppich hinterlassen. Und sie wurde sich bewusst, dass Tasso sie hier mitten in einer Hotellobby vor aller Augen und Ohren herunterputzte. Prompt wurden ihre Wangen heiß.

»Es tut mir leid, das war sehr ungeschickt«, murmelte sie.

»Ungeschickt? Wir haben eine Mordermittlung zu führen, verdammt nochmal!« Er fluchte leiser in einem Dialekt weiter, den sie nicht verstand.

»Sie können von Glück sagen …«

»Genau darum ging es ja«, unterbrach Mara ihn hastig und wühlte in ihrer Handtasche, was mit den Einkäufen in der Hand gar nicht so einfach war. Die Weinflaschen klirrten verräterisch, was dazu führte, dass Tassos Augenbrauen sich tiefer senkten.

Mara bekam den dicken Umschlag mit den Abzügen zu fassen. »Um die Ermittlung. Mir ist nämlich etwas aufgefallen. Und bevor ich mir wieder anhören muss, dass ich zu schnelle Schlüsse ziehe, wollte ich sicher sein. Hier ist der Beweis.«

»Beweis? Für was? Ich glaube, ich habe auch ohne Sie alle Beweise gefunden, die es hier gibt! Ist Ihnen übrigens aufgefallen, wie stark es schneit?«

»Kommen Sie?« Mara drehte sich und geriet ins Taumeln. Rasch stellte sie die Einkäufe und die Handtasche neben dem Sofa in der Warteecke ab. Aus den Augenwinkeln bemerkte sie, dass Ernesto Ferrara seinen Platz hinter dem Empfangstresen eingenommen hatte und so tat, als würden sich nicht gerade ein Commissario und eine junge Signorina mitten in der Lobby anschreien.

Mara scherte sich weder um ihn noch um das ältere Ehepaar und die Frau mit dem Baby, die sich alle neugierig aus Richtung Speisesaal genähert hatten. Sie packte Tasso am Arm und versuchte, ihn mit sich zu ziehen. Er streifte ihre Hand rüde ab. »Das reicht jetzt, *raggazzina!*«

Für einen Moment waren die Pferde mit ihr durchgegangen. Erneut fühlte sie, wie ihre Wangen rot wurden. Sie schluckte tapfer gegen ihre Scham an und zeigte auf das Gemälde zwischen Tresen und Aufzug. »Dieses Bild da ist eine Fälschung. Von Carlo Colori.«

Tasso hielt inne. »Sie meinen Kopie.«

»Ich meine Fälschung. Hier sollte das Original hängen. Das Bild wurde ausgetauscht.« Sie hatte immer leiser gesprochen und schaute sich nervös um, ob das außer dem Commissario jemand mitbekam. Das wäre nicht gut. Und es war immer noch möglich, dass sie sich irrte.

»Woher wollen Sie das wissen?«

»Ich zeige es Ihnen.« Sie unterdrückte den Impuls, ihn abermals mit sich ziehen zu wollen, und ging stattdessen an ihm vorbei zu dem Bild. Dort ließ sie sich auf ein Knie nieder und nahm die rechte untere Ecke in Augenschein.

»Was machen Sie denn da? Ist da etwas Besonderes?«

Sie legte den Umschlag mit den Fotos auf den Boden und nahm die Abzüge heraus. Rasch blätterte sie hindurch und platzierte drei unter dem Gemälde. Die übrigen steckte sie zurück.

Tasso war zögernd näher gekommen, die Neugier stand ihm deutlich ins Gesicht geschrieben.

Mara nahm ein Foto auf und hielt es neben das Gemälde. »Sehen Sie, hier. Das ist Carlo Coloris Signatur.«

»Farbfotos? Alle Achtung. Wie? Seine Signatur?« Tasso wackelte auffordernd mit den Fingern, und Mara reichte ihm das Foto. Er betrachtete es lange und eingehend. Dann bückte er sich zu dem Gemälde und studierte es nicht weniger intensiv. Er versuchte sogar, seinen Zeigefinger unter die schützende Glasscheibe zu drücken.

Maras Unterschenkel begannen zu verkrampfen, und sie erhob sich. Am liebsten hätte sie ihm das Foto aus der Hand gerissen und die Linienführung des verschlungenen CC erklärt. Sah er das denn nicht? Aber sie riss sich zusammen. Besser, er entdeckte selbst, was so wichtig war: dass dieses angebliche Original das Zeichen des Malers Carlo Colori trug.

Sie schaute sich um. Ernesto Ferrara beobachtete sie unaufdringlich aus den Augenwinkeln. Die Frau und das Ehepaar hatten sich wieder verzogen.

Mehrfach wechselte Tassos Blick zwischen Bild und Foto hin und her. Nach einer gefühlten Ewigkeit stand er endlich auf.

»Sie meinen diesen Schnörkel, der sowohl hier auf dem Gemälde als auch auf dem Werk ist, das Sie im Atelier abfotografiert haben?«

»Das sind zwei ineinander verschlungene C.«

Er betrachtete nachdenklich die gemalte Hafenszenerie. »Da könnten Sie recht haben. Aber warum? Wie kommen Sie auf den Gedanken? Im Atelier waren Sie davon überzeugt, dass unser Carlo kein Fälscher ist.«

Mara nickte eifrig. »Normalerweise war er das auch nicht. Aber in diesem Fall hat er ein Bild nicht nur einfach nachgemalt, sondern detailgetreu gefälscht.«

»Ich kann Ihnen nicht folgen.«

Nervös holte Mara Luft. Jetzt kam es darauf an. »Natürlich ist es erst einmal meine Theorie, die wir noch beweisen müssen. Ich glaube, dass jemand Colori beauftragt hat, die *Tavola Strozzi* nachzumalen. Und dass anschließend das Original, das hier gehangen hat, gegen diese Nachahmung ausgetauscht wurde.«

Tasso trat einen Schritt zurück. Mit verschränkten Armen betrachtete er das Bild. »Wer soll das ausgetauscht haben? Colori selbst?«

»Wäre möglich, oder? Er wird Kontakte in die Kunstszene haben und das Original unter der Hand an einen Sammler verkaufen können.«

»Colori war im Sommer hier«, sinnierte Tasso laut. »Sogar eine ganze Zeit lang. In der Zeit könnte er das Bild angefertigt haben.«

»Wirklich?«

Tasso rümpfte die Nase. »Auch wenn Sie es nicht für möglich halten, ich habe gearbeitet, während Sie in Cortina bummeln waren.«

»Sie wissen doch jetzt, dass ich die Fotos entwickeln lassen musste!«

»Schon gut.« Er winkte ab und strich sich mit der Hand über das stoppelige Kinn.

Mara überlief bei dem kratzenden Geräusch eine Gänsehaut. Sein Bartschatten war ein deutlicher Indikator dafür, wie lange sie inzwischen unterwegs waren. Die ersten beiden Tage, die sie ihn begleitet hatte, war Tasso immer tadellos rasiert gewesen.

»Ich bin noch nicht überzeugt, Signorina Mara. Warum sollte ein Kopist zum Fälscher werden? Aus eigenem Antrieb? Das wäre zwar möglich, erscheint mir nur nicht sehr plausibel. Dafür muss es einen Auslöser gegeben haben. Ein Auftraggeber. Gut und schön. Aber wann und wie ist er dem begegnet? Colori kann schlecht Werbung damit machen, Kunstwerke zu fälschen. Und ich sehe nicht ein, warum jemand einen Kopisten ansprechen sollte, wenn er einen Fälscher sucht. Irgendwie fehlt mir da der Zusammenhang.«

»Oder er nutzt die Tätigkeit als Kopist als Tarnung, um in Wahrheit Fälschungen anzufertigen.«

»Und die als Originale zu verkaufen?«

»Das wäre für die Kundschaft sehr schnell durchschaubar. Wer sich für ein bestimmtes Original interessiert, weiß auch, was es wert ist und in welchem Museum es hängt. Nein, das ergibt nur Sinn, wenn die Originale durch Fälschungen ersetzt werden. So wie hier. Die Leihgabe des Bildes an dieses Hotel war eine Chance, sich das Gemälde anzueignen, der Colori nicht widerstehen konnte.«

»Was macht er dann mit den Originalen? Erinnern Sie sich im Atelier an Bilder, die auf Sie den Eindruck machten, ein Original zu sein?«

»Gott bewahre.« Mara schüttelte energisch den Kopf. »Es wäre fahrlässig, eine jahrhundertealte Leinwand einfach zwischen den anderen Bildern herumstehen zu lassen. Sie könnte verkratzen oder sonst wie Schaden nehmen. Was im Atelier stand, hatte offensichtlich keinen großen Wert, es war … Massenware.«

»Sehen Sie. Für die Originale muss er demnach Abnehmer haben. Finanzkräftige, skrupellose Kundschaft.« Er formte die Hände zu Schalen und bewegte sie auseinander. »Ich gebe zu, ich kenne mich im Kunstkopier- und Fälschungsgeschäft nicht sehr gut aus. Auf die Gefahr hin, dass ich mich wiederhole: Wenn Sie mich fragen, sind das zwei verschiedene Märkte. Verschiedene Kundschaft, unterschiedliche Bedürfnisse. Was ich meine: Warum sollte Franz Gruber diese Identität als Kopist aufbauen, wenn es ihm um Fälschungen ging? Die müsste er immer im Verborgenen anfertigen und sowohl über die Werke als auch über die Kundschaft schweigen. Dazu braucht es keinen Carlo Colori. Die Kopien dagegen kann er offen verkaufen. Er kann damit herumprahlen. Und der Menge der Bilder im Atelier nach zu urteilen, lief das Geschäft ganz gut. Haben wir eigentlich bei der Bank die Offenlegung seiner Konten beantragt?«

»Sie haben mich beauftragt, Dacosta darum zu bitten. Er hat die Anfrage mit einem resignierten Stöhnen zur Kenntnis genommen.«

»Gut. Vielleicht hilft uns das weiter.« Wieder versank er in schweigendes Grübeln, ging zweimal vor dem Gemälde auf und ab, bis er genervt den Kopf schüttelte. »Finden Sie, dass die Logik passt? Dieses Fälschen und Kopieren?«

Mara zog unschlüssig die Schultern hoch. »Fällt Ihnen etwas Besseres ein?«

Er antwortete nicht. Stattdessen setzte er sich in Richtung Empfangstresen in Bewegung und winkte Ernesto Ferrara zu sich.

»Können Sie mir sagen, seit wann das Gemälde dort drüben hängt?«

»Nicht genau. Seit Anfang des Jahres. Februar, vielleicht auch März. Ist das wichtig?«

»Könnte sein.«

»Warten Sie, ich bin sofort zurück.« Er verschwand durch eine Tür in der Rückwand, die Mara bis dahin gar nicht aufgefallen war. Vermutlich lag dahinter der Verwaltungsbereich des Hotels.

Sie nutzte die Gelegenheit, um die Fotos einzusammeln und ihre Taschen zu holen. Es dauerte nicht lange, bis der Concierge mit einer schlanken Frau zurückkehrte, die ihre blonden Haare zu einer komplizierten Frisur aufgesteckt trug. Mit einer dicken Brille und einer eher sauertöpfischen Miene sah sie aus wie das Klischee einer Buchhalterin.

Ernesto Ferrara winkte sie nach vorn. »Dies ist Olivia Paniz, unsere Buchhalterin. Sie kann Ihnen das ganz genau sagen.«

Mara verschluckte sich und hustete.

Tasso nickte Olivia Paniz auffordernd zu.

Sie strich nervös ihren Bleistiftrock glatt. »Das Bild wurde am 26. Februar gegen Nachmittag mit einem Spezialtransport geliefert. Es waren Kuratoren und Kunstexperten vom Museum dabei, die sich einen Eindruck davon verschaffen wollten, ob ihr Gemälde hier auch wirklich in guten Händen ist. Nach einem gemeinsamen Abendessen mit Direttore Donatelli haben sie auf Kosten des Hauses übernachtet und sind am nächsten Morgen wieder abgereist.« Sie lächelte verlegen. »Ich weiß das so genau, weil der Direttore an diesem Tag Geburtstag hat. Ursprünglich sollte das Bild nämlich erst Anfang März kommen. Aber er hat alle Hebel in Bewegung gesetzt, damit es früher eintrifft. Es war sein Herzenswunsch.«

»Ja, schon gut. Sie sind also sicher.«

»Ich kann Ihnen auch die Belege heraussuchen.«

»Nicht nötig. Sagen Sie mir lieber, ob das Gemälde in den darauffolgenden Monaten noch einmal bewegt wurde. Oder sogar umgehängt?«

Sie schaute ihn mit einem merkwürdig erstaunten Gesichtsausdruck an. »Woher wissen Sie das?«

»Ist das ein Ja?«

»Es wurde Anfang Oktober für zwei Tage abgeholt und gereinigt.«

Tasso warf Mara einen triumphierenden Blick zu. Sie legte die Hand auf die Brust, gespannt, was als Nächstes kam.

»Anfang Oktober.« Tasso blieb äußerlich ruhig, doch

Mara hörte, dass seine Stimme ein wenig vibrierte. »Wissen Sie genau, wann das war? Und war das von vorneherein so geplant?«

Signorina Paniz faltete die Hände wie zum Gebet. »Ich kann Ihnen die Rechnung der Reinigungsfirma heraussuchen. Das hat alles seine Richtigkeit. Und ja, es war so mit dem Kuratorium des Museums vereinbart.«

Tasso stützte die Hand auf den Tresen. »Bitte suchen Sie die Rechnung. Signorina, ich danke Ihnen.« Nervös trommelte er mit den Fingern auf dem Holz. Mara musste sich zusammenreißen, nicht herumzuzappeln wie ein Schulkind.

Endlich erlöste Signorina Paniz sie. Mit einem Bündel Papieren in der Hand kehrte sie zurück und legte sie sorgfältig nebeneinander auf den Tresen. »Hier, sehen Sie. Die Lieferung durch die vom Museum beauftragte Spedition am 26. Februar. Und hier der Beleg über die Abholung und Retoure am 8. beziehungsweise 10. Oktober, durchgeführt und quittiert von Mitarbeitern derselben Spedition.« Sie drehte das entsprechende Dokument so, dass Tasso es lesen konnte. Der runzelte die Stirn und nahm die Rechnung vom Februar. »Die Logos und die Briefköpfe sind ja ganz verschieden.«

»Wie bitte? Zeigen Sie mal.« Signorina Paniz zog fahrig die Papiere zu sich. »Sie haben recht. Ein neues Logo?«

Tasso stützte die Ellbogen auf und vergrub das Gesicht in den Händen. »Ich würde eher sagen, die Rechnung vom Oktober ist eine Fälschung«, murmelte er dumpf.

Die Buchhalterin legte die beiden Dokumente erst neben- und dann übereinander, hielt sie sogar ins Licht. Sie zog ein Gesicht, als erwartete sie, dass jeden Moment die Reiter der Apokalypse über sie hinwegfegten. Ernesto Ferrara hob beschwichtigend die Hand. »Olivia, das ist doch nicht deine Schuld.«

Tasso beugte sich über den Tresen und riss ihr die Papiere aus der Hand. »Das stimmt. Es wäre zudem niemals aufgefallen, wenn wir die Rechnungen nicht nebeneinandergelegt hätten. Sie dürfen sich keine Vorwürfe machen.«

Die Buchhalterin presste die Lippen aufeinander, um sich davon abzuhalten, zu widersprechen. Sie schämte sich, das war offenkundig. Der Concierge räusperte sich unbehaglich, schien ebenfalls nicht zu wissen, was er tun oder sagen sollte.

Tasso wandte sich an Mara. In seinen Augen glaubte sie, so etwas wie Anerkennung zu lesen. Auf jeden Fall leuchteten sie triumphierend und um seinen Mund spielte ein zufriedenes Lächeln. »Haben Sie die zeitliche Abfolge der Ereignisse im Kopf? Nur zwei Tage, nachdem das Bild ›gereinigt‹ wieder an seinem Platz hängt, verschwindet der Nachtportier. Wenn das Zufall ist, kündige ich und stelle mich als Verkehrspolizist auf die nächste Kreuzung. Signorina Mara, Sie haben eine Spur gefunden.«

13. Kapitel, in dem Mara Tasso in große Verlegenheit bringt

Tasso hatte sich trotz des Schneefalls nach draußen unter das Vordach begeben, weil er dort, wie er sagte, eine Zigarette rauchen und sich vom Wind den Kopf durchpusten lassen wolle. Mara war ein wenig stolz auf sich, dass er über all die neuen Erkenntnisse, die sie ihm geliefert hatte, gründlich nachdachte.

Weder Ernesto Ferrara noch Olivia Paniz hatten ein zweites Mal nachgefragt, nachdem Tasso ihnen eine Antwort schuldig blieb, was genau es mit dem Bild auf sich hatte. Er hatte sie beide gebeten, Direttore Donatelli gegenüber Stillschweigen zu bewahren. Sowohl für den Concierge als auch für die Buchhalterin war Diskretion ein Teil ihres Alltags, und beide sicherten ihre Verschwiegenheit zu.

Das Bild war also ausgetauscht worden. Villabona hatte etwas davon mitbekommen oder war sogar darin verwickelt. Nein, rief Mara sich innerlich zur Ordnung, selbst in Gedanken wollte sie Tassos steter Mahnung folgen. Das Bild war *mutmaßlich* ausgetauscht worden. Villabona hatte *möglicherweise* etwas davon mitbekommen oder *könnte* sogar darin verwickelt sein. Vermutung, Konjunktiv. Und es bestand eine Verbindung zu Carlo Colori. Mutmaßlich, möglicherweise. Aber selbst Tasso hatte sich dazu hinreißen lassen zuzugeben, dass er das inzwischen glaubte. Jetzt galt es, die Zusammenhänge zu beweisen.

Solange Tasso vor dem Hotel rauchte, nutzte Mara die Gelegenheit, endlich ihre Sachen aus dem Zimmer zu holen und mit den Einkäufen zusammenzupacken, damit beim Transport nach Hause nichts kaputt- oder verloren ging. Tasso hatte darauf gedrängt, so schnell wie möglich aufzubrechen, wobei unklar war, ob ihnen das Wetter nicht einen Strich durch die Rechnung machen würde. Es schneite ohne Unterlass.

Der Concierge hatte ihr angeboten, so lange im Kaminzimmer zu warten, bis Tasso entschieden hatte, wann sie losfuhren. Sie wollte sich gerade dorthin begeben, als er durch die Eingangstür trat und dabei seinen Mantel auszog.

»Trinken wir noch einen *caffè* und dann fahren wir los«, erklärte er mit düsterem Blick. »Wie auf dem Hinweg über Toblach, das ist am sichersten.«

Ernesto Ferrara kam hinter dem Tresen hervor und wollte Tasso den Mantel abnehmen, doch der Commissario winkte ab. »Bitte bestellen Sie uns ein Taxi. Bis nach Bozen.«

Mara blickte zum Eingang, wo die Außenlampen des Hotels einladend in die Finsternis leuchteten. Es dämmerte erst, aber aufgrund der tiefhängenden Wolken war es schon dunkel. Die längste Nacht des Jahres lag vor ihnen.

Sie war allmählich erschöpft und konnte es kaum erwarten, ins eigene Bett zu fallen. Mit ein bisschen Glück konnte sie im Auto dösen. Doch ihr ging eine Sache nicht aus dem Kopf, die sie unbedingt wissen wollte. Sie hoffte, dass es keine dumme Frage war, denn Tasso schien nicht in bester Stimmung zu sein – was ihr merkwürdig vorkam. Sie fand, dass sie einen guten Schritt nach vorn gemacht hatten: Es zeichnete sich ein Zusammenhang zwischen den beiden toten Männern ab. Mit der Entdeckung, dass es sich bei dem Bild um eine Fälschung handelte, hatten sie zudem Hinweise auf ein Motiv.

»Ein Taxi ist bestellt. Ich lasse Ihnen einen *caffè* bringen. Oder lieber etwas anderes?«

»*Perfetto!*«, rief Tasso dem Concierge mit einem dankbaren Lächeln zu. Die Aussicht auf den Kaffee hob seine Laune.

Als er Mara unerwartet freundlich anlächelte, fasste sie sich ein Herz. »Haben Sie Villabonas Sachen durchsucht? Erscheint Ihnen der ein oder andere Gegenstand jetzt in einem neuen Licht? Gab es vielleicht Hinweise auf Coloris mögliche Kundschaft?«

Er starrte sie verständnislos an.

»Als Sie mit Direttore Donatelli gesprochen haben, haben Sie nach Villabonas Zimmer gefragt. Und waren verärgert, als Sie hörten, dass dort bereits ein Kellner eingezogen war. Aber Scandiffio und seine Kollegen hätten einige persönliche Gegenstände mitgenommen, hieß es. Da Sie das gegenüber dem Direttore so wichtig fanden, dachte ich, Sie hätten das in der Questura durchgeschaut. Na ja, und jetzt, da wir vermuten, dass es zwischen dem Tod der Männer einen Zusammenhang gibt – geben könnte –, dachte ich, Ihnen fällt dazu etwas ein. Könnte ja sein.«

Der Blick, mit dem Tasso sie daraufhin bedachte, hätte Milch sauer werden lassen. Mara erwog für einen Moment, ihre Kamera zu zücken, um ihn für die Nachwelt festzuhalten.

Er saß da und gab keine Antwort.

Sie neigte den Kopf. »Haben Sie …? Nicht?«, wagte sie zu fragen.

Er schien vor ihr zusammenzuschrumpfen. Er ließ sie stehen und ging in Richtung Kaminzimmer. Mara lief hinterher.

»Ich wusste es, die ganze Zeit … Da war etwas, das ich vergessen hatte, was nicht erledigt war … Verdammte große …« Der Rest des Fluches ging in unverständlichem Gebrabbel unter.

Mara hatte Mühe, sich das Lachen zu verkneifen. Zugleich sorgte sie sich, ihn vollends vor den Kopf gestoßen zu haben. Würde er sie zur Verantwortung ziehen, weil sie ihn daran erinnerte, was er vergessen hatte? Sie konnte zwar wirklich nichts dafür, aber ob er das genauso sah, blieb abzuwarten.

Vor dem Kaminzimmer stoppte Tasso abrupt. Mara wäre um ein Haar mit ihm zusammengeprallt. Erschrocken sprang sie einen Schritt zur Seite.

Er beachtete sie nicht. »Telefon«, murmelte er, »ich brauche ein Telefon.« Und zurück ging es zum Empfang, wo es Tasso schwerfiel zu warten, während Ernesto Ferrara einem älteren Herrn die Angebote des Hotels erläuterte. Es dauerte eine halbe Unendlichkeit, bis er die gesamte Infrastruktur aufgezählt hatte. Sogar Mara war ungeduldig geworden, als der Gast sich schließlich zufrieden abwandte. Der Concierge lächelte sie verbindlich an.

»Wo kann ich telefonieren?«

Ernesto Ferrara zog einen Schlüsselbund unter dem Tresen hervor, wählte klimpernd einen Schlüssel aus und reichte Tasso den Bund. »In dem Archiv, in dem Sie die Befragungen durchgeführt haben, steht ein Apparat. Sie müssen 800 wählen und warten, dann bekommen Sie eine Amtsleitung.«

»*Perfetto*, wir kennen den Weg, bemühen Sie sich nicht.«

»Signor Commissario.«

Tasso hielt mitten in der Drehung inne. »Ja?«

Ernesto Ferrara fuhr sich nervös mit beiden Händen durch die kurzen Haare. »Finden Sie denjenigen, der Marcello Villabona auf dem Gewissen hat.«

»Ich bin dabei«, erklärte Tasso grimmig. »Ich bin dabei.«

Mara konnte kaum Schritt halten, so schnell lief er in das

Büro und stürzte ans Telefon. Seit ihrer Entdeckung des gefälschten Bildes war Tasso voller Energie, geradezu fahrig, als wollte er alles gleichzeitig erledigen. War das Jagdfieber? Sie selbst war allmählich am Rande ihrer Kräfte, doch sie hätte Tasso um keinen Preis alleingelassen. Dazu war das alles zu aufregend. Es war genau das, was sie sich von diesem Praktikum versprochen hatte.

Jetzt versuchte sie, aus Tassos stakkatoartigem Telefongespräch und seinen einsilbigen Antworten schlau zu werden, bis er schließlich den Hörer auf die Gabel knallte. Er ließ sich auf den Drehstuhl hinter dem Schreibtisch fallen und fuhr sich mit beiden Händen über das Gesicht.

»Scandiffio kommt her und bringt die Sachen.« Seine Stimme klang dumpf hinter den Handflächen. »So schnell er kann, aber es wird natürlich dauern. Zwei Stunden oder so. Wir müssen das Taxi wieder abbestellen. Wenn das so weitergeht, hängen wir eine weitere Nacht fest. *Oddio*, lass die nächste Ermittlung in Bozen auf dem Obstmarkt sein! Dann könnte ich wenigstens abends nach Hause.«

»Tut mir leid«, meinte Mara zerknirscht.

Er schaute müde zu ihr hoch. »Das muss Ihnen nicht leidtun. Ich hatte die ganze Zeit das Gefühl, dass ich etwas vergessen habe. Na ja, Scandiffio hätte mich ebenfalls daran erinnern können. Sein Kollege meinte vorhin am Telefon, dass sie die Sachen bereits aus der Asservatenkammer hervorgeholt und begonnen hätten, alles noch einmal durchzusehen. Würde mich demnach nicht wundern, dass er mit Absicht nichts gesagt hat, damit er die Lorbeeren ernten kann, falls es darin etwas zu entdecken gibt. Oder es hat mit diesen angeblichen Erpressungen zu tun, und er wollte es vertuschen.« Den letzten Satz murmelte er mehr zu sich.

Mara wartete vergeblich auf eine weitere Erklärung. Dabei bemerkte sie erstaunt, wie freimütig der Commissario ihr gegenüber sein Versäumnis zugegeben hatte. Sie wurde nicht recht schlau aus ihm. Mal war er abweisend und zugeknöpft, dann wieder bezog er sie ein, als wäre sie eine Partnerin auf Augenhöhe. War es die zunehmende Erschöpfung, die ihn im Moment milder stimmte? Launisch war er jedenfalls, das traf es wohl am besten.

»Und was tun wir in der Zwischenzeit?«

Tasso erhob sich. Der Drehstuhl quietschte. »Erst mal raus hier. Ich weiß nicht, wie die vom Hotel in diesem Kabuff ohne Fenster arbeiten können. Es gibt bestimmt eine Vorschrift, die das verbietet. Das ist ja wie eine Gefängniszelle.«

»Ich glaube, es ist nur eine Art Archiv. Die Verwaltung ist hinter der Rezeption untergebracht, wo Signorina Paniz hergekommen ist.«

»Trotzdem. Hier lange zu sitzen grenzt an Schikane.«

Mara pflichtete ihm bei.

Wie auf Kommando atmeten sie beide tief durch, kaum dass sie wieder im Erdgeschoss standen und sich hinter den Fenstern der Lobby die weiße Schneelandschaft ausbreitete. Mara trat bis an die Scheibe heran und spähte hinaus. Es hatte aufgehört zu schneien. Die Wolken waren aufgerissen. Das Licht des abnehmenden Monds spiegelte sich auf der weißen Fläche und warf einen diffusen bläulichen Glanz zurück. Straßenlaternen ergänzten blassgelbe Flecken. In der Ferne waren Blinklichter zu erkennen, vermutlich ein Streufahrzeug, das den Weg am See entlang freiräumte.

Sie betraten das Kaminzimmer und fanden zwei freie Sessel nahe dem Feuer. Dieses Mal waren sie von anderen Gästen umgeben. Die meisten lasen, lösten Kreuzworträtsel und spielten Schach oder Scrabble. Dabei tranken sie Veneziano oder Kaffee. Die Zeit kroch dahin. Tasso sagte wenig und verfiel in stille Grübelei. Einmal hatte Mara sogar den Eindruck, dass er döste. Zumindest hielt er die Augen geschlossen, seine Züge waren entspannt.

Zum ersten Mal bekam Mara die Gelegenheit, ihn eingehend zu studieren. Sein Anzug und das Hemd waren hoffnungslos zerknittert, auf der Knopfleiste prangte ein brauner Kaffeefleck. Der Bartschatten schien stündlich dichter zu werden. Seine Augen lagen tief, auf den wettergegerbten Wangen waren von der Kälte einige Äderchen geplatzt. Zusammen mit den buschigen Augenbrauen und den schwarzen Locken, die ihm in die Stirn fielen, wirkte er fast wie ein Seemann. Unterhalb des rechten Ohrs hatte er eine dünne Narbe. Von einer Verletzung, einem Kampf? Er brummte im Halbschlaf, dann schlug er die Augen auf.

Hastig wandte Mara sich wieder dem Buch zu, das sie aus einem Schrank genommen hatte, der für die Gäste verschiedene Lektüren bereithielt.

Tasso gähnte verstohlen und ließ die Schultern kreisen. »Wie spät ist es? Was lesen Sie da? Ein deutscher Roman?«

Sie drehte das Buch in ihren Händen, um das Cover zu betrachten. »*Gott schützt die Liebenden* von einem Österreicher namens Simmel.«

»Kenne ich nicht. Ist es gut?«

Mara antwortete nicht. Sie hatte angefangen zu lesen, ohne ein Wort wahrzunehmen. »Es ist kurz vor sechzehn Uhr«, erwiderte sie stattdessen auf seine erste Frage. »Ich habe vorhin ein Räumfahrzeug auf der Straße gesehen. Der Ispettore sollte allmählich eintreffen.«

Tasso zog den Ärmel des Jacketts zurück und schaute auf seine Armbanduhr. Dann runzelte er die Stirn, nahm die

Uhr ab, zog sie auf und stellte sie, nachdem er Mara um eine exaktere Zeitangabe gebeten hatte.

»Signor Commissario? Sie werden erwartet.«

Tasso fuhr erschrocken zusammen und wandte sich an den Kellner in schwarzem Anzug, der sich lautlos von hinten genähert hatte.

»Danke, wir kommen.« Er nickte Mara zu. »Endlich. Machen Sie schon.«

Scandiffio erwartete sie mit einer Umhängetasche sowie einem grauen Plastikkasten auf den Armen. Ein Klebeetikett war mit Villabonas Namen, einem Datum und einem Aktenzeichen beschriftet.

Tasso winkte ihm mit gequälter Miene, ihnen in das Archiv zu folgen, das sie inzwischen zu ihrer provisorischen Einsatzzentrale erklärt hatten. Dort sahen Mara und er zu, wie der Ispettore den Inhalt nebeneinander auf dem Schreibtisch ausbreitete. »Wie Sie sehen, ist es nicht viel.«

Mara betrachtete die Gegenstände. Goldgerahmte Bildchen von San Gennaro, dem Schutzheiligen Neapels, und der Jungfrau Maria. Ein getrockneter Palmzweig, ein Rosenkranz, ein Gesangbuch für Kirchenlieder. Taschenmesser, Korkenzieher, ein Würfelbecher, Spielkarten, ein bekritzelter Spielblock und so weiter. Alles normale Alltagsgegenstände, nichts davon der Rede wert.

»Außer diesen persönlichen Habseligkeiten noch ein paar Lebensmittel, die inzwischen entsorgt wurden. Und zwei Koffer mit Kleidung. Wir hatten zwischendurch den Verdacht, dass er mit Rauschmitteln handelt, und haben sämtliche Hosen und Anzüge durchsucht, Säume aufgetrennt und das alles mehrmals von Hunden durchsuchen lassen. Aber das war die falsche Spur.«

»Sie haben eine Menge falscher Spuren verfolgt. Ich

würde jetzt gern noch einmal auf diese angeblichen Erpressungen zurückkommen.«

Mit einem Seufzen griff Scandiffio in die Umhängetasche und holte eine Papiermappe mit dem Agfa-Logo hervor. »Ich habe befürchtet, dass Sie danach fragen. Der Questore wird nicht erfreut sein. Das sind Fotos und Negative. Die sind am vielversprechendsten.«

»Vielversprechend? Inwiefern?«

»Unter seinen persönlichen Gegenständen war auch eine Kamera. Den Film darin haben wir ebenfalls entwickeln lassen.«

»Zeigen Sie her, Scandiffio, was ist auf den Fotos?«

Der Ispettore breitete Schwarz-Weiß-Fotografien nebeneinander über den anderen Gegenständen aus. Mara und Tasso beugten sich gleichzeitig darüber und stießen mit den Köpfen zusammen. Tasso fluchte. Mara rieb sich die Stirn und schimpfte nur in Gedanken, da ihr rechtzeitig einfiel, dass es sich für eine junge Frau in Anwesenheit zweier Männer nicht gehörte, laut herumzuzetern, selbst wenn es wehtat. Sie reckte die Hand und angelte sich eines der Fotos.

»Das ist doch die Lobby. Hier im Hotel. Vom Empfangstresen aus. Oder, Tasso? Was meinen Sie?« Sie reichte ihm den Abzug, und sie verglichen die Aufnahmen.

Sämtliche Fotos waren von einem ähnlichen Standort aus aufgenommen. Auch die Motive wiederholten sich: Menschen, die sich in der Lobby des Hotels aufhielten, allein, zu zweit, in Gruppen, mit oder ohne Gepäck. Mehrere Paare, Männer mit Frauen, die extravagante Kleidung trugen, kurze Röcke und reichlich Schmuck.

Tasso nahm eines der Fotos, betrachtete es erst lange und schaute dann Scandiffio an. Hob die Augenbrauen und lächelte vielsagend.

Der Ispettore verzog die Mundwinkel und nickte. »Es war meine heißeste Spur.«

Mara dagegen verstand die Welt nicht mehr. »Wer ist das denn? Kennen Sie die Herrschaften auf den Fotos?«

Scandiffio schenkte ihr einen merkwürdig mitleidigen Blick.

Tasso kannte dagegen keine Gnade. »Sie müssen die Signorina nicht schonen. Sie hat es sich selbst zuzuschreiben, dass sie diese Erfahrungen macht. Wobei sie sich beim Anblick der beiden Leichen bisher tapfer geschlagen hat, das muss ich ihr lassen. Aber was das hier anbelangt, weiß ich nicht, wie behütet sie aufgewachsen ist.«

»War das gerade ein Kompliment? Signori, um was geht es hier?«

»Erpressung. Villabona hat vermutlich versucht, Gäste zu erpressen. Weil sie … äh … Prostituierte mit aufs Zimmer genommen haben«, stieß Scandiffio nervös hervor. Er wandte den Kopf ab, um Mara bei diesen Worten nicht ansehen zu müssen.

Sie brachte nicht mehr als ein Nicken zustande. Behütet? Sie wusste, dass es solche Dinge wie käufliche Frauen gab. In der Theorie. Bis jetzt hatte sie immer geglaubt, so etwas würde nur in Großstädten passieren. Aber hier, in einem beschaulichen Hotel zwischen Dolomitengipfeln? Sie fühlte sich wie vor den Kopf geschlagen.

Tasso beachtete sie nicht weiter, sondern schaute die Fotos konzentriert der Reihe nach durch. »Erzählen Sie, Ispettore, lassen Sie sich nicht jedes Wort aus der Nase ziehen.«

Scandiffio straffte den Oberkörper, als wolle er salutieren. »Es gibt nicht viel zu erzählen. Wir sind sofort davon ausgegangen, dass die Fotos eine Rolle spielen. Zwei der abgebildeten Damen sind uns bekannt, sie verkehren in höheren

Kreisen. Sie kennen das vielleicht. Der Questore hat uns angewiesen, nicht so genau hinzusehen, solange sich alle Beteiligten an die Spielregeln halten.«

»Kenne ich nicht«, unterbrach Tasso ihn. »Questore Visconti ist in solchen Angelegenheiten moralisch integer und erwartet das auch von seinen Untergebenen. Fahren Sie fort.«

»Ja, also ... jedenfalls«, stotterte Scandiffio, bevor er sich wieder fing. »Wir waren bei den damaligen Ermittlungen sicher, dass Villabona Gäste erpresst hat. Stellen Sie sich des Nachts eine Hotellobby vor. Ein reicher Geschäftsmann geht mit einigen ... mit weiblicher Begleitung aufs Zimmer und ordert Champagner – so weit konnten wir das überprüfen. Villabona beobachtet das und verlangt für seine Diskretion Geld. Wir haben insgesamt sieben Personen auf den Fotos identifiziert. Ich möchte dabei betonen, dass es nicht nur um ... Also zwei weitere Damen sind vermutlich Geliebte, bei drei Fotos scheint es sich um zwielichtige geschäftliche Kontakte zu handeln. Hier.« Er tippte auf ein Foto. »Den haben wir in Verdacht, Zigaretten zu schmuggeln. Ich mache es kurz: Leider hat keiner von denen bestätigt, erpresst worden zu sein.«

Tasso nickte, als hätte er diese oder eine ähnliche Antwort erwartet.

»Warum nicht?«, platzte Mara dagegen heraus.

Der Commissario wandte sich ihr zu. »Diese Art von Männern hat Geld, Macht und Erfolg. Und sie setzen alles daran, diese kapitalistische Dreifaltigkeit zu pflegen und zu mehren. Villabona scheint für sein Schweigen keine großen Summen verlangt zu haben, sonst hätte er sich längst in die Karibik abgesetzt oder was immer ihm gefallen hätte. Aber er war geschickt. Hier und da ein paar kleine Nadelstiche. Und seine Opfer zahlen, denn damit bekommen sie das Problem am schnellsten aus der Welt. Vermutlich sind es

Summen, die sie noch nicht einmal großartig auf ihren Kontoauszügen bemerken.«

»Das verstehe ich nicht. Die müssen das doch der Polizei melden.« Mara war fassungslos.

»Nein, denn das birgt zum einen die Gefahr, dass der Erpresser ernst macht und sein Wissen veröffentlicht. Oder es sickert bei der Polizei durch. Es gibt Zeitungsredaktionen, die warten nur auf solche Bilder. Und zum anderen zieht es die ganze Sache in die Länge. Zeit ist Geld. Besser rasch ein paar hunderttausend Lire gezahlt, und die Sache ist aus der Welt. Und falls das Opfer in Zukunft noch einmal herreist, steht hoffentlich ein anderer Concierge hinter dem Empfangstresen.«

»Bei uns wäre nichts durchgesickert, dafür sorgt der Questore schon«, erklärte Scandiffio betrübt. »Aber das bringt unser Problem bei dieser Ermittlung auf den Punkt. Diese Männer sind sich sehr wohl bewusst, dass sie dem Erpresser ein gewisses Maß an Macht über sich und ihr Leben zugestanden haben. Das würde natürlich keiner von denen zugeben. Und jetzt ist der Nachtportier tot und kann demnach keine weiteren Erpressungsversuche mehr unternehmen. Problem gelöst.«

»Nicht nur das«, übernahm Tasso wieder. »Solange sie nicht zugeben, erpresst worden zu sein, machen sie sich auch nicht verdächtig, dass sie am Ende für Villabonas Ableben verantwortlich sind. Wer immer den Nachtportier umgebracht hat, hat allen einen Gefallen getan.«

Scandiffio zog eine gequälte Grimasse. »Ich hatte zwischenzeitlich einen Verdacht in diese Richtung. Ich wollte die Männer, die wir anhand der Fotos identifizieren konnten, überprüfen. Ich wurde zurückgepfiffen. Es gab keine Leiche, also gab es auch kein anderes Verbrechen als einen Diebstahl aus einem Hoteltresor. Das war die offizielle Version, und bei der blieb es dann. Nach einigen Wochen wurden die Ermittlungen ergebnislos eingestellt.«

Mara begriff endlich. Andernfalls hätte herauskommen können, dass ein Mann von Rang und Namen hinter einem Auftragsmord steckte. Das war unfassbar und abstoßend. So ein Spiel würde Bruno Visconti niemals mitspielen, das hatte Tasso vorhin durchblicken lassen. Mara war froh darum, dass er es gesagt hatte.

Der Commissario winkte ab. »Machen Sie sich keine Vorwürfe. Sogar wenn Ihr Chef Sie mit seiner fragwürdigen Moral nicht behindert hätte, hätten Sie vermutlich auf Granit gebissen. Wie Sie richtig bemerkten: Keine Leiche, kein Verbrechen. Das hat sich ja jetzt geändert. Sie müssen ab sofort in diese Richtung ermitteln. Aber es ist kompliziert. Wenn wir von demselben Schlag Leute reden, dann machen die sich nicht die Finger schmutzig. Die haben eine ganze Armee Handlanger. Signor Oberboss hat natürlich für jede Tatzeit ein wasserdichtes Alibi. In dem Moment, in dem eine lästige Person das Zeitliche segnet, bringt er mit seiner Tochter dem Familienhund neue Kunststückchen bei. Schauen Sie nicht so entsetzt, Signorina Mara. So läuft das.«

»Ich schaue nicht entsetzt, ich frage mich gerade, ob es das ist: Unsere vier Verdächtigen sind Handlanger eines reichen Mannes, der sie beauftragt hat, Colori aus dem Weg zu räumen.«

»Das ist sehr gut möglich: Glauben Sie nicht, ich hätte nicht selbst schon daran gedacht. Aber solange wir die Männer nicht finden und befragen können, bleiben uns nur Vermutungen.« Er seufzte vernehmlich. »Gleiches gilt für das Motiv, sowohl bei Villabona als auch bei Colori. Oder habe ich Sie falsch verstanden?«

»Was Villabona betrifft, stimmt das. Die Theorie, dass er sich mit dem Tresorinhalt abgesetzt hat, ist seit dem Fund seiner Leiche sicher widerlegt. Der Verdacht, er habe Leute erpresst und wäre dabei an einen Falschen geraten, ist aktuell am wahrscheinlichsten. Aber wir haben nur einen Haufen Fotos, von denen manche kompromittierend sein können. Es muss nicht stimmen. Am Ende hatte er einen Fetisch für Pelzmäntel und hat deshalb heimlich fotografiert.« Er grinste, bis er sich wieder Maras Anwesenheit bewusst wurde, und errötete. »Verzeihung. Jedenfalls ist diese Spur kalt, wir befinden uns in einer Sackgasse.«

Tasso blickte nicht glücklich drein. Er nickte Mara zu. »Schauen wir uns die Fotos an. Vor allem die jüngsten, die sich noch auf dem Film in der Kamera befanden.«

»Das sind diese hier. Ich habe nach Dienstantritt heute Morgen immer wieder versucht, sie mit Ihren Phantombildern zu vergleichen, aber das Wetter hat mir einen Strich durch die Rechnung gemacht. Wir mussten den ganzen Tag Unfälle aufnehmen, Streufahrzeuge koordinieren, und in Cortina war heute auch noch ein Taschendieb unterwegs.«

»Dann fangen wir besser an, bevor wir die ganze Nacht hier verbringen.« Tasso beachtete ihn kaum, sondern starrte Foto um Foto an, als ginge es darum, einen Wettkampf zu gewinnen. Immer wieder legte er mehrere Abzüge nebeneinander und verglich die abgelichteten Personen.

Mara ging in der Zwischenzeit noch einmal die wenigen persönlichen Gegenstände durch. »Moment mal.« Sie hielt eine Broschüre in die Höhe. »Das ist ein Werbeprospekt des Museums San Martino in Neapel.« Sie sah Tasso an.

Seiner fragenden Miene nach konnte er mit ihrer Aussage nichts anfangen.

»Dort befindet sich das Bild, wenn es nicht unten in der Lobby hängt.«

Sie blätterte die Broschüre durch und blieb an einer großen bunten Abbildung der *Tavola Strozzi* hängen. Sie hielt sie Tasso hin. »Schauen Sie mal. Das ist das Original. Wenn es oben ein anderes Bild ist, können wir es hiermit überprüfen. Was, wenn Villabona aufgefallen ist, dass sich das Bild nach der ›Reinigung‹ verändert hatte?«

»Worum geht es?« Scandiffio hatte damit begonnen, die persönlichen Habseligkeiten Villabonas zurück in die Plastikkiste zu räumen.

Mara schwieg unsicher, bis Tasso ihr einen Wink gab. »Es war Ihre Idee, erzählen Sie es ihm.«

»Das Gemälde unten in der Lobby ist eine Leihgabe des Museums, von dem diese Broschüre stammt. Es könnte ausgetauscht worden sein. Wir vermuten, dass unser Mordopfer aus Meran deswegen umgebracht wurde.«

»Weswegen? Weil er seine Auftraggeber ebenfalls erpresst hat?«

»Das wäre eine Möglichkeit«, erklärte Tasso. »Allerdings passt das alles nicht ganz zusammen. Unser Opfer aus Meran war Kopist und kein Fälscher. Entweder führt er neben dem bürgerlichen Leben als Franz Gruber und dem künstlerischen Dasein als Carlo Colori noch ein drittes als Fälscher und Erpresser, von dem wir nichts wissen. Oder es ist alles ganz anders.« Er brummte resigniert.

Scandiffio dachte vor einer Antwort lange darüber nach. »Und wenn er selbst hereingelegt wurde?«

Mara schrie überrascht auf. »Genau, das ist es!«

Die beiden Männer sahen sie an, als hätte sie gerade den Verstand verloren.

Sie wedelte aufgeregt mit der Broschüre. »Colori wusste

gar nichts davon, dass er eine Fälschung anfertigen sollte. Er wurde beauftragt, das Bild zu kopieren. Das, was er sonst auch immer tat.« Mara merkte, dass sie es wieder vorschnell als Tatsache formuliert hatte, weil es ihr so logisch vorkam. »Vielmehr vermute ich das. Er wurde betrogen. Denn ...« Sie zögerte, suchte nach den richtigen Worten.

Tasso beachtete sie gar nicht weiter. Seine Augen leuchteten aufgeregt. »Eine möglichst detailgetreue Kopie. Und dann passiert ein dummer Zufall. Einige Wochen später taucht er als Gast hier im Hotel auf und findet heraus, dass es seine Kopie ist, die hier als Original ausgestellt wird. Daraufhin konfrontiert er seinen Auftraggeber mit diesem Wissen. Und deswegen muss er sterben.«

»Wäre das ein Motiv?«

»Und ob, Signorina Mara.«

Scandiffio hob eine Hand. »Warten Sie, das verstehe ich nicht. Hat er seinen Auftraggeber nun erpresst oder nicht? Und was hat Villabona damit zu tun?«

Mara hielt noch immer die Broschüre in die Luft. »Villabona fand heraus, wer das Bild ausgetauscht hat. Er hat nach der angeblichen Reinigung diese Abbildung und das Gemälde, das hier hängt, verglichen. Und dann denjenigen erpresst.«

»Und woher wusste er, wer das gewesen ist?« Scandiffio verschränkte die Arme. »Verstehen Sie mich nicht falsch, wenn ich Ihnen ständig widerspreche. Aber solange es mich nicht überzeugt, brauchen Sie es bei einem Staatsanwalt gar nicht erst zu versuchen.«

»Machen Sie nur weiter, genau das will sie ja lernen.« Tasso grinste Mara belustigt zu. Dabei hatte sie das Gefühl, dass er sie mehr herausfordern als sich über sie lustig machen wollte.

Mara stützte sich mit beiden Armen auf der Tischplatte ab und wählte ihre folgenden Worte sorgfältig. »Die Antwort muss auf diesen Fotos zu sehen sein. Colori muss hier gewesen sein und das Bild studiert haben.«

»War er, im Sommer, sogar eine ganze Zeit lang. Die Wirtin der *Trattoria* hat ihn identifiziert.«

»Dann ist Colori im Herbst, nach dem Austausch des Bildes, abermals hier gewesen. Er sieht, dass sein Bild dort hängt, wo das Original sein müsste. Er ist damit nicht einverstanden, denn sein bisheriges Schaffen mag künstlerisch fragwürdig sein, aber nicht kriminell. Er stellt seinen Auftraggeber zur Rede.«

»Villabona beobachtet dieses zweite Treffen«, übernahm jetzt sogar Scandiffio den Faden. »Schöpft Verdacht, dass da etwas läuft. Er ist und bleibt nur ein kleiner mieser Erpresser, der sich mit den falschen Leuten angelegt hat.«

»Aber am Ende sterben beide aus dem gleichen Grund: weil sie wissen, dass das Bild eine Fälschung ist.«

Einen Moment lang überkam Mara ein euphorisches Glücksgefühl, sie hatte einige wichtige Zusammenhänge entdeckt. Tasso war jedoch immer noch nicht zufrieden. Er starrte grübelnd auf die Fotos und zog ein eher missmutiges Gesicht.

Sie neigte unsicher den Kopf. »Passt das alles?«

Tasso nickte bedächtig. »Werden wir noch beweisen. Als Erstes gehen wir drei jetzt nach oben und vergleichen die Bilder. Dann gehen wir jedes einzelne dieser verdammten Fotos durch. Sie, Scandiffio, nennen uns die Namen derjenigen, die Sie bereits ermittelt und mit denen Sie gesprochen haben.«

»*Momento*, lassen Sie mich das sortieren.« Scandiffio schob die Fotos zu einem Haufen zusammen und sortierte sie in Windeseile in drei Stapel. Er wies auf einige Fotos, die abseits von den anderen lagen. »Die Herren auf diesen Bildern sind namentlich bekannt.« Sein Finger wanderte zu einem zweiten Haufen. »Hier liegen rund zwanzig weitere Fotos, auf denen Personen zu sehen sind, von denen wir dank der Hotelrechnungen und persönlicher Angaben wissen, wann sie hier übernachtet haben. Ich habe eine Liste bei mir.«

Wieder dieses verlegene Lächeln. »Ich habe das inoffiziell gemacht. Als Grund habe ich angegeben, dass es weitere Verdachtsfälle gäbe und wir ermitteln müssten, wer in der Vergangenheit hier noch Schmuck eingelagert hat. Etwas fadenscheinig, ja, aber ich glaube, der Direttore war froh, dass wir überhaupt etwas getan und versucht haben, den Diebstahl aufzuklären. Auf den übrigen Fotos sind Personen, über die wir nichts wissen. Das ist leider der größte Stapel. Viele sind auch doppelt. Na ja, das Geschäft scheint einträglich zu sein, Villabona war fleißig.«

Tasso brummte nur eine unverständliche Antwort und wandte sich vom Schreibtisch ab. »Schauen wir uns jetzt erst einmal die berühmte *Tavola Strozzi* an und vergleichen sie mit der Abbildung. Dann sind die Fotos dran. Auf dem Rückweg nehmen wir etwas zu trinken mit. Das wird eine lange Nacht.«

»Es ist die längste Nacht des Jahres, Tasso.«

Tasso senkte die Augenbrauen. »Finden Sie das lustig, Mara? Darüber sprechen wir in ein paar Stunden nochmal.«

14. Kapitel, in dem nicht nur für Tasso die längste Nacht des Jahres anbricht

»Ist das wirklich nötig?« Mara schlug einen für sie ungewöhnlich nörgeligen Ton an. Mit gesenktem Kopf stapfte sie neben ihm durch den Schnee.

Aber Tasso war unerbittlich. »Ja, Signorina Mara. Nächste Lektion: Wann immer Sie der Meinung sind, alles zu hundert Prozent überprüft zu haben, prüfen Sie es nochmal. Und dann nochmal. Wissen Sie, wie oft Straftaten ungesühnt bleiben, weil die Indizienkette vor Gericht zusammenbricht? Und zwar aufgrund vermeidbarer Schlamperei der ermittelnden Personen?«

»Nein, weiß ich nicht. Aber so, wie Sie es sagen, anscheinend sehr oft.«

Tasso pustete weiße Atemwolken in die Nachtluft. »Ja. Viel zu oft. Leider.«

»Sie sind auf einmal ganz schön pedantisch.«

»Und Sie vorlaut. Ich nehme das als Kompliment.«

Sie schwieg.

»Was ist Ihnen für eine Laus über die Leber gelaufen?«, fragte Tasso heiter. »Wir haben in den letzten Stunden hervorragende Ermittlungsarbeit geleistet. Ich glaube, dass wir kurz vor einem Durchbruch stehen.« Und es hatte gar nicht so lange gedauert wie befürchtet. Schon nach einer halben Stunde hatte Tasso triumphierend das relevante Foto in die Höhe gehalten.

Es waren nur wenige hundert Meter durch den frisch gefallenen Schnee die Straße am Ufer des Lago di Misurina entlang. Wenn die Umstände anders wären, hätte Tasso den Spaziergang sogar genossen, trotz der Kälte. Die Aussicht, noch in dieser Nacht zwei Morde aufzuklären, wärmte ihn innerlich. Was ihn wiederum wurmte, war die Tatsache, dass er mit Mara hinter den sieben Bergen festhing. In diesen Stunden wurden nämlich in Bozen alle Hebel in Bewegung gesetzt, die Verdächtigen aufzuspüren und zu verhaften. Die Fotos des Nachtportiers Marcello Villabona, der sie mit dem Ziel geschossen hatte, Leute zu erpressen, hatten ihnen alle entscheidenden Informationen geliefert, die sie benötigten.

Dazu grübelte Tasso über die Frage nach, wann er Direttore Donatelli davon in Kenntnis setzen sollte, dass er ein gefälschtes Gemälde in der Lobby hängen hatte.

Zwischenzeitlich hatte er erwogen, ob der Hoteldirektor in die ganze Sache involviert sein könnte und ob nicht das Original, dass er offenkundig sehr mochte, bereits in seinem Wohnzimmer hing. Diesen Verdacht hatte er, nachdem er mit Mara und Scandiffio die Fotos durchgesehen hatte, wieder verworfen. Es gab keinerlei Hinweise auf Verbindungen zwischen Filipe Donatelli, Colori und diesem Giovanni. Dazu wäre es für ihn, der ständig im Hotel ein und aus ging, ein Leichtes, die *Tavola Strozzi* unbemerkt gegen ein Duplikat auszutauschen. Den ganzen Aufwand mit der vorgetäuschten Reinigung hätte er gar nicht betreiben müssen. Allein die vielen Mitwissenden – nein, das passte nicht.

Nach dem Erfolg mit den Fotos und einigen ausführlichen Telefonaten mit Belluno und Bozen waren Tasso und Mara unterwegs, um ein paar letzte Details zu prüfen. Unter anderem wollten sie herausfinden, wo Carlo Colori im Sommer übernachtet hatte. Es war nicht unmittelbar wichtig, aber Tasso legte Wert darauf, alles so lückenlos wie möglich aufzuklären. Wenn es der Aufklärung der Todesumstände nicht diente, dann doch wenigstens der Befriedigung seiner persönlichen Neugier beziehungsweise dem guten Gefühl, nichts übersehen zu haben.

Außerdem saßen er und Mara im Moment am Misurinasee fest. Bruno Visconti hatte darauf bestanden, dass sie vor Ort blieben, falls weitere Recherchen notwendig wären. Und bevor Tasso in diesem Kaminzimmer oder dem schrecklichen Archiv wahnsinnig wurde, spazierte er lieber durch die Winterwelt und stellte in den umliegenden Häusern kluge Fragen nach dem Opfer und dessen Tun im vorangegangenen Sommer.

Jetzt standen sie vom Hotel Misurina aus gesehen vor dem ersten Gebäude der Reihe von Hotels und Pensionen, die die Uferstraße säumten. Tasso öffnete die Eingangstür und hielt sie Mara auf.

***

Eine Stunde später zweifelte Tasso allmählich an genau dieser Kernkompetenz, kluge Fragen zu stellen und die richtigen Schlüsse daraus zu ziehen. »Warum haben Sie das denn nicht gleich gesagt?«, brummte er frustriert.

»Na, das habe ich doch: Der Gruber war im Sommer einige Wochen hier. Was glauben Sie denn, dass er wochenlang in der Gaststube herumhockt?« Die Wirtin machte eine ausladende Geste. Sie stand hinter der Theke der *Trattoria*, in der Tasso erst wenige Stunden zuvor Polenta gegessen hatte. Ihm erschien es, als wären seitdem Tage vergangen.

Maras Kopf flog hin und her, immerhin war sie diplomatisch genug, das nicht zu kommentieren. Außerdem hatte sich ihre Laune wieder gebessert, was Tasso sehr angenehm fand.

Er deutete stumm mit dem Daumen auf die chromglänzende Siebträgermaschine. Die Wirtin drehte sich um und bereitete zwei Schwarze zu.

»Also hat unser Maler hier übernachtet«, wagte Mara endlich zu sagen.

Tasso nickte lustlos. Mittags war er die Straße von Süden hergekommen und hatte nur das verblasste *Trattoria* an der Hauswand gesehen. Jetzt hatten sie sich von Norden, vom Hotel Misurina aus, genähert, von wo aus in unübersehbar großen roten Buchstaben zusätzlich das Wort *Albergo* zu lesen war. Die Schrift auf der anderen Seite, so hatte die Wirtin erklärt, würde im nächsten Frühjahr frisch aufgepinselt.

Carlo Colori alias Franz Gruber hatte über einige Wochen hier logiert.

Die Wirtin stellte ihnen je eine dampfende Espressotasse hin. Entzückt betrachtete Tasso die feste Crema. Das war genau das, was er jetzt brauchte, um seine Lebensgeister wieder zu wecken. »Signora …«

»Nennen Sie mich gern Stefania. Das tun alle.«

»*Va bene*. Könnten Sie bitte die ganz genauen Daten heraussuchen? Und würden Sie uns beschreiben, wie er aussah? Brille, Bart, Haarschnitt, besondere Kennzeichen? Welche Kleidung trug er, wenn er das Haus verließ? Jedes noch so kleinste Detail könnte wichtig sein.«

Stefania schürzte die Lippen und überlegte. Mara holte ihren Schreibblock und einen Stift aus der Tasche.

»Ich hole gleich das Gästebuch, auswendig weiß ich das nicht. Er sah genauso aus wie auf dem Foto, das Sie mir gezeigt haben, kein Bart oder Brille. Aber die Kleidung: Es war

Arbeitskleidung. Er trug oft ein fleckiges Hemd, einen Kittel. Ich bin davon ausgegangen, dass er ein Saisonarbeiter ist, ein Handwerker, der hier irgendwo Aufträge hat. Aber jetzt, da Sie danach fragen, fällt mir auf, dass das vollkommen unlogisch wäre. Er war bis August hier, und da ist Hochsaison. Kein Hotel würde in dieser Zeit Renovierungen in Auftrag geben. Das könnte die Gäste stören.«

»Ist er weggefahren? Gegangen? Hat er sich mit anderen Leuten getroffen?«

»Er ist morgens immer die Straße rauf nach Norden gegangen.«

»Zum Hotel Misurina«, ergänzte Mara.

»In die Richtung, ja. Ob zum Hotel? Das weiß ich nicht. Ich habe ihn tagsüber selten gesehen, im August ist hier die Hölle los. Nicht dass ich mich beschweren möchte, ich kann nur nicht darauf achten, was die Gäste außerhalb der Pension tun. Ich bin ja meistens hier in der *Trattoria.* Um die Übernachtungen kümmern sich mein Bruder und seine Frau. Gruber hat ein paarmal zu Mittag gegessen, aber wann und wie oft oder ob er in Begleitung war, daran erinnere ich mich leider nicht mehr.«

Tasso stellte die leere Espressotasse ab. Das Porzellan gab ein feines Klirren von sich, das er trotz der üblichen Lautstärke in der Schankstube deutlich wahrnahm.

Stefania stemmte die Fäuste in die Hüften. »Wie sieht es aus? Möchten Sie zu Abend essen? Wir bieten *cialzons* mit einer Spinat-Ricotta-Füllung und Rote Bete an.«

Tasso hatte schon erfreut nicken wollen, hielt aber inne. »*Cialzons?* Was ist das?«

Die Wirtin lächelte. »So nennt sie meine Mutter, sie kommt aus dem Friaul. Für Sie sind es Ravioli«, sagte sie und ergänzte auf Deutsch: »Für Sie, Fräulein, Schlutzkrapfen.«

Mara riss erstaunt die Augen auf. »Woher wissen Sie …?«

Lächelnd zeigte Stefania auf den Schreibblock. »Keine Sorge, an Ihrem Italienisch habe ich nichts auszusetzen. Aber Sie schreiben auf Deutsch. Was ich ganz schön beachtlich finde.« Sie zeigte zur Bekräftigung auf ihre Schläfe. »Sie müssen zuhören, übersetzen und es dann aufschreiben. Ich kann ein wenig Deutsch, aber das würde ich nicht hinbekommen.«

Mara errötete und nickte geschmeichelt.

Die Wirtin wies ihnen einen Tisch für zwei zu, brachte je ein Glas Rotwein sowie eine Karaffe Wasser und verschwand in der Küche.

Angespannt blickte Tasso auf seine Armbanduhr. »Wir haben hier fürs Erste alles erfahren. Wenn wir gegessen haben, gehen wir sofort zurück zum Hotel. Bruno hat sich vielleicht schon gemeldet und kann uns Neuigkeiten über diesen Mailänder erzählen.«

»Gilberto Cattaneo. Der soll also unser Mörder sein?«

Tasso schnaubte abfällig. »Nein, diese Typen machen sich nicht selbst die Finger schmutzig. Er ist der mögliche Käufer des Bildes und der Strippenzieher. Wenn es sich so zugetragen hat, wie wir vermuten, dann hat er seinen Schergen, diesem Giovanni und den anderen, den Auftrag zum Mord gegeben.« Er trank einen Schluck und behielt ihn für einen Moment im Mund. Der Wein kam ihm vollmundiger vor als mittags. Für einen Tischwein ganz tauglich. Vielleicht war er aber auch erschöpft und wurde milde. Zugleich wusste er, dass er ab jetzt keine ruhige Minute mehr finden würde, bis die Umstände um Coloris – möglicherweise sogar Villabonas – Tod geklärt waren oder die Spur nach Mailand sich als komplett falsche Fährte erwies.

»Tut mir leid, genau das meinte ich. Natürlich ist das

vor allem juristisch ein sehr großer Unterschied, ob jemand einen Mord selbst begeht oder *nur* in Auftrag gibt.«

»Da haben Sie es. Diese Männer mit Geld, die die Aufträge geben und sich die besten Anwälte leisten können, die kommen meistens davon. Dabei hätten sie meiner Meinung nach die Hauptverantwortung zu tragen.«

»Ist das so? Dass sie davonkommen, meine ich.«

»Das ist immer so.« Er seufzte. »Aber so weit sind wir noch nicht. Signorina Mara, lassen Sie uns die Wartezeit nutzen und noch einmal rekapitulieren.«

Sie zog sofort ihren Block mit den Notizen hervor und legte ihn auf den Tisch. Eines musste er ihr ja lassen, sie hatte eine schnelle Auffassungsgabe. Insgeheim gestand er sich allmählich ein, dass ihm die Zusammenarbeit mit ihr Spaß machte. Sie erinnerte ihn an seinen treuen Ispettore Vierweger; der hatte ebenfalls gern vorschnelle Schlüsse gezogen, wartete dafür aber auch immer wieder mit neuen und blitzgescheiten Ideen auf. Wer hätte gedacht, dass eine junge Signorina aus gutem Hause etwas mit so einem sturen Bauernschädel gemeinsam hatte?

Tasso zog einen Taschenkalender aus der Innentasche seines Mantels, den er über die Stuhllehne gehängt hatte. »Fangen wir mit dem Oktober an und dem, was wir sicher wissen. Auf dem Film, den Villabona vor seinem Tod in der Kamera hatte, befinden sich Bilder, auf denen Carlo Colori zu sehen ist. Er hat sich mit einem Mann getroffen, den wir anhand des Gästebuchs und dank Signor Ferrara als Gilberto Cattaneo identifiziert haben. Dass diese Zusammenkunft nachts stattfindet, erklärt, weshalb sich kein Mensch an Colori erinnert, denn der hat woanders – hier – übernachtet. Außer dem Nachtportier hat ihn vermutlich niemand aus dem Hotel gesehen.«

Mara blätterte in ihren Notizen. »Bei diesem Treffen fand vermutlich die Übergabe des Bildes statt, das Colori angefertigt hat. Denn nur drei Tage später, am 6. Oktober, tauscht die falsche Spedition Coloris Kopie gegen das Original aus. Was wir nicht wissen, ist, ob Villabona und Colori miteinander Kontakt hatten oder sogar gemeinsam etwas planten.«

»Das ist auch unerheblich. Villabona hatte die Broschüre mit der Abbildung des Originals. Er fing Anfang Oktober erst wieder im Hotel an zu arbeiten. Während die meisten anderen sich bereits an den Anblick des Bildes gewöhnt und es gar nicht mehr beachtet haben, schaut er es sich genau an. Außerdem stammt er aus Neapel. Diese Hafenansicht könnten heimatliche Gefühle ausgelöst haben.« So würde es ihm zumindest ergehen, wenn er ein Bild vom Kolosseum oder dem Trevi-Brunnen sähe. Warum nicht auch Villabona?

Mara unterstrich ein Wort auf ihrem Block. »Die Broschüre, richtig. Ist ja egal, wo er die herhat, oder? Colori könnte die ihm nämlich gegeben haben. Jedenfalls müsste Villabona aufgefallen sein, dass sich das Bild nach der ›Reinigung‹ verändert hat. Er vergleicht es mit der Abbildung, sieht, dass etwas nicht stimmt, und zählt eins und eins zusammen. Er hat Zugang zum Büro, da sich dort der Tresor befindet. Er sucht sich die Rechnung der Spedition heraus, überprüft diese angebliche Reinigungsfirma und stellt fest, dass sie nicht existiert.«

»Dann fehlt uns ein Puzzleteil. Wie stellt er die Verbindung zu diesem Geschäftsmann und Colori her?«

Mara tippte sich mit dem Stift gegen die Zähne. »Dann kann … es doch nur so sein, dass Colori und Villabona Kontakt miteinander hatten. Villabona muss mindestens gewusst haben, dass Colori Bilder malt. Konkreter: dass der die falsche *Tavola Strozzi* gemalt hat. Die Verbindung zu Cattaneo hat er dann anhand seiner Fotos hergestellt.«

»Vermutungen, Mara. Wir brauchen Indizien, besser Beweise. Die Fotos befanden sich zu dem Zeitpunkt, von dem wir sprechen, noch in der Kamera.«

»*Bah*. Wenn er die Fotos gemacht hat, hat er das Bild gleichzeitig mit eigenen Augen gesehen. Er wird nicht ununterbrochen geknipst, sondern möglicherweise sogar mit Cattaneo oder Colori gesprochen haben. Oder mit diesem Giovanni. Der war auch auf einem der Fotos. Halt, sagen Sie nichts: Wir *vermuten*, dass es jener Giovanni ist, der in der *Bunten Kuh* gegessen hat. Wir müssen erst Signora Marthaler das Foto zeigen, um sicher zu sein.«

Tasso grinste. »Bravo.«

»Einmal Ravioli, einmal Schlutzkrapfen, bitte sehr, die Herrschaften. *Buon appetito*.« Schwungvoll servierte Stefania die dampfenden Teller.

Sofort lief Tasso das Wasser im Mund zusammen. Einen Vorteil hatten der Winter und die Kälte: Er konnte essen, soviel er wollte, es setzte nicht an. Und diese cremige Soße sah nach ordentlich Sahne aus.

Er wünschte Mara seinerseits guten Appetit und langte zu.

Die Wirtin kehrte mit einem Behälter mit Klappdeckel zurück, in dem sich geriebener Parmesan befand. Sie stellte ihn neben den Salz- und Pfefferstreuer auf den Tisch und legte einen Zettel daneben.

»Das ist für Sie, hat mein Bruder sofort herausgesucht. Franz Gruber hat vom 12. Juli bis 26. August hier übernachtet. Außerdem noch einmal je eine Nacht vom 3. auf den 4. Oktober und vom 29. auf den 30. November.«

»Wie bitte? Zeigen Sie her!« Tasso riss den Zettel an sich. »Sind Sie sicher?«

»Was glauben Sie denn? Warum sollte mein Bruder Quatsch ins Gästebuch schreiben? Das stimmt schon.« Sie lachte gutmütig und ging.

Mara biss von ihrer Ravioli ab und betrachtete verzückt die Füllung, bevor sie den Rest in den Mund schob. »Ende November. Da also hat er festgestellt, dass sich sein eigenes Bild in der Lobby befindet, wo das Original hängen sollte. Er nimmt Kontakt mit seinem Auftraggeber auf, will ihn zur Rede stellen. Verlangt entweder mehr Geld für sein Schweigen, dass er eine Fälschung angefertigt hat, oder besteht sogar darauf, dass der Austausch rückgängig gemacht wird. Er ist kein Krimineller, das wird ihm nicht gepasst haben.«

»So oder so bedeutete die Erkenntnis sein Todesurteil. Genau wie bei Villabona, der mit ziemlicher Sicherheit kriminell war.«

»Bah!« Zu Tassos Erstaunen lachte Mara auf. »Da sind Sie also sicher? Wir vermuten nur, dass er Gäste erpresst hat. Bewiesen ist das noch nicht.«

Tasso nickte anerkennend. »Muss ich zugeben, stimmt. Bei ihm häufen sich die Vermutungen diesbezüglich aber, sodass ich mich bereits dazu hinreißen lasse, es vorauszusetzen. Immerhin ist er umgebracht worden. Und die versuchte Erpressung von jemandem, der nicht lange fackelt, wenn ihm einer in die Quere kommt, passt da gut rein.«

»Gilberto Cattaneo.«

»Was ich Sie die ganze Zeit fragen wollte: Haben Sie von ihm gehört? Kennen Sie ihn?«

»Nein. Dafür ist Mailand zu weit weg. Wenn er aus Innsbruck wäre oder Graz, dann vielleicht. Aber so?«

Tasso nahm erneut den Zettel und betrachtete ihn mit zusammengekniffenen Augen. »Was wollte unser Maler Ende November hier?«

»Villabona aufsuchen und dann feststellen, dass er tot ist? Aufräumen? Sich mit neuer Kundschaft treffen?«

Bedauernd stellte Tasso fest, dass nur noch zwei Ravioli auf dem Teller übrig waren. Mara hatte ihre Portion komplett aufgegessen. Er wischte die Soße bis auf den letzten Tropfen auf und legte das Besteck zusammen. »Den gesamten Ablauf werden wir nicht rekonstruieren können. Das ist leider immer so, die kleinsten Details kennt häufig nur das Opfer. Ich denke, dass wir über die Kontobewegungen weitere Einzelheiten über seine Kundschaft herausfinden können. Aber damit werden wir uns trotz aller Dringlichkeit bis nach Weihnachten gedulden müssen.« In einem seiner Telefonate hatte er Bruno Visconti abermals darauf hingewiesen, wie wichtig das war. Der Questore hatte versprochen, alle Möglichkeiten auszuschöpfen. Große Hoffnungen hatte er für einen Spätnachmittag am letzten Freitag vor Weihnachten nicht machen können.

Aber wer konnte schon sagen, ob nicht doch ein bürokratisches Wunder passiert war? Es wurde Zeit, dass er wieder telefonierte, und sei es nur, um die Erlaubnis zu bekommen, mit Mara nach Bozen zurückzukehren.

Tasso erhob sich so ruckartig, dass das Besteck auf den Tellern klirrte, und griff nach seinem Mantel. »Kommen Sie. Damit, dass wir hier herumsitzen, erreichen wir auf jeden Fall gar nichts. Ich zahle.«

»Müssen Sie nicht, das war ja keine Einladung Ihrerseits.«

»Ich bekomme das Geld zurück, keine Bange.« Das war eine glatte Lüge. Abgesehen davon, dass er meistens zu faul war, seine Spesen abzurechnen, würde Bruno ihm kaum ständige kulinarische Eskapaden gestatten. Welche Summen für seine und Maras Übernachtung im Hotel Misurina auf ihn zukamen, wusste er auch noch nicht. Es würde, Angestelltenzimmer hin oder her, genug werden, allein fürs Frühstück. Ein guter Grund mehr, dass sie endlich zurück nach Bozen aufbrachen.

15. Kapitel, in dem es mit Tasso bergauf geht

Sie traten hinaus in die blau schimmernde Kälte der Nacht. Die Umrisse der Berge zeichneten sich scharf vor dem etwas helleren Himmel ab. Die Wolken hatten sich komplett verzogen, und die Luft war klar. Was bedeutete, dass es bitterkalt werden würde. Der See lag still unter einer dichten Decke Neuschnee, nur die geräumte Straße hob sich als dunkles Band von all dem Weiß ab.

Schweigend gingen sie los. Tasso schaute sich gründlich in alle Richtungen um, ließ seinen Blick unbehaglich die fernen Bergflanken entlangschweifen. Die erste Raunacht. In diesem Moment müssten sich die Geister erheben, umherwandern. Falls dem so war, lag nichts Böses in der Luft, im Gegenteil, die Natur ringsum strahlte tiefen Frieden aus. Tasso kam unerwartet zur Ruhe, genau wie bei seinem Spaziergang am Mittag, lauschte auf den knirschenden Schnee unter seinen Stiefeln. Maras Schritte folgten wie ein unregelmäßiges Echo, holten seine ein, überholten, tönten voraus.

Ruckartig blieb sie stehen. Tasso wäre fast gestolpert, so sehr war er in die Geräusche versunken gewesen.

»Was ist los?« Sein Atem stieg in weißen Wolken auf. Die Luft prickelte auf der Haut.

»Wir wissen zwar jetzt, wann Colori hier übernachtet hat, aber was genau er hier gemacht hat, ist unklar. Was, wenn er sich an einem guten Beobachtungspunkt in der Nähe des Hotels ein Atelier eingerichtet und das Bild vor Ort gemalt hat? So konnte er immer wieder zum Original spazieren und sich inspirieren lassen.«

»Hübscher Gedanke. Aber wo sollte dieses Atelier sein?«

»Ich dachte an einen Schuppen oder an Heuböden. So was könnte er für einige Wochen von einem Bauern gemietet haben.«

»Das können wir bei Gelegenheit überprüfen. Aber jetzt ist kaum der richtige Zeitpunkt, reihenweise Heuschober zu durchforsten.«

»Wie viele sehen Sie denn?« In Maras Stimme lag ein herausfordernder Triumph, der Tasso nicht behagte.

Er schob den Hut ein wenig aus der Stirn und schaute sich um. »Sie meinen den Holzverschlag da oben am Hang?«

»Mit bestem Blick auf den Eingang des Hotels. Die Front ist komplett verglast. Mit etwas Glück und einem Fernglas könnte das Bild sogar zu sehen sein.«

Verdrießlich betrachtete Tasso den Hang und die unberührte Schneedecke. Es war nicht zu erkennen, wo ein Pfad zu der Hütte führte – oder ob überhaupt.

Er wandte sich ab und wollte weitergehen. Dann hörte er hinter sich ein Geräusch wie von einem rutschenden Schneebrett. Er fuhr herum.

»Mara, was machen Sie denn, Sie können doch nicht … *Madonna mia!*«

Mara war ein paar Schritte bergauf gekraxelt und hatte auf dem steilen Hang das Gleichgewicht verloren. Sofort rappelte sie sich auf und klopfte sich den Schnee vom Mantel. »Nichts passiert. Nun kommen Sie schon!« Sie wartete nicht auf eine Antwort, sondern stieg weiter bergan.

Tasso fluchte leise vor sich hin. Dann trat er an den Straßenrand, atmete tief durch und folgte ihr, mehr auf allen vieren denn im aufrechten Gang, weil der Hang noch steiler war, als er von unten ausgesehen hatte. Nach nur wenigen Metern rasselte sein Atem, und die Kälte stach in seinem Hals. Mühsam kämpfte er sich voran. Spitze Felsbrocken und widerspenstige Sträucher, die er unter dem Schnee gar nicht wahrnehmen konnte, hinderten ihn daran, vernünftig voranzukommen. Er schaute hoch. Mara hatte die Hütte fast erreicht. Sie kletterte scheinbar mühelos wie eine Gämse bergauf. Wie machte die das? Und wie konnte es sein, dass er sich von so einem jungen Hüpfer abhängen ließ? Trotzig pflügte er weiter durch den Schnee und über unsichtbare Hindernisse, bis er endlich schnaufend neben Mara und dem Verschlag stand. Er keuchte, vor seinen Augen tanzten schwarze Punkte.

»Ist … die Tür … verschlossen?«, japste er zwischen zwei Atemzügen.

»Ich glaube nicht.«

»Worauf warten Sie dann noch?« Da würde ohnehin nichts sein, außer Heu und ein paar Ratten.

»Auf Sie. Ich wollte nicht ohne Ihre Erlaubnis irgendwo einbrechen.« Mara grinste breiter, als es für eine junge Signorina angemessen war. Sie gab ihm keine Gelegenheit zu einer Antwort, sondern betrat die Hütte.

»Na, das schau sich mal einer an!«, rief sie.

Tasso stieß die Tür ein Stück weiter auf und trat ein. Schummriges Licht empfing ihn. Es war düster, allerdings nicht so dunkel, wie er erwartet hatte. Zur Straße hin war die Front mit einer Plastikscheibe versehen, die bei Tag sicherlich viel Helligkeit hineinließ.

Das war noch nicht alles.

Mara drehte sich einmal um die eigene Achse. »Was sagen Sie jetzt, Tasso?«

»Volltreffer, würde ich meinen.« Gegenüber der Scheibe stand ein mit Farbklecksen übersäter Tisch. Zwei von Feuchtigkeit gewellte Broschüren lagen dort, dieselben, die sie bei Villabona gefunden hatten. Eine dritte mit der Ansicht der *Tavola Strozzi* war mit Heftzwecken an der Wand befestigt. Tasso bückte sich zu einer Holzkiste unter dem Tisch. Farbverschmierte Lumpen, leere Flaschen und Tuben stapelten sich darin, die Hinterlassenschaften eines Malers. Nachdenklich fuhr Tasso mit dem Daumen über die harten Farbreste im Stoff.

»Das hat Colori Ende November hierher zurückgeführt«, meinte Mara. »Er hat seine Sachen geholt. Vielleicht konnte er nach dem Ende seiner Arbeit nicht alles transportieren. Jetzt ist hier nur der Müll geblieben.«

»Und als er dann noch einmal zum Hotel gegangen ist, um sich das Original anzusehen, stellt er fest, dass sein Bild dort hängt. Er will mit seinem Auftraggeber reden. Der bestellt ihn ins Hotel Bellevue in Meran. Statt eine Antwort zu bekommen, wird Colori totgeschlagen wie ein räudiger Köter. Ja. So könnte es gewesen sein.« Tasso erhob sich, bleierne Müdigkeit überfiel ihn plötzlich. Dabei war diese Nacht lange nicht zu Ende. Er wollte nach Bozen zurück. Jetzt, sofort. Es würde mit Bruno telefonieren, aber wenn der immer noch der Meinung war, er und Mara sollten hier versauern, konnte er sich seine Befehle an den Hut stecken.

***

»Wir kommen nach Bozen, Bruno. Können wir doch, oder? Bitte.« Tasso kam sich vor wie ein kleiner Junge, der um eine Belohnung bettelte.

Sein Chef hatte endlich ein Einsehen. »Ja, ihr habt ohnehin eine lange Fahrt vor euch. Jakob hat sich inzwischen auch schon erkundigt, wo seine Tochter sich herumtreibt.«

»Was für ein Jakob?«

»Jakob Oberhöller, Maras Vater. Bestell ihr schöne Grüße. Benimmt sie sich? Ist sie dir eine Hilfe?«

Tasso hielt den Hörer ein wenig vom Ohr und warf Mara einen Seitenblick zu. Sie döste im Drehstuhl des Archivs. »Wie man's nimmt. Sie ist schon sehr … eigenständig.« Eigenwillig hatte er sagen wollen. Er war nach wie vor unschlüssig, ob er sie wegen dieser Tortur hoch zu dem Holzverschlag feiern oder kreuzigen wollte. Ihm schmerzten die Knie und seine Anzughose war endgültig ruiniert. Zu dem ganzen nassen Schnee und den Salzrändern war ein Riss gekommen, weil er auf dem Rückweg hingeschlagen war. Von diesem Sturz stammte unnötigerweise ein dicker blauer Fleck, wo sich die Pistole samt Holster in seine Eingeweide gebohrt hatte. Er sah nicht nur aus wie ein Freischärler, der vor Kurzem durchs Gebirge gekrochen war, er fühlte sich auch so. Trotz alledem, sie hatten Coloris geheimes Atelier gefunden. Und das war etwas wert. Scandiffio hatte versprochen, dafür zu sorgen, dass es von seinen Kollegen bewacht würde, bis ein Team von der Spurensicherung es untersuchen konnte. Er hatte dafür zwei Männer in Belluno angefordert.

Die Telefonleitung knackte. Bruno atmete vernehmlich durch. »Du hast uns ganz schön Arbeit gemacht, das kann ich dir sagen. Wir haben die Finanzer ins Boot geholt, die haben Cattaneo schon länger im Visier. Ich rechne aber nicht damit, dass uns das viel weiterbringt. Sollte Geld für einen Auftragsmord geflossen sein, wird das nicht über irgendwelche Konten gelaufen sein. Und nach allem, was wir bis jetzt wissen, steht zumindest dein Giovanni auf Cattaneos Gehaltsliste. Als persönlicher Assistent. Was immer ich mir darunter vorzustellen habe.«

»Was sagst du da? Heißt das, ihr habt ihn identifiziert?« Der ominöse Giovanni, einer der vier Männer aus der *Bunten Kuh* und mutmaßlicher Gast auf eine Polenta in Stefanias *Trattoria.* Sie hatten das Foto, auf dem sie ihn erkannt zu haben glaubten, an die Questura telegraphiert. Dazu hatte Signorina Paniz ihnen mit unübersehbarem Stolz den Bildtelegraphen des Hotels zur Verfügung gestellt. Er war erst wenige Wochen zuvor angeschafft worden und der bisher einzige seiner Art weit und breit. Ohne das Gerät hätten Mara und Tasso mindestens bis nach Cortina fahren müssen.

»Haben wir. Giovanni Santini. Vierunddreißig Jahre alt, ledig, aus Palermo. Während des Krieges bei der Marine, direkt danach hat ihn sein Weg nach Mailand geführt, wo er den feinen Signor Cattaneo kennengelernt hat.«

Tasso Gedanken verweilten beim Alter des Gesuchten. Vierunddreißig Jahre, der Mann war sein Jahrgang. Genau wie er als Halbwüchsiger in diesen schrecklichen Krieg hineingezogen worden. Zwei Männer, zwei grundverschiedene Werdegänge. Seinen eigenen hatte er hauptsächlich dem Mann zu verdanken, mit dem er gerade telefonierte. Wo wäre er gelandet, wenn er nicht Bruno Visconti begegnet wäre, sondern einem windigen Geschäftsmann?

»Santini steht seit nunmehr fünfzehn Jahren in dessen Diensten«, fuhr Bruno fort, ohne von Tassos Grübeleien etwas zu ahnen. »Vorbestraft wegen diverser Schlägereien. Einer seiner Brüder und ein Cousin haben ebenfalls Spuren in diesem Umfeld hinterlassen. Wir versuchen gerade, herauszufinden, wo sie sich aufhalten. In Santinis Wohnung in Mailand waren sie nämlich nicht.«

Tasso hielt die Sprechmuschel zu. »Mara? Wir können fahren. Würden Sie uns ein Taxi bestellen und Scandiffio suchen, damit wir uns von ihm verabschieden können?«

Sie schreckte auf, nickte sofort hellwach. »Taxi, Scandiffio. Wird erledigt. Ich komme meine Tasche gleich holen.«

»Die werden auf dem Weg nach Sizilien zu ihrer Mutter sein, so wie es sich für gute Söhne gehört«, sagte er wieder an Bruno gewandt.

»Könnte sein. Wir überprüfen das. Die Kollegen auf Sizilien haben auch schon Telefone, weißt du?«

»Ist ja gut. Ich wollte dir nicht sagen, wie du deine Arbeit zu tun hast.«

»Als abgehalfterter Schreibtischhengst schlage ich mich ganz gut.«

Tasso wusste darauf nichts zu erwidern. Bruno hatte ihm wieder einmal zu verstehen gegeben, dass er sich nicht ständig darüber beschweren sollte, in der Weltgeschichte herumzukommen. Brunos Aktionsradius beschränkte sich auf Bozen, genauer gesagt auf die Questura, seine Wohnung und ein paar Kilometer Radius in der Innenstadt. Es fiel Bruno von Jahr zu Jahr schwerer, mit den Krücken zu laufen. Es würde nicht mehr lange dauern, bis er auf einen Rollstuhl angewiesen wäre, was ihm weitere Freiheiten nehmen würde. Tasso graute davor mindestens ebenso wie Bruno vermutlich selbst. Und deswegen würde nichts und niemand ihn dazu bringen, von der Seite seines väterlichen Freundes zu weichen.

»Mara bestellt uns ein Taxi. Wir werden über Toblach und das Pustertal fahren müssen. Die anderen Strecken haben Wintersperrung. Wenn wir Glück haben, sind wir in drei Stunden da.«

»Lasst euch Zeit, die Nacht ist noch lang. Es ist Freitagabend, ich habe heute nichts mehr vor.«

»Es ist die längste Nacht des Jahres, *caro amico*.«

»Sage ich doch. Seid vorsichtig, Aurelio. Ich möchte euch nicht aus dem Straßengraben fischen müssen.«

»Ich melde mich unterwegs, wenn ich kann.«

»Tu das. Meine Nummer hast du ja.«

Tasso legte auf und nahm den beißenden Schweißgeruch in der Luft wahr. Der stammte von Scandiffio. Er fuhr sich mit dem Finger unter den Kragen, lockerte den Krawattenknoten und öffnete den obersten Knopf. Sein eigenes Hemd roch zwar nicht, da er die modernen Polyesterdinger vermied und lieber Baumwollhemden trug, aber optisch konnte er damit keinen Eindruck mehr schinden. Niedergeschlagen bohrte er einen Zeigefinger in das Loch am Knie seiner Hose. Das war sein zweitbester Anzug gewesen. Den besten trug er nur zu besonderen Anlässen.

Er nahm seinen Hut von einem Stapel Aktenordner und setzte ihn auf. Der Schal folgte um den Hals. Den Mantel legte er sich über den Arm. Er lauschte, doch niemand kam. Maras Mantel und die Handtasche lagen noch hier. Ihre Einkäufe hatte sie an der Rezeption deponiert. Er überlegte, ihre Sachen mitzunehmen, entschied sich aber dagegen. Nachher übersah er etwas.

Er fuhr mit dem Daumen über die Plastikkiste, die das beinhaltete, was von Marcello Villabona übriggeblieben war. Scandiffio hatte bis auf die Fotos, die sie für die Ermittlung aussortiert hatten, alles wieder ordentlich eingeräumt. Tasso nahm einen vertrockneten Palmzweig auf. Ein Blatt löste sich und rieselte zu Boden. Rasch legte er den Zweig zurück. Vermutlich hatte der Palm hinter einem der Heiligenbildchen gesteckt.

Er ging zur Tür, schaute den kahlen Flur entlang. Immer noch niemand zu sehen. Scandiffio schien sich in einen Winkel verkrochen zu haben, sodass Mara ihn vergeblich suchte.

Tasso kehrte zurück und legte den Mantel auf den

Schreibtisch. Müßig nahm er Villabonas Gesangbuch und blätterte darin herum. Auf verschiedenen Seiten lagen Heiligenbildchen. An manche Lieder waren mit dünnem Bleistift Zeichen und Vermerke geschrieben. *Pepes Erstkommunion* stand an einem, *Begräbnis Papa* an einem anderen. Tasso überlegte, das Buch mitzunehmen. Es schien einen kleinen Einblick in Villabonas Leben zu erlauben. Aber war es nicht eher Scandiffios Aufgabe, weiteres Licht ins Dunkel zu bringen?

Er hörte, wie die Tür hinter ihm aufgestoßen wurde. Prompt hüllte ihn eine neue Wolke Schweißgeruch ein.

Er hustete. »Da sind Sie ja. Ich habe mich gerade gefragt, ob ich das Gotteslob mitnehmen kann. Villabona hat darin herumgekritzelt.«

»Hat es mit seinem Tod zu tun?« Scandiffio nahm die Plastikkiste an sich.

»Nicht dass ich wüsste. Aber wer weiß, ob ich nicht etwas finde?«

»Dann sagen Sie es mir?« Der Ispettore neigte fragend den Kopf.

»Selbstverständlich.« Tasso hatte nicht zum ersten Mal das Gefühl, dass der Kollege aus Belluno sich zwar Mühe gab, beflissen zu wirken, in Wahrheit jedoch froh über jede Arbeit war, die er abschieben konnte. Er zog seinen Mantel an und steckte das Gesangbuch in die Tasche. Mara hatte inzwischen ihre Sachen gepackt und gab ihm ein Zeichen, dass sie bereit wäre.

Tasso folgte Mara die Treppe hinauf. Die Lobby erstreckte sich vor ihnen im warmen Licht der vielen elektrischen Leuchter. Da entdeckte er Direttore Donatelli, der sich mit einem verzückten Lächeln von der *Tavola Strozzi* abwandte. Tasso wurde schwindelig. Er hatte etwas vergessen.

Nein, nicht vergessen, vielmehr vor sich hergeschoben. Ein Versäumnis. Und keine Kleinigkeit. Er umklammerte das Geländer und schloss die Augen. Was für ein schrecklicher Fall.

16. Kapitel, in dem Mara eine ganz neue Seite an Commissario Tasso kennenlernt

»Tasso? Signor Commissario! Was ist denn? Ist Ihnen nicht gut? Soll ich Ihnen ein Glas Wasser holen?« Zu Maras Erleichterung öffnete er die Augen, aber sein Blick war düster und zutiefst gequält.

»Schon gut. Aber Sie können dem Taxifahrer Bescheid geben, dass er wieder fahren kann. Wir bestellen ein neues. Wenn wir wirklich *alles* erledigt haben. Ich will kein Taxi dafür bezahlen, dass es mit laufendem Taxameter vor dem Hotel wartet.«

»Was ist denn? Ich dachte, wir hätten *alles* erledigt.« Sie konnte ihm ansehen, dass er das bis gerade auch geglaubt hatte. Inzwischen kannte sie ihn gut genug. Er hatte schlicht und einfach etwas vergessen. Er mochte ein guter Ermittler sein, doch bisweilen schien eine persönliche Sekretärin vonnöten, die dafür sorgte, dass er seinen eigenen Kopf nicht vergaß.

Er schüttelte sich, ließ die Schultern kreisen, dann straffte er den Rücken und winkte ihr zu. »Nein, ich habe es mir anders überlegt. Wir fahren doch. Das kann warten. Vielleicht … Ja. Eine schlechte Nachricht wird besser, wenn man sie mit einer guten Nachricht kombiniert.« Er ließ sie stehen und ging an ihr vorbei Richtung Ausgang. Unterwegs grüßte er Felipe Donatelli mit einem Nicken. Der Direttore sprach auf ihn ein, wollte ihn aufhalten, aber Tasso wedelte abwehrend mit den Händen, zeigte nach draußen, deutete auf seine Armbanduhr. Sein Gegenüber nickte verstehend und wandte sich ab.

Da begriff Mara, was ihm durch den Kopf gejagt war. Sie hatte sich schon gefragt, wann der Commissario dem Direttore eröffnen wollte, dass in seiner Lobby ein gefälschtes Bild hing. Es war Felipe Donatellis persönliches Anliegen gewesen, das Gemälde in seinem Hotel zu präsentieren. Mara erinnerte sich an ihr kurzes Gespräch mit ihm am Morgen nach dem Frühstück. Daran, wie er davon gesprochen hatte, wie kräftig die Farben seit der Reinigung leuchteten. Dass es seitdem noch schöner wäre, wie stolz er sei und so weiter und so fort. Jetzt verstand sie Tassos Reaktion. Direttore Donatelli zu eröffnen, dass ihm eine wertvolle Leihgabe abhandengekommen war, würde kein Vergnügen werden.

Ja, dachte sie und holte rasch ihre Einkäufe am Empfang, während Tasso ungeduldig an der Eingangstür auf den Fersen wippte, *vielleicht ist es besser, den Direttore einige Tage im Ungewissen zu lassen.* Wenn sie Glück hatten und ihre Vermutungen sich als richtig erwiesen, würde das Original im Besitz von Gilberto Cattaneo auftauchen. Dann könnte es ohne viel Aufhebens wieder an seinen Platz zurück. Falls es verschwunden blieb, würden sie dem Direttore immerhin nicht die Festtage verderben. Der Schock würde so oder so groß genug werden.

Sie rutschte neben Tasso auf den Rücksitz des Taxis, an dessen Steuer ein junger Mann mit Schnauzbart und Baskenmütze saß und rauchte.

Er fuhr herum und riss die Augen weit auf, als Tasso ihm das Ziel nannte. »Da bin ich ja die ganze Nacht unterwegs!«

»Mit entsprechender Entlohnung, möchte ich meinen. Schaffen Sie das?«

»Natürlich, keine Frage. Ich muss nur zusehen, dass ich in Bruneck eine offene Tankstelle finden. Na ja, die Stadt ist groß genug, das muss möglich sein.«

»Dann reden Sie nicht länger herum, fahren Sie los. Ich muss unterwegs ohnehin einige Male telefonieren, dann können Sie in der Zwischenzeit tanken.«

Tasso zog Villabonas Gesangbuch aus der Manteltasche und versuchte, darin zu lesen. Das fahle Mondlicht reichte nicht aus. Frustriert klappte er es nach kurzer Zeit wieder zu.

Mara wühlte in der Handtasche und fand ihre Taschenlampe. Sie hatte extra vor der Fahrt neue Batterien eingelegt. Gerade im Winter war das kleine Ding unentbehrlich. Sie hielt Tasso die Lampe wortlos hin.

»Was soll ich damit?«

»So können Sie lesen. Ich kann sie Ihnen auch halten, falls Sie möchten.«

»Und Sie? Haben Sie keinen Heftroman mit oder ein Frauenmagazin?«

Mara verkniff sich eine empörte Erwiderung. Zeitschriften? Solchen Schund las sie nicht, aber das würde Tasso ihr ohnehin nicht abnehmen. Und wenn er Heftroman sagte, meinte er vermutlich Arztromanzen. Ihre Großmutter liebte die. Sie bevorzugte Jerry Cotton. Noch lieber las sie George Simenon oder Agatha Christie – richtige Bücher.

»Was lesen Sie denn? *Das Kapital* von Marx? Lesen Sie überhaupt?« Mara biss sich auf die Zunge, bevor ihr weitere Bemerkungen herausrutschten. So etwas gehörte sich nicht.

»Wer sagt, dass ich Kommunist bin? Bin ich nicht.« Tasso schlug einen unerwartet milden Ton an.

Mara schwieg lieber, bevor sie sich in weitere Schwierigkeiten schwatzte.

Tasso lachte, es klang amüsiert. Sein Gesicht war in der

Dunkelheit nicht zu erkennen. »Ich meinte diese Aussage durchaus ernst. Mein Vater war Kommunist. Es hat ihm nichts Gutes eingebracht.«

»Sie klingen manchmal ... Nein, ich sage lieber nichts.«

»Jetzt kommen Sie schon. Sie nehmen doch sonst kein Blatt vor den Mund. Wir sind unter uns, wir können es beide auf die Müdigkeit schieben, wenn wir Dummheiten sagen. In ein paar Wochen trennen sich unsere Wege, Sie werden irgendwo studieren, ich mache meine Arbeit.«

»Sehnen Sie sich nicht nach Rom zurück?«

Statt einer Antwort seufzte er tief und schwieg. Als Mara schon nicht mehr damit rechnete, sagte er: »Das ist nicht so einfach, wie es klingt. Doch, ich würde gern zurückgehen.«

»Wie lange sind Sie denn schon fort?«

Dieses Mal dauerte die Pause noch länger, sodass sie nicht mehr glaubte, eine Antwort zu bekommen.

Dann murmelte er bei sich: »Mehr als achtzehn Jahre. Lange Jahre.«

Sie schwiegen. Mara spürte seine Finger nach ihrer Hand tasten. Sie reichte ihm die Taschenlampe. Im funzeligen Licht blätterte er mit einer Hand durch das Gesangbuch. Manchmal bewegte er die Lippen, als ob er einen Liedtext rezitierte.

Sie überlegte, diese merkwürdige Unterhaltung fortzuführen, entschied sich jedoch dagegen. Tasso war sowohl ihrer Frage nach seinem Lesestoff als auch der nach seiner politischen Einstellung geschickt ausgewichen. Er mochte seine Gründe haben. Es ging sie ja wirklich nichts an. Aber dann sollte er selbst von solchen Unterstellungen, sie würde nur geistloses Zeug lesen, Abstand nehmen. Ganz großen Abstand. Alles andere war chauvinistisch.

Genervt, weil sie sein Verhalten nicht in Ordnung fand,

zugleich aber keine Idee hatte, wie sie sich zur Wehr setzen sollte, legte sie die Stirn an die Seitenscheibe und versuchte vergeblich, draußen etwas zu erkennen. Im Taxi wurde es immer wärmer, sodass sie erst Schal und Mütze ablegte und sogar den Mantel auszog. Tasso tat es ihr nach. Von vorne säuselte ein Sprecher von Rai Radio Uno die Nachrichten. Wenn sie zügig durchkamen, würden sie kurz vor Mitternacht in Bozen eintreffen.

»Das hat keinen Zweck. Bei dem Geruckel kann ich mich nicht konzentrieren.« Tasso knurrte unzufrieden, blätterte ein letztes Mal durch das Buch und schlug es zu – um es sofort wieder aufzuklappen. Er hielt die Lampe direkt über das Innere des hinteren Buchdeckels.

»Jetzt schau sich das einer an«, entfuhr es ihm. Er reichte Lampe und Buch an Mara weiter.

Auf der Innenseite waren in winzigen Buchstaben Namen und Zahlen aufgelistet.

Sie hielt sich das Buch so nahe wie möglich an die Augen. »Sind das Daten? Und Geldbeträge. Das sind Namen … die Namen von Erpressungsopfern. Und die Summen, die Villabona erhalten hat.«

»Die Summen, die er gefordert hat, würde ich annehmen. Sehen Sie dort? Manche Beträge sind abgehakt, andere nicht. Ich kann mir vorstellen, dass einige Leute die Erpressungen einfach ignoriert oder nicht ernst genommen haben. Aber das lässt sich herausfinden. Wenn es beispielsweise Prominente sind, könnten kompromittierende Fotos in Zeitungen aufgetaucht sein.« Er schlug sich auf die Schenkel. »Scandiffio wird nicht erfreut sein. Da kommt noch eine Menge Recherche auf ihn zu.«

»Er sollte sich aber freuen. Er kann diese Straftaten aufklären und Villabonas Opfern berichten, dass sie nichts weiter zu befürchten haben. Und wenn er Glück hat, klären Sie seinen Mord.«

»Ja. Wenn.«

»Sie zweifeln?« Sie klappte das Buch zu und knipste die Lampe aus.

Er ignorierte sie und versuchte stattdessen, seinen Mantel zu einer bequemen Unterlage zu falten. Dabei verzog er das Gesicht, als quälten ihn ziemliche Schmerzen. Mara wollte schon fragen, was los war, bekam jedoch keine Gelegenheit.

»Halten Sie auf jeden Fall in Bruneck«, rief er dem Fahrer gegen das Dröhnen des Motors zu. »Ich muss mir dort ein Telefon suchen.«

»Geht klar, Chef, entspannen Sie sich. Ist noch eine hübsche Strecke.« Der Fahrer zündete sich eine neue Zigarette an.

Mara hielt die Luft an. Normalerweise machte ihr das wenig aus, aber dies war starkes Kraut. Und das Seitenfenster hinten ließ sich nicht öffnen. Schon kündigten sich Kopfschmerzen an. Sie schloss die Augen und versuchte, eine bequeme Position zu finden. Das würde eine anstrengende Fahrt.

***

Die Kopfschmerzen waren nicht besser geworden, als Mara sich an derselben Tankstelle bei Bruneck, an der sie auf der Hinfahrt gehalten hatten, die Beine vertrat. Tasso telefonierte von einem öffentlichen Telefonmünzsprecher, der sich an der Seite des Gebäudes befand. Sogar aus der Entfernung und durch die kleinen Fensterscheiben der Kabine war ihm anzusehen, wie erregt er war. Er fuchtelte herum, erhob immer wieder die Stimme und schien kurz davorzustehen, loszubrüllen.

Mara wanderte am Rand des Platzes mit den beiden

Zapfsäulen zwischen Schneehaufen auf und ab. Die eisige Nachtluft machte es mit den Kopfschmerzen nicht besser, die Kälte stach wie mit Nadeln auf ihre Schläfen ein. Verzweifelt rieb sie sich die Stirn.

Der Taxifahrer kam auf sie zu, er rauchte schon wieder. Unwillkürlich trat Mara einen Schritt zurück.

Er lächelte höflich. »Ich tu Ihnen schon nichts, Signorina.«

»Es ist nur der Qualm Ihrer Zigarette. Ich habe Kopfschmerzen.« Sie wedelte die Schwaden vor ihrem Gesicht fort. Im gelben Licht der Tankstellenbeleuchtung bemerkte sie die teerfleckigen Hände des Mannes. Der musste eine Lunge haben, als wäre ein Tintenfisch ausgelaufen. Mara hatte kürzlich über die Gefahr der Teerablagerungen gelesen. Danach war ihr die Lust aufs Rauchen fürs Erste gründlich vergangen. Für sie war es ohnehin eher der gesellschaftliche Aspekt, der sich damit verband.

Er stutzte und ließ den restlichen Stummel sofort in den Schnee fallen, wo er ausglomm. »Warum haben Sie das nicht direkt gesagt?«

»Sie müssen jetzt nicht wegen mir …«

»Doch, der Kunde ist König. Meine Tochter hasst es! Sie tobt so lange auf dem Rücksitz herum, bis ich sie ausmache. Einmal hat sie sogar zwischen den Sitzen nach vorn gegriffen und die Zigarette im Aschenbecher einfach ausgedrückt. Und Sie setzen sich ab jetzt nach vorn, dann können Sie das Fenster einen Spalt öffnen.«

»Der kalte Wind ist auch nicht besser.«

»Keine Widerrede.«

»Also gut. Danke, sehr aufmerksam.«

Er nickte zufrieden und kehrte zum Auto zurück, wo er wartete, bis der Tankwart fertig war.

Das war wirklich nett von ihm. Mara wurde allerdings den Verdacht nicht los, dass der Mann sie unter Kontrolle haben wollte, bevor sie sich auf der Rückbank übergab.

Ein Scheppern riss sie aus ihren Gedanken.

Tasso hatte den Hörer auf die Gabel geknallt und kam aus der Kabine gestürmt. Er drückte dem Tankwart ein paar Scheine in die Hand und riss die Seitentür auf. Da erst fiel ihm auf, dass Mara nicht im Wagen saß. Hektisch schaute er sich um und winkte ihr ungeduldig zu.

Rasch lief sie zu ihm.

»Die machen eine Razzia. Heute Nacht noch! In Mailand, Bozen, Triest, Bologna und … hab ich vergessen. Acht Städte insgesamt! Können Sie sich das vorstellen?«

»Nur wegen des Bildes? Sie sagen das so vorwurfsvoll. Ist das nun eine gute oder schlechte Nachricht?«

»Jetzt steigen Sie schon ein! Sonst schaffen wir es auf keinen Fall, noch pünktlich da zu sein.«

»Pünktlich da zu sein?«, echote Mara verständnislos. »Wo?«

»In Bozen. Bis …« Er legte den Unterarm auf die Seitentür und schob den Mantelärmel zurück, um auf die Uhr zu gucken. Mit einem Schlag verließ ihn all diese ungeduldige Energie. Er sackte zusammen. »Vergessen Sie es. Fahren wir.«

»Sie dachten, Sie könnten es schaffen, bei der Razzia dabei zu sein.«

Er schaute sie düster an. »Unsinn, Sie machen sich ja lächerlich. Das sind immer noch mindestens eineinhalb Stunden Fahrt. Wie soll das gehen?«

»Als ob ich etwas dafürkönnte.« Mara riss die Beifahrertür auf und ließ sich auf den Sitz plumpsen. Sie hörte, wie die hintere Tür zugeworfen wurde. Der Fahrer startete den Motor. Das Radio dröhnte mit einer Aufzählung bevorstehender Sondersendungen zu den Weihnachtsfeiertagen los.

Qualvoll ließ Mara den Kopf gegen die Seitenscheibe sinken. Das Glas kühlte angenehm.

»Ich mach's leiser, Signorina.« Der Fahrer beugte sich ein wenig näher, während er den Blinker setzte und auf die Straße fuhr. »Aber ich stelle das Radio nicht aus, einverstanden? Sonst müssen wir die ganze Zeit das Gebrummel Ihres Chefs aushalten.«

Mara lachte hilflos. Inzwischen jagte auch die kleinste Kopfbewegung ihr schon Schmerzen durch den Schädel.

»Haben Sie etwas zu mir gesagt?« Tasso beugte sich vor.

»Nein«, rief der Fahrer. »*Tutto bene*, machen Sie die Augen zu und schlafen Sie, dann geht die Zeit schneller um.«

»Halten Sie irgendwo bei Brixen noch einmal an. Haben Sie noch Kleingeld?«

»Kein Problem, machen wir.«

Tasso fiel in brütendes Schweigen oder er döste ein, das wusste Mara nicht. Dankbar schloss sie die Augen und versuchte, eine bequeme Position zu finden.

***

»Das haben wir jetzt davon! Ich habe Ihnen doch gesagt, dass Sie in Brixen noch einmal halten sollen!«, brüllte Tasso in die Nachtluft.

Der Fahrer blies ungerührt Zigarettenrauch in den Himmel. »Sie haben gesagt ›irgendwo bei Brixen‹. Da sind wir. Wenn Sie ins Stadtzentrum wollen, müssen Sie das schon genau festlegen. Ich kannte diese Wirtschaft und wusste, dass die hier ein Münztelefon haben.« Er wies hinter sich auf das flache Holzgebäude, aus dem gedämpft rhythmische Musik erklang.

Ein Tanzlokal an der Straße irgendwo zwischen Brixen und Klausen. Sie standen auf dem Parkplatz. Mara hatte die letzten Minuten damit verbracht, zu beobachten, wie oft einzelne Leute oder ganze Gruppen aus dem Eingang ins Freie kamen; laut, fröhlich und unbeschwert.

»*Bah!* Ein Münztelefon mitten in der Pampa, das einzige weit und breit!«

»Es liegt direkt auf dem Weg. Beim Losfahren wollten Sie noch so schnell wie möglich in Bozen sein.«

»Sie hätten auch mitdenken können!«, schimpfte Tasso.

»Woher soll ich denn wissen, dass Sie nach Brixen reinwollen? Ich werde nicht fürs Denken, ich werde fürs Fahren bezahlt. Geben Sie korrekte Anweisungen, Signore! Und an die halte ich mich dann, *capito?*«

Schaudernd vor Kälte zog Mara die Schultern hoch und stampfte auf der Stelle, um ihren Körper davon zu überzeugen, etwas mehr Blut in die Füße zu pumpen. Die Kopfschmerzen hatten nachgelassen, dafür war ihr jetzt eiskalt. Ihre Nase fühlte sich an, als würde sie gleich klirrend zerspringen.

»Sie machen sich überhaupt keine Vorstellung, um was es hier geht!«, schimpfte Tasso den Fahrer. »Wie weit ist es bis Brixen?«

»Höchstens zehn Minuten.«

»Dann los, worauf warten Sie noch? Mara, einsteigen!« Er warf sich auf den Rücksitz und knallte die Tür zu.

Der Fahrer schüttelte den Kopf und schimpfte vor sich hin. Mit aufreizender Gemächlichkeit zog er ein letztes Mal an seiner Zigarette, bevor er sie ausmachte und hinters Steuer zurückkehrte. Mara setzte sich zu Tasso auf den

Rücksitz. Vielleicht ließ er sich dazu herab, ihr zu erklären, was los war.

»Warum fahren Sie nicht los?«, herrschte Tasso den Fahrer an.

»Und wohin?«

»Nach Brixen!«

»Geht es etwas genauer?«

»Sie kennen sich da sowieso nicht aus.«

»Diese große Kirche mitten im Zentrum, die finde ich schon. Keine Sorge.«

»Also gut, Questura. Kriegen Sie das hin?«

Das Taxi machte einen Hopser, weil der Fahrer von der Kupplung abrutschte. Mara wurde nach vorn geworfen und stieß mit der Stirn gegen die Rücklehne des Beifahrersitzes. Wieder brandeten Schmerzen über sie hinweg, kurz wurde ihr übel. Sie lehnte sich zurück und massierte sich die schmerzende Stelle und die Schläfen. Nur mit halbem Ohr verfolgte sie, wie der Fahrer und Tasso sich weiter angifteten.

Die Laune des Signor Commissario wurde allmählich richtig anstrengend. Seit dem Telefonat in Bruneck war er zappeliger als ein Springteufel in seiner Kiste. Und er schien der Meinung, dass alle Welt sich gegen ihn verschworen hatte und schuld an seinem Unglück war – worin das genau bestand, hatte Mara bisher nicht verstanden. Er war wütend, weil er nicht in Bozen bei der Razzia gegen seinen Verdächtigen Gilberto Cattaneo dabei sein konnte. Aber das konnte unmöglich der ganze Grund sein. Was war so schrecklich, dass Tasso so gereizt war und sich derartig aufführte?

Aus den Augenwinkeln beobachtete sie, wie er sich an den Hals griff und unter dem Schal herumfingerte. Mara hatte erst gestern nach ihrer Ankunft in Misurina entdeckt, dass er eine Goldkette trug. Es war nichts Besonderes, ein ziseliertes

Medaillon mit dem Abbild der Jungfrau Maria. Manchmal, wenn er nervös wurde, tastete er danach, als bitte er auf diese Weise um göttlichen Beistand.

Ihre Neugier siegte über die Bedenken, in den nächsten Fettnapf zu treten. »Was erwartet uns in Brixen?«

»Was weiß denn ich?« Es folgte eine Reihe unflätiger Flüche, die Mara allesamt nicht verstand. Und dabei hatte sie immer gedacht, ihre Brüder hätten ihr eine Menge beigebracht, was italienische Gossensprache anbelangte. Schließlich hatten beide ihren Militärdienst in der Toskana abgeleistet.

Zuletzt schlug Tasso mit den Händen auf die Rückenlehne des Beifahrersitzes. »Bruno hat sich da irgendetwas ausgedacht. Er meinte, die Kollegen in Brixen hätten Informationen, die sie mir unbedingt persönlich mitteilen wollen. Ich hasse diese Spielchen! Er sitzt da gemütlich in der Einsatzzentrale in Bozen und schickt mich durch die Weltgeschichte. Ja, ich weiß schon.«

Tasso hob die Hand, obwohl Mara nicht einmal daran gedacht hatte, ihn zu unterbrechen.

»Sagen Sie jetzt nicht, dass er auch lieber auf beiden Beinen und ganz vorn mit dabei wäre, wenn sie die Zweit-, Dritt- oder was-weiß-ich-wievielte Wohnung dieses Cattaneo stürmen. Das stimmt nämlich nicht. Nicht in diesem Fall. Bei so einer großen Sache liebt er es eher, das Ganze zu koordinieren, wie eine Spinne genau an dem Punkt im Netz zu sitzen, wo alle Fäden zusammenlaufen. Und das ist dir klar, oder? Ein Questore aus dem unbedeutenden Bozen hatte die entscheidenden Informationen und sagt den Mailändern, wo es langgeht.«

Er schnaubte belustigt. »So was kann Bruno, und dafür braucht es keine zwei Beine. Er wird im Besprechungszimmer im obersten Stock sitzen, mit Blick auf die stillen verschneiten Dächer der Stadt, ausreichend Kaffee und Wein oder Grappa greifbar. Mehrere Telefone auf dem großen Konferenztisch, Alessia Rosso und genug Beamte um sich, um schnell und effektiv zu handeln: Anweisungen zu geben, Teams auszusenden, neue Informationen einzubinden.« Er machte eine ausladende Geste und stieß mit der Hand ans Seitenfenster. »Die Ergebnisse werden auf einer großen Tafel festgehalten, ständig angepasst, Papiere und Aktenordner stapeln sich auf den Tischen. Ein Agente oder Ispettore telefoniert. Irgendeiner telefoniert immer in diesen Situationen.« Er hielt inne.

Mara wagte keinen Mucks.

Tasso fuhr sich über die Stirn, als müsste er Schweiß abwischen, und fuhr danach mit gespreizten Fingern durch seine schwarzen Locken. »Es ist eine magische Stimmung in diesem Raum, eine ganz besondere Atmosphäre«, murmelte er abschließend.

Mara bezweifelte, dass die letzten Worte für sie bestimmt waren. Aber sie hatte auch so eine Vorstellung davon. Sie wusste, wie der Questore seine Leute in diesem Moment zu einer Einheit formte. Bruno Visconti war charismatisch, er handelte überlegt und er war überzeugend. Er hatte ihr an manchen Abenden von der Zeit im Krieg erzählt und dabei ähnliche Situationen beschrieben. Nur dass sich die Kommandozentrale in einer verlassenen Jagdhütte des lombardischen Hinterlandes befunden hatte, in einem Keller oder einer baufälligen Scheune. Und dass er allenfalls unzuverlässige Feldtelefone zur Verfügung gehabt hatte, eher noch laut knackende Funkgeräte.

Die meisten Menschen sprachen nicht gern über den Krieg, versuchten die Zeit zu verdrängen, das Erlebte, die

Grausamkeiten zu vergessen. Doch Bruno war bis heute von dem überzeugt, was er getan hatte, als er gegen Mussolinis Faschisten kämpfte. Er hielt es für wichtig, dass die Geschichten erzählt wurden, da sie andernfalls in Vergessenheit geraten konnten. Und nichts, fand Bruno, kein fehlender Mut, kein sich duckendes Mitlaufen, war schlimmer als das Vergessen. Nur die, die erinnerten, konnten es in Zukunft anders machen.

Und Tasso war nicht an der Seite seines Freundes. Es war zwar sein Verdienst, dass dieser große Schlag geführt wurde, er war schon Teil des Ganzen, aber das reichte ihm nicht. Er wollte diese Magie, von der er gerade gesprochen hatte, persönlich erleben. Endlich verstand Mara.

»Das heißt aber, dass Bruno einen wirklich guten Grund haben muss, wenn er uns nach Brixen schickt«, meinte sie mehr zu sich selbst.

»Wie sagen Sie?«

»Nichts, ich habe nur laut gedacht.«

17. Kapitel, in dem Mara erst einmal nicht ins Kloster darf

Die Questura in Brixen glich einem Ameisenhaufen, in den ein Kind mit einem Stock hineingepikst hatte. Und es machte den Eindruck, als würden sie erwartet. Ein Agente am Empfang kümmerte sich darum, dass der Taxifahrer bezahlt wurde, und der Mann machte sich mit unübersehbarer Erleichterung auf den Weg zurück ins Ampezzanertal.

Mara und Tasso wurden umgehend in ein Besprechungszimmer im ersten Stock gebracht, wo zurzeit gelüftet wurde. Was dringend nötig war. Die Luft war zum Schneiden dick. Schwaden von Qualm und der Geruch nach Schweiß und feuchter Kleidung zogen aus dem Fenster und wurden durch die Luftbewegung, als die Tür sich öffnete und sie eintraten, durcheinandergewirbelt. Das Bild, das sich ihnen bot, entsprach in etwa dem, das Tasso vorhin von Brunos Einsatzzentrale gezeichnet hatte. Nur dass hier neben Papier und Telefonen benutzte Tassen, Thermoskannen und vollgekrümelte Teller herumstanden. Auf einer Platte lagen die traurigen Reste einiger Semmeln, auf denen sich der Käse wellte.

Sechs Männer und zwei Frauen befanden sich in dem Raum, vier der Männer und sogar eine der Frauen trugen Uniformen. Mara kannte sich mit den Rangabzeichen nicht gut genug aus, um zu erkennen, welchen Dienstgrad sie bekleidete. Es war das erste Mal, dass sie eine Frau im Polizeiumfeld sah, die keine Assistentin, Telefonistin oder Sekretärin war. Mit einiger Achtung und noch mehr Neugier beäugte sie die Polizistin. Wie kam sie in dieser Männerwelt zurecht? Vielleicht ergab sich im Laufe der Nacht die Möglichkeit zu einem Gespräch. Mara würde sich keine Gelegenheit entgehen lassen, von anderen zu lernen. Das konnte ihren Zukunftsplänen nicht schaden.

»Da sind Sie ja endlich.« Ein athletisch gebauter blonder Mann in einem dunkelbraunen Anzug kam auf sie zu. Er war höchstens Ende zwanzig. Mara registrierte den konsternierten Blick, mit dem er Tasso und dessen derangierte Erscheinung in Augenschein nahm. Seit er sich seine Hose am Knie aufgerissen hatte, sah der Commissario endgültig aus wie ein Landstreicher.

Sofern Tasso die kritische Musterung auffiel, ließ er sich nichts anmerken. Er reckte seinem Gegenüber, das mindestens einen Kopf größer war, die Hand entgegen und schaute offen zu ihm auf. »Aurelio Tasso, Commissario aus Bozen. Questore Visconti hat mich zu Ihnen geschickt.«

»Sie kommen genau richtig. Wir haben noch genug Zeit, alles zu besprechen und vorzubereiten. Wir machen gerade zehn Minuten Pause. Möchten Sie Kaffee? Einen Gespritzten? Etwas zu essen? Oh, Verzeihung, Sie müssen Signorina Oberhöller sein. Freut mich, Sie kennenzulernen.« Er schüttelte ihr die Hand und grinste dann sofort verlegen. »Ich habe mich gar nicht vorgestellt. Commissario Renato Dalmaso. Ich leite den Einsatz.«

»Herzlichen Dank für den freundlichen Empfang«, erwiderte Mara. Trotz seiner imposanten Erscheinung und des auf den ersten Blick selbstsicheren Auftretens wirkte der Commissario aus Brixen etwas unbeholfen. Was ihn sympathisch machte. Mara hatte nichts für Typen übrig, die meinten, die ganze Welt müsse ihnen zu Füßen liegen. Tasso war auch nicht so, er legte diesbezüglich eher eine gewisse

Gleichgültigkeit an den Tag und tat einfach, was er für angemessen hielt. Was Mara nicht ganz so angenehm, aber immer noch besser als dieses Alphamännchen-Gehabe fand. Im Umfeld ihres Vaters begegnete sie solchen Männern viel zu häufig.

»Ich nehme gern ein Glas Wasser«, sagte sie.

»Kommt sofort. Setzen Sie sich dort drüben hin.«

»Ich habe lange genug gesessen.« Tasso steuerte auf eines der Fenster zu und lehnte sich hinaus.

Mara schlenderte zu ihm und stellte sich daneben. Viel zu sehen gab es nicht. Die Questura von Brixen lag in einer kopfsteingepflasterten Gasse nahe den Lauben. Unter ihnen im Erdgeschoss strahlte die Beleuchtung von Schaufenstern, gegenüber und in den oberen Stockwerken blitzte nur noch vereinzelt Licht hinter geschlossenen Läden hervor. Die kleine Bischofsstadt an der Eisack lag bereits im Schlaf. Es ging auf Mitternacht zu. Diese Nacht dauerte wirklich endlos.

Mara drehte sich zurück in den Raum und bemerkte, dass die Frau in Uniform sie verstohlen beobachtete. Schüchtern versuchte sie es mit einem Nicken, das von einem warmen Lächeln beantwortet wurde. Beide zögerten. Mara versicherte sich, dass Tasso noch mit dem Studium der Hauswand gegenüber beschäftigt war, dann ging sie auf die Polizistin zu. Die schloss das Fenster, an dem sie ihrerseits gestanden hatte, und kam ihr entgegen. Beim Näherkommen erkannte Mara, dass sie doch ein wenig älter war, als es auf den ersten Blick schien. Um die Augen und die Mundwinkel lagen Fältchen wie bei Menschen, die viel Zeit im Freien verbrachten. Ihr Haar, das sie zu einem strengen Knoten aufgesteckt trug, erinnerte an das goldglänzende Fell von Haflingern.

»Mara Oberhöller, guten Abend.« Unwillkürlich war sie

ins Deutsche gewechselt, obwohl um sie herum alle Italienisch redeten.

»Elisabeth Unterbachner«, kam die Antwort ebenfalls auf Deutsch. »Sie sehen nicht aus wie die persönliche Assistentin des Commissario.«

»Bin ich auch nicht. Sie sind die erste Polizistin, die ich treffe. Welchen Rang haben Sie inne, wenn ich fragen darf?«

»Vice Sovrintendente. Aber nennen Sie mich einfach Unterbachner oder Lisl. Die meisten sprechen sich schließlich mit dem Nachnamen an, das ist so üblich. Und es gibt definitiv zu wenige Frauen hier, wir sind immer noch eine exotische Spezies.«

»Das wird in dem Beruf, den ich mir ausgesucht habe, nicht anders sein. Ich will Jura studieren und begleite Commissario Tasso im Rahmen eines Praktikums.«

»Und dann direkt so ein großes Ding! Respekt.« Unterbachner schürzte anerkennend die Lippen.

So ein großes Ding? Mara fand schon, dass eine Mordermittlung keine Kleinigkeit war, aber wie ihr Gegenüber es sagte, das klang nach anderen Dimensionen.

Dalmasos kräftige Stimme schallte durch den Raum. »Setzen, bitte. Wir fahren jetzt fort.« Inzwischen waren weitere Polizisten mit und ohne Uniform eingetroffen, insgesamt mochten es nun um die zwanzig Personen sein.

»Darf ich mich zu euch setzen?«, flüsterte Unterbachner.

»Zu gern. Dann kann ich zwischendurch Fragen loswerden, wenn ich etwas nicht verstehe.«

»Kein Problem.« Beide setzten sich, Mara zwischen ihrer neuen Bekanntschaft und Tasso, der immer noch fehl am Platz wirkte und sich, seiner missmutigen Miene nach zu urteilen, auch so fühlte.

Commissario Dalmaso begrüßte einige Neuankömmlinge,

dankte ihnen überschwänglich, dass sie trotz des Wochenendes und der bevorstehenden Feiertage ihren Dienst schoben. Er rief Namen auf und teilte die Anwesenden in Gruppen ein. Eine Kiste mit Handsprechfunkgeräten wurde hereingetragen. Den jeweiligen Gruppenleitern übergab er je einen Stapel Papiere und eines der Geräte.

»Renato macht das zum ersten Mal«, erklärte Unterbachner Mara hinter vorgehaltener Hand. »Er erinnert mich an die Geschichte von dem Bären, der durch den Wald stapft und versucht, keine anderen Tiere zu zertreten, was ihm natürlich nicht gelingt. Aber er schafft das schon. Das ist ein Guter.«

»Kennen Sie sich gut?«

»Er ist der beste Freund meines Zwillingsbruders. Wir sind alle zusammen zur Schule gegangen. Außerdem ist Brixen klein, eigentlich kennen sich hier alle untereinander, mal mehr, mal weniger.«

Tasso hatte vor Langeweile angefangen, mit einem Kuli Kringel auf eine Akte zu malen. Jetzt schleuderte er den Stift auf den Tisch und warf sich gereizt gegen die Stuhllehne. »Was machen wir hier, bitte schön? Das ist doch ein Witz.«

Unterbachner beugte sich zu ihm. »Hat Re… Dalmaso Ihnen noch nicht erklärt, um was es hier geht?«

»Hört sich das so an, als wüsste ich Bescheid? Wer sind Sie überhaupt?«

»Sovrintendente Unterbachner. Ich bin hier aus Brixen. Einige der Kollegen wurden aus dem Umland angefordert, weil heute Nacht eine große Razzia bevorsteht. Und so, wie ich das verstanden habe, sollen Sie uns begleiten.«

Tasso senkte die Augenbrauen. »Aus dem Umland? An einem Freitagabend? Wie haben Sie das so schnell hinbekommen?«

»Schnell? Wir planen den Einsatz seit Wochen, das ist ...«

»Seit Wochen? Mara, ich glaube, wir sind hier falsch.«

Wie aus dem Nichts erschien Commissario Dalmasos große Gestalt vor Ihnen, als habe er jedes Wort mitangehört. »Ich bin sofort bei Ihnen. Lassen Sie mich noch die Instruktionen an die letzten beiden Teams loswerden.«

Tasso rollte mit den Augen und begann wie ein Schuljunge mit dem Stuhl zu kippeln.

Mara kicherte verstohlen und verwandelte es rasch in ein herzhaftes Gähnen, als er zu ihr schaute.

»Lisl, ich brauche dich hier.«

»Mara, Commissario, es war mir ein Vergnügen. Vielleicht sehen wir uns morgen früh? Üblicherweise treffen wir uns nach größeren Einsätzen beim Traubenwirt in den Lauben zum Frühstück.«

Mara lächelte unverbindlich. »Mal sehen.« Sie hatte ja keine Ahnung, was noch auf sie zukam.

»Ich hoffe, dass ich morgen früh in Bozen bin«, knurrte Tasso und schob ein »Aber danke. Ihnen alles Gute für den Einsatz!« hinterher. Dann verschränkte er die Arme und ließ die Schultern kreisen, bis es knackte. Immerhin, er hatte seine Manieren offenbar doch nicht sämtlich im Misurinasee versenkt.

Der Raum leerte sich allmählich. Ein grauhaariger untersetzter Kollege schnappte sich beim Hinausgehen noch eine Käsesemmel. Danach blieben nur drei Polizisten, die allesamt eher von drahtiger und schlanker Statur waren und eine fiebrige Unruhe verströmten, wie Rennpferde kurz vor dem Start. Wenn Mara die Menge der Rauten auf den Schulterklappen richtig deutete, waren sie alle von höherem Dienstrang als Lisl Unterbachner.

»Commissario Tasso, kommen Sie zu mir, bitte.« Dalmaso winkte ihnen. Da Mara keine anderslautende Anweisung bekam, trottete sie hinterher.

Dalmaso machte eine ausladende Geste, mit der er die drei Polizisten einbezog. »Costa, Bernini und Carpetta, drei meiner besten Männer, die Sie und mich begleiten werden. Heute werden wir die *Operation Ikone* zu einem erfolgreichen Ende bringen.«

»Hätten Sie außer fraglos gutgebauten Herren und kryptischen Namen auch handfeste Informationen, um was es eigentlich geht?«, grollte Tasso. Mara sah, dass er die Hände zu Fäusten ballte und wieder schloss. Der Commissario stand kurz vor der Explosion. Und wenn sie ehrlich war, konnte sie es ihm nicht verdenken. Was sollte das alles hier?

Das fragte Dalmaso sich offenbar ebenfalls. »Hat Dottore Visconti Ihnen denn nichts gesagt? Keine Anweisungen gegeben?«

»Wir sind im Rahmen einer Mordermittlung auf dem Weg nach Bozen. Unterwegs habe ich mit dem Questore telefoniert, und alles, was er sagte, war: *Fahr nach Brixen und melde dich dort in der Questura. Die haben eine Überraschung für dich. Du wirst es nicht bereuen. Schönen Gruß an die Kollegen.* Das war alles. Ich nehme nicht an, dass er eine Party meinte, die Sie feiern werden, wenn Ihre Operation erfolgreich läuft.«

»Sicher nicht.« Dalmaso atmete hörbar durch. Er fuhr sich mit einer Hand durchs stoppelige Haar und schickte seine Männer mit einem kaum wahrnehmbaren Kopfnicken aus dem Raum. Jetzt waren sie zu dritt. Mara wurde sich plötzlich der Stille bewusst, die durch Abwesenheit von Menschen in Räumen entstehen kann. Eine Wanduhr tickte, die Neonröhren summten, auf dem Flur entfernten sich Schritte auf dem knarzenden Linoleum.

Mit einer fahrigen Bewegung schaute Dalmaso auf seine Armbanduhr. »Wir haben noch eine gute Viertelstunde. Setzen wir uns. Sagt Ihnen der Name Fratelli Santini etwas?«

Tassos Aufmerksamkeit war geweckt. »Giovanni Santini heißt einer der Verdächtigen, der als Mörder infrage kommt.«

Widerwillig ließ er sich auf einem Stuhl nieder und zog, wie schon zuvor im Taxi, eine gequälte Grimasse.

»Haben Sie Schmerzen?«

»Nur einen blauen Fleck von einem Sturz vor ein paar Stunden. Dabei habe ich mir auch den Anzug zerrissen, ich laufe nicht immer so herum. Nicht der Rede wert.«

»Wir haben eine Apotheke, ich kann Ihnen Aspirin geben.«

»Das ist nicht … Oder doch. Es wäre vielleicht nicht verkehrt.« Er warf Mara einen auffordernden Blick zu. Das hätte er gar nicht gebraucht, denn sie hatte die Gelegenheit, auch etwas gegen ihre Kopfschmerzen tun zu können, sofort erkannt. Es war nicht mehr so schlimm, aber immer noch penetrant. »Ich hole die Tabletten.« Sie lächelte Tasso aufmunternd an und wandte sich an Dalmaso: »Wo finde ich Ihre Apotheke?«

Sie ließ sich den Weg erklären und kehrte nach wenigen Minuten mit einer Tablettenschachtel und zwei Gläsern zurück, die sie mit Wasser aus einer der Karaffen auf dem Tisch füllte.

Geistesabwesend nahm Tasso das Glas und die Tabletten entgegen. Er war völlig auf Dalmasos Bericht konzentriert, den dieser gerade mit einem »… und deswegen sitzen wir heute hier« beendete.

»Lassen Sie mich das zusammenfassen, damit ich sicher sein kann, dass ich alles richtig verstanden habe: Sie bereiten sich seit Monaten auf einen Schlag gegen eine kriminelle Bande vor, die in der Diözese Brixen systematisch Kunstgegenstände aus den Kirchen raubt? Und mein Verdächtiger ist einer der Köpfe dieser Gebrüder? Nicht zu fassen.«

»Strenggenommen rauben sie nicht, sie ersetzen alles durch Fälschungen.«

»Genau wie bei unserem Gemälde«, murmelte Mara.

Tasso nickte unbewusst.

»Sie nennen sich Fratelli Santini, aber es handelt sich nicht nur um das Bruderpaar, Giovanni und Giulio Santini. Hinzu kommen ein Cousin und vier weitere Männer, von denen wir wissen. Und all diese Personen halten sich heute Nacht hier in Brixen auf, um das Diözesanmuseum um einige goldene Messkelche und ein wertvolles Tabernakel zu erleichtern.«

»Warum ausgerechnet heute?«, entfuhr es Mara.

»Weil diese Gegenstände heute Vormittag aus dem Magazin des Museums geholt wurden, damit sie für die Weihnachtsmessen poliert werden können. Oder was weiß ich, vielleicht müssen sie auch geweiht werden, ich kenne mich da nicht aus.«

Mara sah Tasso bei dieser leichtfertigen Formulierung zusammenzucken. Genau wie auf der Hinfahrt hatte er unterwegs immer wieder nervös aus dem Fenster geschaut und etwas von *Raunächten* vor sich hin gemurmelt. Er schien gläubig und noch dazu empfänglich für die Traditionen zu sein, die schon vor dem Christentum gepflegt wurden.

»Woher wissen Sie von dieser Bande?«

»Ein Mönch im Kloster Neustift war über längere Zeit ihr Komplize. Doch vor einigen Monaten hat ihn das Gewissen gepackt.« Dalmaso lächelte traurig. »Diese Diebstähle verüben die schon seit Jahren und ihre Fälschungen sind gut. Das Ganze läuft hochprofessionell, das muss ich denen lassen. Was auch heißt, dass jemand mit dem nötigen Kleingeld dahintersteckt.«

»Gilberto Cattaneo, der Mann im Hintergrund aus Mailand.«

»So ist es.«

»Heißt das«, wagte Mara zu fragen, »dass die Razzien in den acht Städten schon lange geplant waren?«

»Darum kümmert sich der Questore persönlich.« Dalmaso zeigte auf die Zimmerdecke. »Ich habe mitbekommen, dass unsere *Operation Ikone* vor wenigen Stunden plötzlich zu einem Teil von etwas Größerem wurde. Wie viel davon wann und von wem geplant wurde, weiß ich nicht. Ich habe genug mit der Einsatzleitung vor Ort zu tun. Das soll schließlich ein Erfolg werden.« Die letzten Worte sprach er mit Nachdruck. Mara erinnerte sich daran, dass dies Dalmasos erster großer Einsatz war; vermutlich wollte er sich damit selbst Mut zusprechen.

Tasso legte den Kopf in den Nacken. »Dann ist das alles kein Zufall. Die Herren waren auf dem Weg von Mailand nach Brixen und haben unterwegs in Meran Station gemacht, um sich des leidigen Problems zu entledigen, dass ihnen unser Mordopfer auf die Schliche gekommen war.«

»Glauben Sie, dass er das einzige Opfer ist?«, wollte Dalmaso wissen.

Tasso schüttelte nur stumm den Kopf.

Da der Commissario nichts sagte, übernahm Mara die Erklärung. »Es ist sehr wahrscheinlich, dass der Tod eines Nachtportiers im Hotel Misurina auch auf das Konto der Gruppe geht.«

Alle schwiegen.

»Gut.« Dalmaso schlug sich kräftig mit beiden Händen

auf die Schenkel. »Wie sieht es aus? Machen Sie mit? Dann müssten wir allmählich los. Sind Sie bewaffnet?«

»Ich bekomme die Chance, den Mann, der mein gesuchter Mörder sein könnte, persönlich zu verhaften? Da fragen Sie noch?«

»Dann hat Ihnen Ihr Questore doch nicht zu viel versprochen.«

»Nein, wirklich nicht.« Tasso sprang auf. »Bruno, du altes Schlitzohr.« Die letzten Worte sagte er ganz leise. Mara hörte sie dennoch.

Dalmaso klopfte Tasso auf die Schulter, beide lachten, waren nach diesen wenigen Worten aufeinander eingeschworen. Mara überlief ein ehrfürchtiges Schaudern, denn sogar sie spürte, dass es eine ganz besondere Nacht werden würde.

Und sie?

Erst als die Männer schon fast durch die Tür waren, rief sie beide zurück. »Haben Sie nicht etwas vergessen?«

Tasso schaute sie verdutzt an »Was denn?«

Dalmaso runzelte die Stirn.

»Mich?«

»Sie?«

»Soll ich etwa hier warten?« Sie machte eine weite Armbewegung, mit der sie den gesamten Raum einschloss.

Tassos Blick fiel auf die ranzigen Käsesemmeln und halb vollen Tassen mit kaltem Kaffee. »Das wäre vermutlich wirklich kein guter Ort. Dalmaso, haben Sie …?«

»Unten am Empfang ist ein Wartebereich, da kann ich …«

»Das könnte Ihnen beiden so passen. Ich komme mit.«

Entsetztes Schweigen war die einzige Antwort. Dann redeten die Männer gleichzeitig.

»Das geht auf …«
»Das kann ich …«
»… keinen Fall, Ihr Vater …«
»… nicht verantworten, Sie …«
»… wird mir den Kopf abreißen …«
»… sind Zivilistin!«
»… falls Ihnen was passiert!«

Mara verschränkte die Arme. »Ich bin mir der Gefahr bewusst, schließlich habe ich die beiden Toten gesehen, und mir ist auch nicht entgangen, wie sie zugerichtet waren. Ich kann jedoch auf mich selbst aufpassen.«

»Sie haben sich Leichen angeguckt?« Dalmaso klappte der Mund auf.

Tasso reckte dagegen herausfordernd das Kinn. »Auf sich selbst aufpassen, ja? Sie sind doch … Das ist nur ein Praktikum!«

Ein Mädchen, hatte er sagen wollen, Mara konnte es aus seiner Miene ablesen. Allmählich wurde sie wütend. »Warum ist es so schwer zu begreifen, dass ich für mich selbst verantwortlich sein kann?«

»Das ist ein Einsatz, Mara. Da kann ich nicht Kindermädchen spielen. Wenn Ihnen etwas passiert, wird Ihr Vater mich zum Mond schießen. Zu Recht, muss ich betonen!«

»Ich möchte alle Aspekte Ihrer Arbeit kennenlernen. Sie nehmen mich nicht ernst! Seien Sie der Mann, von dem Bruno mir vorgeschwärmt hat.«

»Lassen Sie Bruno da raus.«

»Und Sie meinen Vater, Tasso!« Außerdem sollte er sich besser Sorgen darum machen, was ihre Großmutter mit ihm anstellen würde, falls ihr etwas zustieße. Aber das musste er jetzt nicht erfahren.

Tasso schüttelte den Kopf, dass seine Schultern bebten.

»Sie sind nicht für sich selbst verantwortlich. Ich bin es. Halt, jetzt widersprechen Sie nicht. Sehen Sie es mal aus der Sicht eines Dienstverhältnisses. Wären Sie meine Mitarbeiterin, würde ich entscheiden, ob Sie zum Einsatz mitkommen oder nicht. Ich *muss* das für Sie abwägen, verstehen Sie nicht? Ich würde Ihnen entsprechende Anweisungen erteilen, und Sie müssten dem Folge leisten. Das wäre keine Situation, in der Sie oder ich die Befehlskette infrage stellen dürften. Ich würde auch keinen Agente mitnehmen, der noch nicht trocken hinter den Ohren ist. Ganz deutlich: Sie sind für so einen Einsatz nicht ausgebildet.«

Mara verstummte. Das war eine überraschend rationale Erklärung. Kein *Du-darfst-das-nicht, Du-kannst-das-nicht*, wie sie es seit ihrer Kindheit gewöhnt war. Und ganz ehrlich: Sie war weder kompetent noch erfahren. Vielleicht hatte das hier ja wirklich nichts damit zu tun, dass sie eine junge Frau war, sondern damit, dass Commissario Tasso sich berechtigte Sorgen um sie machte. Sie erkannte die Verzweiflung in seinen Augen. Er wollte sie überzeugen, und er hatte Angst, dass sie wie bei ihrem Ausflug nach Cortina Alleingänge plante.

Sein Kollege Dalmaso hatte inzwischen den Mund wieder zugeklappt und entschieden, sich nicht weiter einzumischen. Jetzt griff er zum dritten Mal ungeduldig zur Türklinke.

Sie startete einen letzten Versuch. »Ich halte mich komplett im Hintergrund. Immer in Deckung, unsichtbar wie ein Geist. Und wenn Sie es mir befehlen, verschwinde ich sofort, versprochen.«

Tasso starrte sie sprachlos an.

Sie wich seinem Blick nicht aus und versuchte, einen überzeugten und beherzten Eindruck zu machen, obwohl eine mahnende innere Stimme sie längst warnte, dass sie dabei war, sich zu viel vorzunehmen. Sie hatte bei einem solchen Einsatz nichts zu suchen.

Und dennoch … Mara konnte nicht anders.

»Bitte.«

Tasso presste die Lippen aufeinander und knurrte wie ein tollwütiger Hund. Dann wandte er sich an Dalmaso. »Haben Sie Schutzwesten in kleiner Passform?«

18. Kapitel, in dem sich Tasso ganz heilig vorkommt, weil er einem Scheinheiligen das Handwerk legt

Trotz der nächtlichen Kälte war Tasso schweißgebadet. Er befand sich unter den westlichen Arkadenbögen des Kreuzgangs mit Blick auf einen Eingang des Domherrenhofs. Dort hindurch waren vor zwanzig Minuten drei Gestalten gegangen, von denen er nicht mehr als die Umrisse hatte erkennen können. Kurz darauf war im ersten Stock des Gebäudes hinter einem Fenster Licht angeknipst worden und warf jetzt einen viereckigen gelben Schein auf den schneebedeckten Innenhof. Ansonsten war der einzige helle Fleck die flackernde Kerze der steinernen Totenleuchte in der Mitte des Hofs. Gegenüber zur Linken erhob sich einer der Glockentürme des Doms zu Brixen.

Tasso lehnte sich gegen eine Säule und warf einen Blick über die Schulter. Die berühmten Fresken des Kreuzgangs verschmolzen in der Dunkelheit zu einem Meer heller und dunkler Flecken in Schwarz und Grauschattierungen. Wie die Katzen. Wie ein auf der Lauer liegender Commissario. Um ihn herum befanden sich weitere Polizisten. Zu gern hätte Tasso mit ihnen Kontakt gehalten, aber es war kein Funkgerät übriggeblieben. So musste er sich darauf verlassen, dass alle am Ende dort waren, wo sie gebraucht wurden, einschließlich seiner selbst.

Mara hielt sich wie vereinbart an der rückwärtigen Wand im Verborgenen. Zweimal war Tasso kurz davor gewesen, ihr den Befehl zu verschwinden zuzuflüstern. Das war nichts für eine junge Frau wie sie.

Wirklich nicht?

Wie alt war er denn gewesen, als er auf Brunos Truppe in den Hügeln am nördlichen Ende des Lago di Como gestoßen war? Gerade mal sechzehn Jahre. Und er hatte sich nie abhalten lassen, wenn Männer auf Erkundungstouren gingen, Beobachtungsposten bezogen oder einfach dringend benötigte Nahrungsmittel besorgten. Zu Beginn hatte Bruno versucht, es zu verhindern. Zwecklos.

Und das hier war nicht der Krieg. Mara stand sicher und mit einer Schutzweste bekleidet im hinteren Bereich der Arkaden. Tasso musste ihr zugestehen, dass sie das gleiche Recht darauf hatte, die Fratelli Santini zu verhaften – besser gesagt in ihrem Fall: persönlich dabei zu sein. Ihr Anteil an der Aufklärung der Todesumstände von Carlo Colori war ebenso groß wie seiner. Wenn nicht sogar größer. Immerhin hatte sie Kenntnisse im Bereich Kunst und Malerei, die ihm fehlten. Er hätte niemals bemerkt, dass sich auf der gefälschten *Tavola Strozzi* und den Bildern in Coloris Atelier dieselben Signaturen befanden, geschweige denn, dass er den Wert der Originalgemälde hätte bemessen können.

Ein kräftiges Scharren ertönte zwischen den Arkadenbögen. Tasso lehnte sich ein wenig vor, doch er konnte nicht ausmachen, aus welcher Richtung es kam. Dalmaso hatte seine gesamten Männer – und eine Frau – im Umfeld verteilt. Der Brixner Commissario und die drei Polizisten, die er ihnen vorgestellt und deren Namen Tasso sofort wieder vergessen hatte, harrten ebenfalls im Kreuzgang der Ereignisse, die auf sie zukamen. Die übrigen waren im Dom, auf den Straßen ringsum und an dem *Albergo* verteilt, in dem die Verdächtigen übernachtet hatten.

Tasso blies weißen Atem in die Luft und schimpfte sich sofort einen Idioten. Sollten alle sehen, dass hier jemand stand? Da konnte er auch gleich eine Taschenlampe schwenken. Er kauerte sich dichter an die Säule und unterdrückte einen gequälten Laut. Inzwischen jagte der blaue Fleck auf der linken Seite ihm bei jeder Bewegung eine Welle Schmerz wie flüssiges Feuer durch den Leib. Er hatte beinahe den Durchmesser eines Fußballs angenommen, war nur nicht so gleichmäßig rund. Dalmasos Aspirintabletten hatten zwar Linderung verschafft, doch vermeiden ließ sich dieser qualvolle Impuls nicht.

Schnaufend atmete Tasso konzentriert langsam ein und aus, bis sich sein Herzschlag wieder beruhigte. Was hätte er jetzt für eine beruhigende Zigarette gegeben …

Die Tür wurde unter lautstarkem Protest der Scharniere schwungvoll aufgerissen. Im Gegensatz zu den Polizisten gaben sich die Kunstdiebe keine Mühe, unbemerkt zu bleiben. Zwei Umrisse erschienen im Licht, das durch die geöffnete Tür strömte. Einer trug einen Koffer.

Tasso zog seine Beretta und entsicherte sie. Das kühle Metall schmiegte sich an seine Handfläche. Er konzentrierte sich, versuchte, den Schmerz auszublenden.

»Stop! Mani in alto!«, schrie jemand von rechts.

Die beiden Männer erstarrten und reagierten dann in Sekundenbruchteilen. Wie auf Kommando drehten sie sich auf dem Absatz um, einer rannte den Kreuzgang nach links, einer nach rechts. Tasso spurtete nach links. Mit wenigen Sätzen erreichte er Mara. »Hierbleiben! Du rührst dich nicht von der Stelle, *capito?*«

Er stürmte weiter. Wo war der nächste Mann von Commissario Dalmaso? Sollte der nicht am Durchgang stehen?

Ein Schuss zerriss die Stille, jemand schrie auf. Reflexartig duckte sich Tasso und warf sich gegen die Wand. Er hatte das Ende des Kreuzgangs erreicht, kauerte sich an die Außenmauer zum Innenhof. Millimeterweise schob er seinen Kopf um die Ecke. Er sah niemanden. Nein, das stimmte nicht, da lag jemand. Hinter sich hörte er hastige Schritte. Er fuhr herum. Mara stand vor ihm, die Augen schreckgeweitet, sodass er trotz der Dunkelheit das Weiße sehen konnte. Sie deutete hinter sich. »Er kommt!«

Der zweite Verdächtige hatte die südwestliche Ecke des Kreuzgangs erreicht. Doch statt weiter auf sie zuzulaufen, warf er sich gegen eine Tür. Krachend flog sie auf. Tasso fluchte. Diese Tür führte hinaus auf den Domplatz und hätte verschlossen sein müssen.

Er kam auf die Beine. Was sollte er tun? Er schaute abermals den nördlichen Kreuzgang entlang, wo die Gestalt reglos am Boden lag. Dann gab er sich einen Ruck.

»Mara! Da liegt jemand. Vermutlich vorhin angeschossen. Gehen Sie zu ihm. Helfen Sie ihm. Aber seien Sie im Namen Gottes und aller seiner Heiligen vorsichtig.« Er war schon zwei Schritte hinter dem Flüchtenden her.

»Helfen? Wie denn?«

»Sprechen Sie ihn an. Wenn er verletzt ist, versuchen Sie, seine Wunden zu versorgen. Sehen Sie zu, dass er warm liegt. Halten Sie seine Hand.«

»Ich soll ihm beistehen? Was, wenn es der Verdächtige ist und kein Polizist?«

Tasso kam schlitternd zum Stehen. Die Frage war berechtigt. Und auch wieder nicht. »Dann stellen Sie sicher, dass er keine Bedrohung für Sie darstellt. Wenn nicht: Helfen Sie ihm.« Verwundeten wurde geholfen, alles andere war unmenschlich.

Keine Zeit für weitere Erklärungen. Er rannte los, stürmte

mit gezogener Waffe durch die Tür, durch die der zweite Mann verschwunden war. Ein schummrig beleuchteter Gang empfing ihn. Er führte hinaus auf den Domplatz. Keuchend blieb Tasso stehen, sah sich nach allen Seiten um. Der Platz war menschenleer. Straßenlaternen beschienen geräumte Pfade und dazwischen Schneehaufen. Eine frische Stiefelspur zog sich über einen nahegelegenen Haufen zur gegenüberliegenden Häuserzeile. Tasso rannte in die Richtung. Immer wieder spähte er zu allen Seiten, im vollen Bewusstsein, dass er mitten auf dem Platz eine hervorragende Zielscheibe abgab. Darauf konnte er jetzt keine Rücksicht nehmen.

Zwischen den Häusern bewegte sich jemand in einer dunklen Gasse. Er hielt darauf zu, dann sah er den Flüchtenden. Er bog nach rechts in eine weitere schmale Gasse ein. Wenn Tassos Orientierungssinn ihn nicht ganz verlassen hatte, rannten sie Richtung Große Lauben. Das war gut, dort waren Dalmasos Männer postiert.

»Stehen bleiben! Polizei!«

Der Mann reagierte nicht. Tasso holte auf, wobei er der Kälte und dem rutschigen Kopfsteinpflaster Tribut zollen musste. Auch der Verdächtige kam mehrmals ins Rutschen, taumelte einmal mit der Schulter gegen eine Wand, fing sich und rannte weiter. Er erreichte die Lauben und lief, ohne zu zögern, erneut nach rechts.

Merkwürdig. Damit bewegte er sich wieder zurück Richtung Dom. Wo wollte der hin? Er hatte gesehen, dass ihm jemand auf den Fersen war. Wollte er Tasso weglocken? Von was?

Längst hatte Tasso Seitenstechen, und die eiskalte Luft schmerzte in seinen Lungen. Unter den Lauben war die Straße trocken, der Mann gewann wieder an Vorsprung. Er war schlank und schien durchtrainiert. Den Koffer hatte er nicht dabei.

»Ergeben Sie sich!«

Statt, wie Tasso erwartet hatte, auf den Domplatz einzubiegen, lief der Flüchtende weiter geradeaus und bog erst hinter dem Weißen Turm in die folgende Straße nach rechts ab. Sie näherten sich dem Dom von der Rückseite.

Und dann war der Kerl wie vom Erdboden verschluckt. Tasso blieb stehen, sah sich verwirrt um. Lauschte. Er glaubte, Schritte zu hören, jemand rannte. Hinter einer der Hausmauern? Er war noch nicht auf Höhe des Doms. Vorsichtig und immer wieder nach allen Seiten absichernd, schlich er an die Wand gedrückt voran. Dann stand er vor des Rätsels Lösung: Ein schmiedeeisernes Tor zu seiner Rechten führte zwischen zwei Mauern auf einen weiteren Innenhof. Gegenüber dem Eingang ließ sich ein Arkadengang ahnen. Wie beim Domkreuzgang flackerte in der Mitte ein Totenlicht.

Tasso stieß den Torflügel auf und trat hindurch. Ein Innenhof, stockfinster, unübersichtlich. Der perfekte Ort, um sich zu verstecken. Gab es einen weiteren Ausgang? Oder lauerte der Mann im Schatten?

Tasso wischte sich die schweißnassen Hände am Mantel ab und fuhr sich mit dem Ärmel übers Gesicht. Er hatte keine Zeit zu warten, drückte sich an der linken Mauer entlang vorwärts, bis er einen zweiten Arkadengang erreichte. Von dort vernahm er leise scharrende Schritte.

Bis aufs Äußerste angespannt tastete er sich voran. Immer wieder meinte er, aus den Augenwinkeln Bewegungen zu sehen, doch sobald er den Kopf wandte, war da nichts. Nur das Totenlicht flackerte. Er trat unter die Arkaden in die Dunkelheit. Dann erschien am anderen Ende vor ihm plötzlich ein helleres Rechteck. Türscharniere quietschten.

Tasso rannte stolpernd darauf zu. An der linken Mauer erkannte er Grabplatten. Ihn schauderte. Im Laufen bekreuzigte er sich, flehte stumm seine Schutzheiligen um Beistand an. Das hier war kein Friedhof, aber das hieß nicht, dass nicht die Seelen der Toten hier verweilten. Er glaubte, ihre Präsenz zu spüren, und hätte am liebsten einen großen Bogen um den Arkadengang gemacht. Doch dann hätte er wertvolle Zeit verloren. Schon war er an der Tür.

Dann fühlte er einen Luftzug. Dieses Mal war er sicher, dass sich neben ihm etwas bewegte, ein noch schwärzerer Schatten in all dem Schwarz. Ihm blieb fast das Herz stehen. Halb erwartete er, dass dieses Schwarz ihn erfassen und verschlingen würde. Wie von selbst duckte sich sein Körper, warf sich nach hinten. Er taumelte, streckte die linke Hand aus, umklammerte mit der Rechten die Beretta. Metall schabte über Stein, ein Funke flog. Ein Fluch folgte.

Tasso bekam einen Stoß, krachte mit der Schulter gegen eine Säule und ins Freie des Innenhofes. Er verlor endgültig den Halt. Mit dem linken Arm konnte er den Sturz abfangen, der Schnee sorgte dafür, dass er weich fiel. Nachdem er sich endlich wieder aufgerappelt hatte, war er allein. Nicht einmal mehr Schritte waren zu hören.

Tasso lief auf das Rechteck unter dem Arkadengang zu und hindurch. Er fand sich zurück auf dem Domplatz wieder. Weit und breit war kein Mensch zu sehen. Nicht zu fassen, wie leicht er sich hatte abschütteln lassen. Er wurde allmählich zu alt für solche Spielchen. Fluchend machte er sich auf den Weg zum Kreuzgang am Domherrenhof. Der Mann hatte den Koffer nicht dabeigehabt. Möglich, dass er ihn holen käme, wenn er glaubte, dass die Luft rein wäre.

Tasso kehrte auf demselben Weg zurück und betrat den Kreuzgang an der südwestlichen Ecke. Kaum befand er sich wieder in den Schatten unter den Arkaden, hörte er ein Kreischen.

Eine Frauenstimme.

Mara!

Er rannte los. Kaum hatte er die nächste Ecke erreicht, schrie ihm eine Männerstimme entgegen: »Keinen Schritt weiter oder sie ist tot!«

Tasso erstarrte aus vollem Lauf. Aus einer Tür zur Linken fiel Licht auf eine unwirkliche Szenerie. Ein Mann lag am Boden, den Kopf auf etwas gebettet. Jetzt war seine dunkelblaue Uniform deutlich zu erkennen. Dahinter stand ein Mann, Mara im Würgegriff, rechts neben ihm der Koffer.

»Stillhalten, du Miststück!«

Mara dachte nicht daran, dem Befehl Folge zu leisten. Sie strampelte in der Umklammerung und trat um sich, traf jedoch nur Luft.

»Waffe fallen lassen!«

Tasso brauchte einen Moment, bis er begriff, dass er gemeint war. Er hatte instinktiv den Lauf der Pistole auf seinen Gegner gerichtet.

»Zum letzten Mal, Waffe runter!«

Er konnte ohnehin nicht schießen. Die Gefahr, Mara zu treffen, war zu groß. Tasso beugte sich nach vorn und legte die Waffe ab, zeigte seine offenen Handflächen. »Lassen Sie sie los. Nehmen Sie den Koffer und verschwinden Sie!« *Und lauf den Kollegen in die Arme, so Gott will.*

Dann passierte alles gleichzeitig. Hinter dem Mann tauchte die hünenhafte Gestalt von Commissario Dalmaso auf. Mara trat zum wiederholten Mal aus, und jetzt traf sie. Mit Schwung warf sie sich nach vorn und biss ihrem Gegner in die Hand. Mit einem überraschten Aufschrei ließ der die junge Frau los. Im gleichen Moment stürmte Dalmaso heran und riss den Mann mit seinem gesamten Gewicht zu Boden. Mara knickte neben ihnen um. Tasso rannte auf sie zu, erreichte sie jedoch nicht mehr rechtzeitig, bevor sie hart auf dem Steinboden aufschlug und reglos liegen blieb. Zwei weitere Polizisten rannten aus dem Licht durch die offen stehende Tür. Metall klirrte auf Stein. Dalmaso kam auf die Knie, zerrte den Mann weiter mit sich hoch auf die Beine und boxte ihn sofort in den Magen, weil er versuchte, sich loszureißen.

»Carpetta, festnehmen! Bernini, kümmern Sie sich um Costa!«

Mit einem letzten gezielten Tritt sorgte er dafür, dass Carpetta dem Gefangenen die Handschellen anlegen konnte. Tasso kümmerte sich nicht weiter um ihn, sondern kniete neben Mara. Beiläufig sah er einen Totschläger auf dem Boden, eine biegsame Stahlrute mit beschwertem runden Ende. Und mit derselben sinnlosen Wahrnehmung für Details bemerkte er, dass die Schuhe des Verhafteten weiße Salzränder auf dem braunen Leder aufwiesen. Er verdrängte den Gedanken und rüttelte die junge Frau behutsam an der Schulter. Er sah kein Blut, keine äußeren Verletzungen. Immerhin. Und dann regte sie sich zu seiner unendlichen Erleichterung. Das war alles seine Schuld. Warum hatte er sie nicht längst fortgeschickt?

Stöhnend setzte sie sich mit seiner Hilfe auf. »Was ist passiert?«

»Sie haben dabei geholfen, einen Verbrecher zu verhaften.« Bei seinen Worten fiel Tasso der zweite Mann ein. »Wo ist der andere?«, wandte er sich an Dalmaso. Der wischte sich angewidert die Hände am Mantel ab.

»Den haben wir draußen in der Albuingasse aufgesammelt. Wir haben auch Sie und den zweiten Verdächtigen gesehen, wie Sie in den Innenhof an der Michaelskirche gelaufen sind. Aber wir waren zu weit weg, um eingreifen zu können.«

Drei Sanitäter erschienen durch die Seitentür und manövrierten eine Trage durch die Öffnung. Wo führte die überhaupt hin?

»Kümmern Sie sich bitte auch um die Signorina«, rief Tasso und winkte ihnen zu.

»Nein, das geht schon.« Mara hielt sich die Hand vor den Mund und hickste. »Mir geht es gut. Nur etwas schwindelig. Und kalt.« Schaudernd zog sie die Schultern hoch. »Ja, kalt ist es, oder nicht?«

»Es ist nicht kälter als zuvor. Sie haben einen Schock.«

Tasso half Mara auf die Beine und befahl ihr, sich an eine Säule des Arkadengangs zu lehnen. Dann entdeckte er ihre Mütze ein paar Schritte entfernt. Er hob sie auf, klopfte sie kurz aus und setzte sie ihr behutsam auf den Kopf.

»Das … nicht.« Mara wollte protestieren, schaffte es jedoch kaum, die Hand zu heben. Besorgt schaute Tasso ihr in die Augen. Es fiel ihr schwer, den Blick zu fokussieren.

»Sollten wir Sie nicht doch ins Hospital …?«

»Auf keinen Fall!« Sie lachte, es klang leicht hysterisch. Dann lehnte sie die Stirn gegen die steinerne Säule. »Es sind nur diese wahnsinnigen Kopfschmerzen. Die hatte ich schon vorher. Aber wissen Sie, Tasso, wenn Sie mich jetzt ins Krankenhaus bringen, dann bestehen Sie am Ende noch darauf, dass Sie recht gehabt hätten.« Sie schloss die Augen. »Dass dieser Einsatz nichts für mich ist. Weil ich zu jung, zu unerfahren bin. Und das kann ich nicht einfach so zugeben, oder?«

»Sie haben all meine Anweisungen befolgt und sich nicht selbst in Gefahr begeben. Konnte ja niemand ahnen, dass der Kerl zurückkommt. Aber genau das meinte ich vorhin. Ich kann Sie in solchen Situationen nicht beschützen. Und ganz egal, was Sie von mir halten, ich betrachte das als meine Pflicht.«

»Ja.« Sie schluckte und zog ein Gesicht, als müsste sie sich übergeben. Doch der Augenblick verging. »Ich werde das zukünftig mehr respektieren.«

Es wird kein zukünftig *geben, dafür werde ich schon sorgen*, dachte Tasso. Gleich nach den Feiertagen würde er ein ernstes Wort mit Bruno reden. Seinetwegen konnte Mara sich zu ihm an den Schreibtisch setzen, um sich über die bürokratischen Aspekte der Polizeiarbeit fortzubilden. Aber er würde sie auf keinen Fall mehr auf einen Außeneinsatz mitnehmen.

»Warum überhaupt? Warum ist er zurückgekommen?«, fragte er laut an niemanden gerichtet.

Mara deutete mit dem Kinn auf den Koffer. »Er wollte den Koffer holen. Ich bin zu Costa gegangen, habe ihn versorgt, ganz wie Sie gesagt haben. Er war in der Zwischenzeit zu sich gekommen, der Schuss hat ihn am Oberschenkel getroffen, aber es blutete kaum. Er hat Glück gehabt. Ich bin losgegangen, weil ich jemanden finden wollte, der einen Krankenwagen alarmieren konnte. Da hab ich den Koffer gefunden. Sie hatten ihn hinter einer Säule nahe dem Eingang zum Domherrenhof abgestellt – oder besser gesagt fallen lassen. Ich habe ihn mitgenommen. Da ist der Mann von der anderen Seite wieder in den Kreuzgang gekommen. Als er den Koffer nicht gefunden hat, ist er vermutlich einfach den Geräuschen nachgegangen. Er ist auf Costa und mich gestoßen und hat verlangt, ich solle ihm den Koffer geben und ihn abhauen lassen.«

»Was Sie hoffentlich getan hätten.«

»Aber ja! Ich schwöre, ich wollte hier nicht die Heldin spielen. Wegen eines blöden Koffers? Ich bin doch nicht verrückt. Außerdem wusste ich ja, dass ringsum Polizisten sind. Aber dann sind auch schon Sie aufgetaucht.«

Dalmaso trat an sie heran. »Sie bringen Costa jetzt gleich ins Hospital. Wollen Sie wirklich nicht mit, Signorina?«

»Noch ein paar Tabletten Aspirin aus Ihrer Questura sollten genügen. Ich verspreche Ihnen, dass ich morgen in Meran zu einem Arzt fahre, wenn es mir nicht besser geht.«

Tasso reichte das. »Sie hält ihre Versprechen, müssen Sie wissen.«

Schmunzelnd wandte sich Dalmaso ab. »Ihre Entscheidung. Sie sind erwachsen, alle beide.«

»Dalmaso, warten Sie.«

»Was denn?«

Tasso richtete die Fußspitze auf den Totschläger, ohne ihn zu berühren. »Könnten Sie mir den einpacken? Wenn Sie erlauben, würde ich den für unsere Spurensicherung mitnehmen. Es könnte sich um die Mordwaffe handeln.«

Dalmaso überlegte kurz. »Warum nicht? Wenn Sie mir das quittieren? Aber der Koffer bleibt hier.«

»Selbstredend.« Tasso stockte. »Könnten wir einen Blick hineinwerfen? Hier? Nur ganz kurz?«

»Ich müsste mal nach meinen Leuten sehen. Warten Sie hier. Ich komme in ein paar Minuten wieder, und dann finden wir eine Mitfahrgelegenheit nach Bozen für Sie beide.«

»Wäre es möglich, dass Sie mich auch nach Meran fahren?«, murmelte Mara.

»Selbstverständlich. Bis gleich.« Dalmaso verschwand durch die Tür, die schon die anderen Kollegen genommen hatten und durch die auch der Verletzte abtransportiert worden war. Wieder ergriff Tasso das vage Gefühl von Unwirklichkeit. Er und Mara standen in dem Lichtschein, der durch die Türöffnung strömte, und er kam sich vor wie im Rampenlicht einer Bühne. Höhepunkt und Finale. Der Commissario hatte es geschafft. Auftakt zur letzten Arie.

»Fallen Sie mir nicht um, Signorina Mara. Ich gehe kurz meine Waffe holen, die ich vorhin dort hinten abgelegt hatte.«

»Es geht mir besser, als ich vermutlich aussehe.«

Das wollte er wirklich hoffen. Ihr Gesicht war immer noch weiß wie eine Leinwand, aber das konnte an der diffusen Beleuchtung liegen.

Nachdem er seine Waffe sorgfältig gesichert und zurück ins Holster gesteckt hatte – nicht ohne dabei wieder unangenehm an den blauen Fleck erinnert zu werden –, kehrte er zu ihr zurück. Mara zog den Koffer zu sich heran, kaum dass er sie erreicht hatte. Es war ein brauner oder schwarzer Bakelitkoffer, so einer, in dem normalerweise technisches Gerät transportiert wurde. Er war verschlossen, aber sie fanden den Schlüssel in einer Seitentasche. Tasso öffnete ihn, und sie blickten auf dunklen Samtstoff.

Mara wollte hineingreifen, zuckte jedoch zurück. »Darf ich?«

»Ich werde es Ihnen nicht verbieten.«

Sie hob einen Zipfel des Samttuchs hoch. Goldene Messkelche glänzten ihnen entgegen. Ganz vorsichtig zog Mara ein flaches Bündel heraus und schlug den Stoff zurück. Es war eine Ikone, ungefähr so groß wie ein normales Blatt Papier. Trotz des wenigen Lichts erstrahlte sie in gleißendem Gold. Ein Heiliger, sein Heiligenschein glänzte, als würde er vibrieren. Unwillkürlich bekreuzigte sich Tasso.

»Wunderschön«, seufzte Mara.

»Und sie gehört in eine Kirche oder ein Museum, auf keinen Fall in das Wohnzimmer eines Sammlers.«

»Aber sehen Sie? Diese Ikone ist alt, der Stil ist ähnlich wie der der Bilder, die Carlo Colori gemalt hat. Das hier trifft ganz Gilberto Cattaneos Geschmack.«

»Selbst wenn das stimmt, und das will ich nicht bezweifeln, ist das kaum etwas, das wir vor Gericht gegen ihn verwenden können. Ich hoffe sehr, dass es sich bei den beiden Herren hier um die Gesuchten handelt und dass sie ein wenig plaudern werden.«

Mara rührte sich nicht.

Tasso gab ihr Zeit.

Er trat einen Schritt zurück, wurde sich mit einem Schlag wieder der Kälte gewahr, seines schweißnassen Gesichts und seiner Füße, die sich allmählich in Eisklumpen verwandelten.

Sanft berührte er sie an der Schulter. »Kommen Sie, Mara, packen Sie das vorsichtig wieder ein, und dann fahren wir endlich zurück nach Hause. Wir haben hoffentlich unsere Mörder. Für alles andere ist morgen auch noch ein Tag.«

Il gatto randagio – die Straßenkatze

Die Tage zwischen den Jahren – das ist so eine merkwürdige Formulierung, oder? Zwischen welchen Jahren?

Das alte Jahr ist noch nicht zu Ende. Dennoch, dieses Gefühl, dass es vorbei ist, das verspüre auch ich. Und das neue Jahr hat noch nicht angefangen.

Vielleicht liegt es aber in diesem besonderen Jahr an der Aufklärung des Mordes. Die Ermittlung ist beendet, bis das juristische Nachspiel beginnt, was dauern wird.

Bin ich zufrieden? Ich weiß es nicht.

Es gibt immer noch viel zu tun, doch der Franz Gruber, der sich lieber Carlo Colori genannt hat, der kann jetzt zur Ruhe kommen.

Ich fühle mich erschöpft, wie ein Kater in den Straßen Roms, der zu müde ist, um um sein Revier zu kämpfen, und ein warmes Plätzchen an einem Ofenfeuer vorziehen würde. Die Straße ist unerbittlich.

Oder es sind doch die Geister. Tante Hedwig hat mich abermals eindringlich gewarnt, über den Jahreswechsel Wäsche auf der Leine hängen zu haben. Als ob ich's täte! Denn ein bisschen unheimlich ist es schon, hier zwischen diesen düsteren grauen Bergen und in den nebelverhangenen Tälern. Wenn es Geister gibt, kommen sie hier den Menschen näher.

Santo Pietro e Santo Paolo mi proteggete!

1. Epilog, in dem Wirtin Rosa Marthaler es wenige Tage später mit einem sehr willkommenen Gast zu tun bekommt

»Nächstes Jahr machen wir bis kurz vor Silvester zu«, brummte Elsa Gassner unzufrieden. Sie hatte die Schwingtür zwischen Schankstube und Küche blockiert und stand mitten im Durchgang. Dabei polierte sie mit einem Geschirrtuch Besteck.

Rosa Marthaler hinter der Theke schnalzte entrüstet mit der Zunge. »Das ist nur, weil das Wetter nicht mitspielt. Bei dem nassen Matsch da draußen geht doch niemand freiwillig vor die Tür. In all den anderen Jahren war mehr los.«

»Da hat sie recht.« Benno Wolkensteiner, der mit einem Glas Wein neben seinem besten Kumpel Peter Holzhauer am Tresen saß, prostete der alten Frau zu. »Wo sollten wir dann unseren Wein trinken, liebste Elsa? Setz der Rosa nicht solche Flöhe ins Ohr.«

»Na, geh schon.« Peter Holzhauer hob ebenfalls das Weinglas und stieß mit seinem Freund an. »Wär nicht schlecht, wenn die Rosa ein paar Stunden weniger arbeiten könnte.«

»Na klar.« Rosa verschränkte die Arme und lehnte sich gegen die Anrichte. »Die ich dann bei dir im Haushalt verbringen darf. Mit Kochen, Bügeln, Fensterputzen …«

Peter Holzhauer neigte ehrlich verblüfft den Kopf. »Was wäre dagegen zu sagen? Wenn du meinen Antrag annehmen würdest, dann wäre das deine …«

»Halt, kein Wort weiter! Ich werde deinen Antrag niemals annehmen, kapierst du's endlich? Eher friert die Hölle zu.«

»Also das passiert die nächsten Tage gewiss nicht.« Benno Wolkensteiner grinste schelmisch. »Denn gerade taut es, wie wir vorhin festgestellt haben.«

Peter Holzhauer setzte sein Weinglas mit Nachdruck ab, dass es klirrte. Rosa zog missbilligend die Augenbrauen hoch, doch wie immer beachtete der Hornochse sie überhaupt nicht. Er hatte sich wieder einmal in seiner eigenen Selbstherrlichkeit verfangen.

»Du brauchst einfach einen Mann, das Alleinsein tut dir nicht gut. Das tut keiner Frau gut! Und der Stefan hat zwar allmählich ein breiteres Kreuz und kann besser anpacken, aber der ist immer noch ein Junge. Und was, wenn der erst auszieht, weil er selbst ein Mädchen gefunden hat? Willst du dann wie eine alte Jungfer hier hinter der Theke versauern?«

Elsa Gassner brummte abfällig und wandte sich kopfschüttelnd ab, um in die Küche zurückzukehren. Benno Wolkensteiner hatte den Kopf abgewandt und bemühte sich vergeblich um eine neutrale Miene.

»Alte Jungfer? Du musst es ja wissen«, höhnte Rosa. »Und der Stefan? Das war dann eine unbefleckte Empfängnis?«

»Geh, Rosa, du weißt schon, wie ich das meine.«

»In der Tat, ich weiß ganz genau, wie du das meinst. Aber du kannst dir eine andere Wirtin suchen, die dich heiratet, damit du an eine gute Wirtschaft kommst. Und die dir dann auch dein Bett wärmt und ein paar Bälger gebiert.«

Er senkte vertraulich die Stimme. »Ist das denn so verkehrt? Für beide? Sag schon.« Er schaute sie schräg von unten an, der Blick bereits glasig vom Alkohol.

Sie wandte sich ab, war schlicht nicht imstande, das beharrliche wie peinliche Werben ihres Nachbarn wie sonst über sich ergehen zu lassen, bis er seine sechs, acht Wein intus hatte und mit frustriertem Dackelblick abzog. Es war ja nicht so, dass er vollkommen danebenlag. Das Alleinsein tat ihr wirklich nicht gut, sie würde gern wieder mit einem Mann zusammenleben. Zuletzt über die Weihnachtsfeiertage hatte sie gemerkt, dass ihr etwas fehlte. Jemand. Noch bevor die Uhren am ersten Feiertag zu Mittag geschlagen hatten, hatte sie sich mit Stefan verkracht. Der Junge war aus dem Haus gestürmt und hatte den Rest des Tages sonst wo verbracht. Spätabends war er zurückgekehrt, reumütig, mit einer Alkoholfahne und nach Zigaretten stinkend. Im Januar würde er siebzehn werden. Es fiel ihr schwer, sich das einzugestehen, aber sie hatte völlig die Kontrolle über ihn verloren. Nicht dass sie glaubte, sein verstorbener Vater hätte in der gleichen Situation eine bessere Idee gehabt, wie diesem *raggazzino* beizukommen wäre. Aber sie wünschte sich schon, sich mit jemandem über diese Erziehungsprobleme auszutauschen oder wenigstens eine Schulter zu haben, an der sie sich ausweinen könnte.

Dennoch und bei aller Einsamkeit müsste sie viel, sehr viel verzweifelter sein, bevor sie Peter Holzhauer heiraten würde. Der suchte keine Frau, sondern eine Bedienstete. Hier war sie die Chefin. Nachdem sie ihm einmal gedroht hatte, ihn vor die Tür zu setzen und ihm Lokalverbot zu erteilen, falls er nicht aufhörte, ihr »kluge« Ratschläge zu geben, hielt er sich etwas zurück.

»Kann ich noch einen haben?« Benno Wolkensteiner drehte sein leeres Glas in der Luft. Rosa lächelte ihm zu. Den würde sie zehnmal eher nehmen, obwohl er fünfzehn Jahre älter war. Freundlich, zurückhaltend, trank selten zu viel und wurde, falls doch, niemals ausfallend. Es war ihr ein

Rätsel, warum einer wie der sich überhaupt mit dem Holzhauer abgab, aber das war nicht ihre Angelegenheit. Benno war ein Viehwirt von altem Schlag. Und alleinstehend, vermutlich auch einsam, doch sicher war sich Rosa da nicht. Er wirkte immer wie jemand, der sich selbst genug war. Beneidenswert.

Die Eingangstür öffnete sich und ließ einen Schwall kalte Luft hinein. Ein Holzrahmen mit Beinen und Hut trat ein.

Rosa ging einen Schritt zur Theke. Nein, das war … eine Leinwand?

»*Buongiorno*. Signora Marthaler, wie schön! Ich hatte gehofft, Sie anzutreffen.« Die Leinwand drehte sich. Dahinter wurde der Mann sichtbar, der sie hielt. Er stellte sie ab, schloss die Tür und lüpfte grüßend den Hut. »Erinnern Sie sich an mich?«

»Commissario Tasso aus Bozen, der wegen dieses toten Malers im Hotel ermittelt hat. Natürlich. Seien Sie herzlich willkommen!«

»Nicht nur ermittelt, der den Mord auch aufgeklärt hat. Mit Ihrer Hilfe. Deshalb bin ich hier, ich wollte mich bedanken und mir eine Portion Knödel gönnen.«

»Sehr gern! Ich mache Ihnen sofort einen Teller fertig. Dauert nicht lange. Suchen Sie sich einen Tisch aus. Ein Glas Roten?«

»Sehr gern. Ist ja nicht viel los«, brummte Tasso halblaut, während er sich aus dem Mantel schälte.

Rosa wollte die Schwingtür zur Küche aufstoßen und wäre beinahe über Elsa Gassner gestolpert, die dahinter stand und durch den Türspalt linste.

»Was machst du denn, Herrschaftszeiten?«

»Wieder so ein Verbrecher, das sehe ich ihm von hier aus an.«

»Elsa, das ist ein Kommissar. Von der Polizei …«

»Sag ich doch, Verbrecher.«

»… und zwar der, der den Mord an diesem Maler im Hotel Bellevue aufgeklärt hat.«

Elsa drohte mit dem Kochlöffel. »Die aus Bozen haben auch die Buben vom Leitnerhof in Lana verhaftet. Dabei haben die nichts getan!«

Rosa ging an ihr vorbei und bereitete einen Teller mit Knödeln für Tasso zu. Einen mit Bärlauch, einen mit Rote Bete, einen mit Spinat. »Dann bin ich ebenfalls eine Verbrecherin. Wir wissen doch, dass das alles ein großes Missverständnis war. Und zwar, weil der Stefan und ich diese Sache mit der Farbe und *colori* völlig falsch verstanden hatten. Die Polizei hat ihre Arbeit gemacht, um uns alle zu beschützen.«

»Und wer schützt unsere jungen Männer vor denen? Hast du den Walter gesehen, nachdem sie ihn freigelassen haben? Zusammengeprügelt haben sie ihn. Haben die da auch etwas falsch verstanden?«

Rosa sagte nichts mehr. Die Willkür der Polizisten oder Carabinieri, die sich überwiegend aus Männern aus dem Süden rekrutierten, war bekannt. Da wurde schon mal zugeschlagen und dann erst gefragt. Sie war sich zwar sicher, dass der Commissario dort in ihrer Schankstube nicht so einer war, aber was wusste sie schon?

Als Elsa nicht hinsah, legte sie einen zweiten Bärlauch-Knödel auf den Teller und brachte ihn hinaus. Tasso hatte es sich auf einer Eckbank an einem Tisch gemütlich gemacht. Das Bild hatte er neben sich aufgestellt.

»*Buon appetito*. Lassen Sie es sich schmecken.«

Tasso betrachtete mit glänzenden Augen den Teller. »Vielen Dank, Signora Marthaler.« Er klang beinahe ehrfürchtig.

Rosa schmunzelte und wollte sich abwenden, da bat er sie, sich kurz zu setzen.

»Natürlich nur, wenn es Ihre Zeit erlaubt«, fügte er schüchtern hinzu.

Sie winkte mit der Hand in den Raum hinein. »Sieht das hier so aus, als hätte ich viel zu tun?«

»Dies Bild hier, wie gefällt es Ihnen?«

»Das Bild? Es ist sehr hübsch. Natürlich passend, diese Küchenszene.« Sie lachte. »So durcheinander sieht es bei uns allerdings nicht aus. Wenn ich die Lebensmittel einfach alle auf den Tisch legen würde, hätte ich keinen Platz zum Arbeiten. Und hygienisch ist das auch nicht. Aber als Fantasie wirklich gelungen, das muss ich zugeben.«

»Ich würde es Ihnen gern schenken. Es ist ein echter Carlo Colori.«

»Carlo wer?« Sie stockte. »Ach so. Der tote Künstler.«

»Ob das nun Kunst ist, was der da gepinselt hat, darüber ließe sich streiten. Dieses Bild hat er jedenfalls nachgemalt. Das Original stammt von einem flämischen Maler namens Joachim Beuckelaer. Der hat während der Renaissance gelebt.«

»Ich bin beeindruckt. Kennen Sie sich mit so etwas aus?«

»Überhaupt nicht.« Er wandte den Blick verlegen auf seinen Teller. »Ich kenne nur jemanden, der viel Ahnung von so etwas hat. Die Signorina, die mich beim letzten Mal begleitet hat.«

»Die Mara. Die Tochter vom Bürgermeister.«

»Ach, richtig, die ist ja hier in Meran gut bekannt.« Tasso aß einige Bissen, und ob es ihm schmecke, brauchte Rosa nicht zu fragen.

»Wie ist es, möchten Sie es haben?« Er schaute sich um und wies dann auf eine Wand links neben der Tür zur Küche, wo zwei Poster für längst vergangene Tanzveranstaltungen warben. »Dort würde es gut hinpassen.«

»Sehr gern! Aber … ich weiß nicht. Das kann ich doch nicht annehmen. So etwas ist doch viel wert.«

»Ganz und gar nicht. Ich meine, es ist nicht viel wert, das Motiv ist ja nur eine Kopie. Doch wer weiß, es könnte bald im Wert steigen, wenn die Zeitungen erst ausführlich vom tragischen Tod des Franz Gruber aus Tirol alias Carlo Colori berichtet haben. Die Meraner Polizei hat die Bilder aus seinem Atelier an sich genommen. Im Moment sind es noch Beweisstücke. Da es aber ganz danach aussieht, als habe unser Mordopfer keine Angehörigen, werden sie nach geraumer Zeit für einen guten Zweck versteigert. Das ist zumindest die Idee des Küsters, der dem Maler das Atelier vermietet hat.«

»Und da durften Sie einfach eines nehmen?«

»Ich durfte mir eins aussuchen. Aber ich habe keine Verwendung dafür, meine Wohnung ist viel zu klein.« Ein sehnsüchtiger Ausdruck streifte über die Miene des Commissario, den Rosa nicht recht zu deuten wusste. Tasso wirkte mit einem Schlag verloren; einsam – so wie sie. Ihr Blick huschte zur Theke, wo Benno Wolkensteiner gerade vom Barhocker rutschte, seinem Kumpel Peter Holzhauer auf die Schulter klopfte und sich mit einem Winken verabschiedete.

»Jedenfalls dachte ich, dieses Bild passt gut in eine Wirtschaft, und da Ihre Aussage wesentlich zur Ergreifung der Tatverdächtigen beigetragen hat, schenke ich es Ihnen.«

»Verdächtig? Heißt das, Sie glauben nicht, dass es die Täter sind?«

»Doch, davon bin ich überzeugt. Aber das entscheiden jetzt die Anwälte und Richter.«

»Nun.« Rosa lächelte, und eine wohlige Wärme breitete sich in ihrem Magen aus. »Wenn Sie mir beim Aufhängen helfen, dann nehme ich das gern an.«

»Selbstverständlich.«

Rosa brannten einige Fragen auf den Lippen. Doch sie begnügte sich eine Weile damit, Tasso dabei zuzusehen, wie er die Knödel genoss.

»Die mit Rote Bete fand ich am besten«, sagte er, als er sich mit der Stoffserviette zufrieden den Mund abtupfte. »Aber was sage ich, sie sind alle ganz großartig.«

»Herzlichen Dank.«

»Signora, ich will Sie nicht bedrängen, aber Sie schauen mich an, als hätten Sie etwas auf dem Herzen. Nur heraus damit.«

»Es ist nur … Dürfen Sie mir erzählen, wie Sie die Männer überführt haben? Sie sagten gerade, es wäre meine Aussage gewesen, die Ihnen entscheidend weitergeholfen hat.«

»So ist es. Ihre detaillierte Beschreibung. Ich gehe davon aus, dass Sie auch noch einmal zur Identifikation einbestellt werden. Und später vor Gericht aussagen müssen. Aber bis dahin werden Sie noch viele köstliche Knödel zubereiten.« Er betrachtete bedauernd seinen leeren Teller, als würde er am liebsten eine weitere Portion verdrücken.

»Und die Verhaftung der Bauernburschen? Ich meine, das ist mir im Nachhinein immer noch unangenehm. Meine Mitarbeiterin in der Küche kennt einen von denen gut, und …«

»Warten Sie. Ich mache Ihnen einen Vorschlag. Sie servieren mir einen Nachtisch und einen starken *caffè*, und ich erzähle Ihnen alles von Anfang an. Und dann verrate ich Ihnen, wie ich das zu einem versöhnlichen Ende bringen werde.« Er schluckte nervös. »Ja, das werde ich.«

»Also gut. Ich habe noch einen süßen Knödel mit Pflaumenmus. Was denken Sie, taugt der zum Schwarzen?«

Der Ausdruck in seinen funkelnden Augen, bevor er sich seiner kindlichen Begeisterung bewusst wurde und still und vernünftig nickte, war Antwort genug.

2. Epilog, in dem Mara sich eine sehr berühmte Frage stellt

Maras Stricknadeln klickten leise und regelmäßig in der Stille des Wohnzimmers. Ab und zu knackte ein Holzscheit hinter der Scheibe des Kamins. Zwischen dem Vorratsstapel Holz und dem Eimer mit der Asche hatte sich eine der beiden schwarz-weißen Katzen des Oberhöller'schen Haushalts eingerollt und schlief. Bei jedem Atemzug des Tieres zitterten die Schnurrbarthaare.

Details. Alles kleine, unbedeutende Details.

Es klingelte an der Haustür, und Mara verlor zwei Maschen. Verschiedene Stimmen tönten durch den Flur. Sie ignorierte sie und versuchte, die Wollschlaufen wieder in die gewünschte Reihenfolge zu sortieren. Das Stricken hatte eine meditative Wirkung, sie war in den letzten Stunden komplett zur Ruhe gekommen. Aber sich zu vertun hatte den gegenteiligen Effekt.

»Mara, hier ist Veronika für dich.«

Leise fluchend ließ Mara die Hände mit dem Strickzeug in den Schoß sinken. Das Letzte, was sie sich jetzt anhören wollte, war ein besserwisserischer Monolog darüber, dass Handarbeiten sich für eine moderne Frau einfach nicht mehr gehörten. Als wäre es irgendwie sinnvoll, dafür zu kämpfen, dass Vorschriften abgeschafft wurden, um sich dann neue zu suchen, an die sie sich gemäß den gesellschaftlichen Konventionen zu halten hätten.

»Frohe Weihnachten nachträglich!« Veronika rauschte mit der Macht eines Gewittersturms heran.

Mara legte ihre Sachen zur Seite und stand auf, um ihre Freundin zu umarmen. »Schön, dass du da bist.« Und das meinte sie wiederum ernst. Veronika machte ihr ja nicht ständig nur Vorhaltungen, im Gegenteil. Sie war vor allem alles, was die perfekte Vertraute ausmachte. Ihre Freundschaft bestand länger, als Maras Erinnerung zurückreichte. Schon als Babys hatten sie nebeneinander geschlafen, wenn ihre Mütter sich getroffen oder gegenseitig auf die Kinder der anderen aufgepasst hatten.

Veronika löste sich aus der Umarmung und musterte Mara eingehend. »Du siehst bescheiden aus. Und ich darf das sagen.«

»Ich weiß.« Mara ließ sich wieder auf das Doppelsofa gegenüber dem Kamin plumpsen und schob unauffällig das Strickzeug unter ein Kissen. Sofern Veronika es bemerkt hatte, kommentierte sie es nicht, wofür Mara dankbar war. Sie hätte sich nicht einmal gegen freundliche Neckereien zur Wehr setzen können. Dazu fehlte ihr die Kraft.

Veronika setzte sich neben sie und schlug die Beine, die in modernen, schmal geschnittenen Hosen steckten, übereinander. »Willst du erzählen?«

»Ich würde gern. Aber ich bin nicht ganz sicher, über was ich sprechen darf und was nicht.«

»Ich werde schweigen wie ein Grab. Ehrenwort. Du kennst mich doch.«

Mara lachte. Vielleicht wäre es besser, sich das alles von der Seele zu reden. Tasso, dessen Stimmung im Laufe der Ermittlung ständig geschwankt hatte, der Anblick der Toten, dieser fürchterliche Moment, in dem dieser Mann sie im Kreuzgang des Brixner Doms von hinten gepackt und …

»Mara? Alles in Ordnung? Du bist totenblass.«

»Das war alles etwas viel.«

»Entschuldige, du musst nichts erzählen. Wie waren bei euch die Feiertage?«

»Doch, ich will ja. Es ist nur … Ich muss mir gerade selbst eingestehen, dass ich mir etwas zu viel vorgenommen habe. Ich weiß nicht einmal, ob ich im Januar zurückmöchte. Aber dann ist da dieser Commissario. Er hält mich für schwächlich, und ich will nicht, dass er mit seiner Einschätzung recht behält.«

Veronika zupfte sich das Band aus ihrer blonden Mähne und drehte die Haare zu einem Dutt auf. »Aufgeben ist aber doch keine Option.«

Ihr Wahlspruch.

Mara zögerte mit einer Antwort. Dann schlug sie vor, dass Veronika ihnen einen frischen Kaffee holen könnte. Ihre Freundin willigte ein und ließ sie noch einmal allein.

Wäre es wirklich eine Schwäche, wenn sie sich ihr Scheitern eingestünde? Sie wusste nicht mehr, was sie wollte. Dieser eine Moment hatte alles infrage gestellt. Noch als sie in den Streifenwagen gestiegen war, den Commissario Dalmaso ihnen für die Heimfahrt organisiert hatte, hatte sie gezittert. Tasso hatte sich zu ihr auf den Rücksitz gesetzt und ihr abwechselnd die Hand gehalten oder zeitweise sogar behutsam den Arm um die Schultern gelegt und sie an sich gezogen. Ohne ein Wort zu sagen. Als wäre es die normalste Sache der Welt, einer nahezu fremden jungen Frau auf diese Weise Trost zu spenden. Er hatte sich auch nicht darum geschert, wie das auf den Fahrer wirken mochte. Er hatte gespürt, dass es das Richtige war, und er hatte es getan. So einfach. Während dieser Heimfahrt hatte sie eine Ahnung davon bekommen, was Bruno Visconti an diesem Mann schätzte. Zugleich verursachte ihr diese Erkenntnis ein schlechtes Gewissen. Denn jetzt wurde ihr endgültig bewusst, dass er ihr nicht aus Chauvinismus hatte verbieten wollen, mit auf die Jagd nach den Verdächtigen zu kommen. Nicht, weil er ihr dieses Finale nicht gegönnt hätte. Nein, er hatte einen guten Grund gehabt. Er hatte es nicht gewollt, weil er gewusst hatte, dass sie dem nicht gewachsen wäre. Das hatte er sogar gesagt: Sie habe keine dementsprechende Ausbildung.

Diese Gedanken führten sie immer wieder zu der alles entscheidenden Frage: Was wäre passiert, wenn Tasso und Dalmaso nicht rechtzeitig aufgetaucht wären?

Diese Frage führte zur nächsten. War der Berufsweg, der bis jetzt so klar vor ihr gelegen hatte, der richtige? War sie dem gewachsen, was dort alles auf sie zukäme? Oder sollte sie sich besser eine weniger anspruchsvolle Ausbildung suchen? Eine weniger gefährliche? Nun, war es sicherlich nicht halb so riskant, eine Anwältin zu sein wie eine Polizistin, aber es war immer noch zu nahe dran. Zumindest im Moment.

»Ich rede mit dir! Mara?«

»Ist ja gut, ich war in Gedanken.« Sie schaute auf die dampfenden Becher. »Das ist ja Kakao.«

»Genau, gut für die Seele. Schluss mit diesen Grübeleien. Die Frage nach dem Sinn deines Lebens kannst du auch nächstes Jahr noch beantworten.«

»Was? Woher weißt du …?«

Veronika lehnte sich mit listigem Grinsen in die Polster. »Ich kenne dich besser als du selbst. Im Ernst. Du hast einiges durchgemacht. Aber das macht dich nur stärker. Ich kenne dich, du wirst dich durchbeißen. Atme durch, geh spazieren, feiere mit mir und den anderen Silvester. Und am Montag drauf trittst du wieder an. Du musst ja nicht gleich den nächsten Mord aufklären. Und jetzt erzähl mir endlich, wie du diese Mörder überführt hast.«

»Mordverdächtige. Bis sie verurteilt werden, sind es Verdächtige. Das ist ein wichtiger Unterschied.«

»Mir recht. Habt ihr genug Beweise, sie zu überführen?«

»Das kann ich gar nicht so genau beurteilen. Wir haben im Atelier des toten Malers Zigarettenkippen gefunden, obwohl er selbst vermutlich Nichtraucher war. Chesterfield, dieselbe Marke rauchen die beiden Verdächtigen. Dann ist da die Mordwaffe, die wird noch untersucht. Eine Stahlrute, ein Totschläger.« Sie rieb sich schaudernd mit der linken Hand über den Oberarm und trank einen Schluck Kakao. Beinahe hätte sie sich die Zunge verbrannt, doch das tat gut. Es brachte sie zurück ins Hier und Jetzt. Sie saß im Wohnzimmer ihres Elternhauses mit ihrer besten Freundin vor dem Kamin. Sie war sicher.

»Sie haben die beiden Verdächtigen auf frischer Tat ertappt, mit einem Koffer voller Ikonen, Messkelchen und einem goldenen Tabernakel. Giovanni und Giulio Santini. Eine Wirtin aus Meran hat die beiden belauscht, wie sie den Mord geplant haben.«

Bruno hatte ihr beim Essen am zweiten Weihnachtsfeiertag hinter vorgehaltener Hand erzählt, dass Tasso die Brüder direkt am Samstagvormittag vernommen hatte. Leider ohne ein Geständnis zu bekommen. Der Commissario hatte jedoch in den Aussagen bereits einige Widersprüche aufgedeckt. Er war überzeugt, dass sie die Richtigen verhaftet hatten, und zuversichtlich, sie auch überführen zu können. Neben den Indizien und der Beobachtung von Rosa Marthaler hatte Dottore Agnelli Fingerabdrücke beisteuern können. Dazu würde er alles daransetzen, zu beweisen, dass die Wunde an Coloris Hinterkopf von dieser Stahlrute stammte. Diese mögliche Mordwaffe war kein Gegenstand, den ein harmloser Zeitgenosse üblicherweise mit sich herumschleppte.

»Der eigentliche Drahtzieher, der den Mord in Auftrag gegeben hat, ist ein Geschäftsmann aus Mailand.«

»Aber das könnt ihr nicht beweisen …«, murmelte Veronika gedankenverloren.

»Vermutlich nicht. Er ist noch vor Weihnachten wieder aus der Untersuchungshaft entlassen worden. In seinem Besitz wurden Dutzende wertvoller Originale entdeckt, aber er behauptet, sie alle als Kopien gekauft zu haben. Er leugnet alles, und es sieht so aus, als würde er damit davonkommen. Die Fratelli Santini standen auf seiner Gehaltsliste, nur wer sagt denn, dass die nicht auf eigene Rechnung gehandelt haben?«

»Das ist schon bitter, oder? Ihr habt den Schuldigen, aber seine Strafe wird er nicht bekommen.«

»Und du wunderst dich, dass ich mir die Sinnfrage stelle?« Mara schnaubte wütend. »Denn Tasso sagt, das wäre immer so. Die Großen und Mächtigen kommen davon. Er scheint sich damit irgendwie arrangiert zu haben, aber mir läuft das nach.«

»Er will ja auch nicht Jura studieren. Seine Arbeit ist damit beendet, dass er die Beweise sammelt und am Ende die Schuldigen verhaftet.«

»Das sagt er auch. Ich glaube, dass es ihn trotzdem ärgert. Aber er kommt damit klar.«

»Sollte er auch, sonst könnte er seinen Job nicht weitermachen. Erfahrungen, die du noch sammeln musst.« Veronika schlug einen belehrenden Ton an. »Ich sage es doch, Aufgeben ist keine Option.«

Mara trank mit vorsichtigen Schlucken den Kakao halb aus. Die Hitze brannte im Mund.

Veronika beugte sich zu ihr. »Eins nach dem anderen. Erst einmal bringst du mir heute das Stricken bei.«

»Ich soll was? Wie kommst du darauf?«

»Ich habe vorhin genau gesehen, wie du die Nadeln und die Wolle unter das Kissen geschoben hast. Und ich habe da jemanden … kennengelernt. Da ist es vielleicht ganz nützlich, wenn ich es lerne.«

»Wie bitte? Du willst wegen eines Mannes … stricken lernen? Ist das emanzipiert?«

Veronika grinste breit. »Es ist nicht so, wie du denkst. Es hat vielmehr mit einer Idee zu tun. Mehr verrate ich nicht. Kann ich auf dich zählen?«

Mit theatralisch besorgter Miene schaute sie sich um und beugte sich dann verschwörerisch näher. »Ich kann doch schlecht meine Mutter fragen. Schließlich erzähle ich ihr seit Jahren, dass ein modernes Mädchen wie ich niemals und so … Du weißt schon.«

»Ich stricke auch aus Notwendigkeit«, erklärte Mara ernst. »Commissario Tasso hat seine Handschuhe im Auto dieses Hamburger Touristen liegen lassen. Die Familie ist nun am Samstag abgereist, ohne die Handschuhe im Hotel zu hinterlegen. Also braucht er neue. Das bin ich ihm schuldig, schließlich war es meine Idee, diesen unmöglichen von Kotzian darum zu bitten, uns zu fahren. Oder?«

Veronika lachte amüsiert auf, und Mara fiel darin ein. Es war heilsam. Eine solche Freundin war in Gold nicht aufzuwiegen. Mara zupfte die Nadeln und die Wolle hinter dem Kissen hervor. »Also denn, dann wirst du heute stricken lernen.«

»Ich bitte darum. Ist es schwer?«

»Das kommt drauf an, wie geschickt du dich anstellst.« Sie wurde das Gefühl nicht los, dass ihre Freundin dieses ganze Interesse nur heuchelte und zu viel Gewese um diese geheimnisvolle Idee machte. Aber was konnte es schaden?

Vermutlich hatte sie bemerkt, wie sehr Mara daran gelegen war, abgelenkt zu werden. Ein Schritt nach dem anderen, und dann würde sie weitersehen. Im kommenden Jahr.

3. Epilog, in dem Tasso Farbe bekennt

Von liebevoll zubereiteten Knödeln gestärkt wagte sich Tasso am Nachmittag desselben Tages endlich an die schwierigste Mission. Gemächlich schaukelte der knallrote Fiat 500 seiner Tante Hedwig ihn nach Lana. Tasso besaß kein eigenes Auto, wozu auch? Solange kein Schnee lag, kam er mit seiner Vespa oder dem Zug überallhin.

Sogar bis nach Rom.

Noch am Sonntagabend hatte er sich auf den Weg in den Süden gemacht und fünf Tage in Erinnerungen an die Kindheit geschwelgt, sich der Nostalgie der vertrauten Gassen hingegeben. Am Freitag nach Weihnachten war er schließlich zurück nach Bozen gefahren, um ein riesiges Proviantpaket und die Erkenntnis reicher, dass es nie wieder so werden konnte, wie es einst gewesen war. Zugegeben, er fühlte sich in Südtirol nicht recht zu Hause. Aber in Rom war er es auch schon längst nicht mehr. Das Erstaunlichste an dieser Erkenntnis war, dass sie ihn auf eine unerklärliche Weise versöhnte, statt ihn melancholisch werden zu lassen. Für ihn führte kein Weg mehr zurück nach Rom. Doch dieses Gefühl, am Ende irgendwo anzukommen, dieses Zuhausesein, das könnte er sich erschaffen. Es war noch nicht zu spät. Knödel jedenfalls waren ein erfreulicher Anfang.

Er erreichte sein Ziel, einen einsam gelegenen Bauernhof, und parkte auf einem Platz zwischen Wohnhaus und Scheune. Er stieg aus dem Wagen und sah sich um. Nebel hing um die Baumwipfel und unter den Dächern der Gebäude. Riesige Eiszapfen hatten sich an jedem vorstehenden Dachbalken, an Fensterbänken und Erkern gebildet, wie an einem Schloss im Wintermärchen. Ein typischer Hof, wie es sie in Südtirol zu Hunderten gegeben hatte und immer noch gab. Der hier, so viel wusste Tasso inzwischen, hatte sicherlich hundertfünfzig bis zweihundert Jahre auf dem Buckel, besser gesagt, auf dem Gebälk. Hier hatte die Bauernfamilie im vorderen Teil des großen Hauses gewohnt, der hintere diente damals als Stall und Heustadel. Heute waren dort vermutlich Fremdenzimmer untergebracht, zumindest sah Tasso keine Anzeichen von Viehwirtschaft. Zwei Nebengebäude waren erst in diesem Jahrhundert erbaut worden: ein kleiner offener Schuppen, in dem Autos parkten, und die Scheune, in der sie die sechs Burschen verhaftet hatten.

»Kann ich Ihnen helfen? Suchen Sie jemanden?«

Tasso drehte sich zu der Stimme um. Ein junger Mann mit einem blauen Schurz und offenem Ledermantel darüber kam auf ihn zu.

»Ja. Guten Morgen. Vielleicht suche ich Sie.«

Sein Gegenüber blieb abrupt stehen. Tasso erkannte ihn. Es war der junge Mann, der sich bei der Entlassung aus der Haft zu dem Polizisten herumgedreht hatte und dann von diesem rüde auf die Straße geschubst worden war. Und erst jetzt wurde sich Tasso bewusst, dass seine Begrüßung bedrohlich wirken mochte, auch wenn sie gar nicht so gemeint war, im Gegenteil.

Hastig hob er beide Hände und zeigte die Handflächen, als wollte er ein fliehendes Pferd aufhalten. Im Inneren war ihm eher zumute, als käme eine Stierherde auf ihn zu.

»Ich wollte noch einmal mit Ihnen reden. Nur reden, mit Ihnen und Ihren Freunden.«

»Und worüber?« Misstrauisch machte der Bursche einen Schritt auf ihn zu.

Ein zweiter Mann, einige Jahre älter und mit rotblondem Vollbart, sowie ein Junge von vielleicht vierzehn Jahren kamen aus der Scheune und blickten neugierig zu ihnen. Der Bärtige hatte ebenfalls zu den Verhafteten gehört.

Tasso nahm allen Mut zusammen. Er war hier allein. Wenn den Kerlen danach war, ihn durchzuprügeln, dann hatte er es nicht anders verdient.

»Ich wollte …« Er räusperte sich und setzte mit lauter Stimme erneut an: »Ich wollte mich entschuldigen. Wir haben Sie zu Unrecht verdächtigt. Das war … Es war ein Missverständnis, und ich hätte das früher erkennen müssen. Es tut mir leid.«

Keiner der drei rührte sich.

Tasso ließ die Hände sinken. »Ja.«

Der Bärtige kam auf ihn zugelaufen. Tapfer blieb Tasso an Ort und Stelle stehen, obwohl er damit rechnete, dass der Mann ihn umrennen wollte. Erst eine Armlänge vor ihm stoppte er abrupt und funkelte ihn wütend an. »Das wagen Sie? Sind Sie noch ganz dicht, Mann? Was sind Sie für ein Volltrottel!«

»Was soll er denn sonst machen?« Der andere trat hinzu und riss den Bärtigen an der Schulter zurück. »Spinnst du? Du bedrohst ihn. Allein für diese Beleidigung könnte er dich einkassieren. Und dieses Mal mit vollem Recht.«

»Lassen Sie. Ihr Freund hat ja allen Grund, wütend zu sein. Ich weiß, dass Sie geschlagen wurden. Ich kann den Schatten da um Ihr Auge noch erkennen. So etwas … Es ist nicht richtig. Es ist auch nicht im Sinne meines Vorgesetzten, Questore Visconti.«

Beide nickten mechanisch.

»War das der Einbeinige? Wenn der nicht gekommen wäre, will ich nicht wissen, was die mit uns angestellt hätten.« Der Friedlichere schubste den Bärtigen zur Seite und streckte die Hand aus. »Ich nehme Ihre Entschuldigung an. Das ist alles andere als selbstverständlich. Wir kommen am Ende alle nur weiter, wenn wir gemeinsam nach einer Lösung suchen. Ich bin übrigens Paul, der dahinten ist mein Bruder Peter. Der Hitzkopf heißt Walter.«

Tasso schüttelte ihm kräftig die Hand. Peter und Paul, die beiden Schutzheiligen Roms. Der Herrgott hielt also doch noch gelegentlich eine schützende Hand über ihn.

Walter zuckte mit keiner Wimper. Er stand einfach nur da und stierte Tasso an. Nach einer gefühlten Ewigkeit streckte er dann unvermittelt die Hand aus. »Also gut.«

Gerade da Tasso sie erleichtert ergreifen wollte, zog er sie wieder weg. »Meinen Sie wirklich, dass Sie so einfach davonkommen?«

»Walter, Mensch, du hast sie doch nicht mehr alle!«

Doch Walter lachte überraschend fröhlich und vollführte eine Verbeugung in Richtung Scheune. »Herr Kommissar, dank Ihnen fehlen uns zwei volle Arbeitstage. Ich verzeihe Ihnen erst, wenn Sie uns helfen, die Scheune zu streichen.«

»Ich? Das, aber das …« Tasso fiel nervös in sein Lachen ein. »Also gut, warum nicht?«

Walter war wie verwandelt, klopfte ihm anerkennend auf die Schulter.

Paul dagegen war entsetzt. »Aber er kann doch nicht …!«

In dem Moment schien es Walter wieder einzufallen. Er hielt mitten in der Bewegung inne und fluchte leise. Tasso verstand gar nichts mehr.

»Soll ich dann die Flaschen wegräumen, die wir noch nicht abgefüllt haben?«, rief Peter eifrig.

Die beiden Älteren sahen sich an.

Jetzt dämmerte es Tasso. »Ihr brennt in der Scheune Schnaps.«

Das war nun wirklich nicht erlaubt, und beide schwiegen vielsagend.

Walter hustete. »Es ist Apfelbrand. Wollen Sie vielleicht ein Glas probieren?«

Tasso setzte sich in Richtung Tor in Bewegung. »Werde ich blind davon, wenn ich das trinke?«

»Bisher gab es keine Beschwerden«, behauptete Paul.

»Dann werde ich ihn testen. Und wenn er gut ist, werde ich die gesamte Fuhre konfiszieren.«

»Was?« Peter riss die Augen auf und sah zu seinem Bruder auf. »Darf er das?«

»Ja, darf er. Aber ich hoffe, dass er nur einen Scherz gemacht hat.«

»Das werden wir sehen«, grollte Tasso und sorgte dafür, dass niemand sein Schmunzeln sah. »Erst die Arbeit, dann das Vergnügen. Wollen wir, Signori?«

Il ringraziamento – die Danksagung

Der winterliche Ausflug nach Südtirol mit Aurelio Tasso und Mara Oberhöller war eine spontane Entscheidung. Ich danke dem Verlag Bastei Lübbe und meiner Lektorin Martina Wielenberg ganz herzlich für diese Möglichkeit. Die Arbeit an diesem Roman hat mir nicht nur sehr viel Spaß gemacht, sondern ist mir auch leichter gefallen als erwartet. Was an den ungewöhnlichen Schneetagen Anfang des Jahres 2021 in meiner Heimat liegen könnte. Ich bin Minustemperaturen schon seit Jahren nicht mehr gewöhnt, und in diesem Januar war es ausnahmsweise mal ordentlich kalt.

Großen Dank an meinen Agenten Niclas Schmoll, der mich bereits seit vielen Jahren und hoffentlich auch in Zukunft dabei unterstützt, eine immer bessere Autorin zu werden. Außerdem danke ich Frank Weinreich für die kompetente und entspannte Redaktion.

Die wichtigsten Menschen im Umfeld für dieses Romanprojekt sind mein Mann Lars, der sich beim Abendessen mit vielen Plotknoten herumschlagen darf. Darüber hinaus meine unermüdliche Cheerleaderin Fabienne und nicht zuletzt meine nie um eine hilfreiche Antwort verlegene Beraterin Priska. Ohne sie wäre die *Italianità* nur halb so glaubwürdig.

Die Community für alle, die Bücher lieben

- ★ In der Lesejury kannst du Bücher lesen und rezensieren, die noch nicht erschienen sind
- ★ Gemeinsam mit anderen buchbegeisterten Menschen in Leserunden diskutieren
- ★ Autoren persönlich kennenlernen
- ★ An exklusiven Gewinnspielen und Aktionen teilnehmen
- ★ Bonuspunkte sammeln und diese gegen tolle Prämien eintauschen

Jetzt kostenlos registrieren: www.lesejury.de

Folge uns auf Instagram & Facebook:
www.instagram.com/lesejury
www.facebook.com/lesejury